DEUTSCHLAND

Kulturelle Entwicklungen seit 1945

Herausgegeben von Paul Schallück

Max Hueber Verlag München

Originalausgabe:
Allemangne 1945–1965
Arts lettres Spectacles
Edition speciale Documents vevere des question, allemandes
© 1965 by Documents Paris

Hueber-Nr. 9093
1. Auflage 1969
© 1969 by Max Hueber Verlag, München
Umschlaggestaltung: Wolfgang Taube, München
Satz und Druck: Allgäuer Zeitungsverlag, Kempten/Allgäu
Printed in Germany

Inhaltsverzeichnis

DEUTSCHLAND – Gestern und heute

Paul Schallück

Deutschland ist ein Rätsel. Deutschland ist eine Sphinx. Ist Deutschland
eine Sphinx? Eine Mischgestalt aus Mensch und Tier? Ein Rätsel? Wie soll
man es begreifen, dies widerspruchsvolle Land? Dieses vielgesichtige
Volk? Wo ist der Ödipus, der das Rätsel löst? Der die Frage der Sphinx beantwortet und das Untier besiegt?

Das sagenhafte Ungeheuer vor den Toren des griechischen Theben hatte
jeden getötet, der keine oder keine richtige Antwort wußte auf die Frage
nach dem Wesen, das morgens auf vier, mittags auf zwei, abends auf drei
Beinen daherkommt. Ödipus, der soeben unwissentlich seinen Vater getötet hatte, antwortete forsch, es sei der Mensch. Ohne Zaudern stürzte
sich das Biest in den Abgrund.

Eine Frage nach dem Maße des Rätselspiels; eine Antwort simpel wie alle
raschen Urteile; ein Effekt so überraschend wie die Wirkung vieler Vorurteile.

Hernach erkannte man, daß das Rätsel der Sphinx hinter der Antwort des
Ödipus ungelöst geblieben war, ungelöst bis auf den heutigen Tag. Denn
Ödipus hatte das Wesen, nach dem er unter Androhung des Todes gefragt
war, nur mit biographischen Namen benannt. Dieses Wesen aber hört
nicht auf einen einzigen Namen. Mit einem Wort hatte Ödipus die Sphinx
besiegt, sie verschwand vor seinen Augen vom Felsen. Hinter seinem
Rücken aber, während er mit seiner Mutter schlief, kletterte das Mon-
strum unbeschadet aus dem Abgrund hervor: als tausendfältige Frage
nach dem Menschen. Ödipus hatte eine richtige Antwort gegeben, die der
Wahrheit nicht sehr nahe kam. Das Rätsel hat er nicht gelöst.

Seine Methode wird uns nicht helfen bei der Frage nach Deutschland, das
ein Rätsel ist wie jedes Volk, das einer Sphinx nur gleicht, wenn der Betrachter auf den Trick der simplen Fragen und des raschen Urteilens hereingefallen ist.

Was aber ist Deutschland – im Jahre 1969?

Einst sang man in deutschen Landen zur Melodie des Österreichers Joseph
Haydn: »Deutschland, Deutschland über alles, über alles in der Welt«.
Heute singt man zur selben Melodie: »Einigkeit und Recht und Freiheit

sind des Deutschen Vaterland, danach laßt uns alle streben brüderlich mit Herz und Hand«; und ein wenig östlicher, nach anderen Noten: »Auferstanden aus Ruinen, Deutschland, einig Vaterland«. Ehedem liefen Glücksschauer den Rücken hinunter, wenn zur Blasmusik verkündet wurde: »Von der Maas bis an die Memel, von der Etsch bis an den Belt, Deutschland, Deutschland über alles, über alles in der Welt«. Heute sagen die einen: Deutschland liegt zwischen Rhein und Elbe, und die andern sagen: Deutschland liegt zwischen Elbe und Oder; die dritten sagen: Deutschland liegt wie eh und je zwischen Maas und Weichsel, und die ganz Schlauen sagen: Deutschland liegt zwischen gestern und morgen. – Auch wie eh und je?

Wo liegt Deutschland wirklich?

Einst: Arbeiterbewegung, Anarchismus, Klassenkampf, Massenverachtung, Kulturkampf, Land der Ideologien, des politischen Extremismus, der gewagten Versuche, der ausgetragenen Konflikte. Heute westlich der Elbe: freiwillig zahm – bis auf ein paar Junge, willentlich ohne Spannung ideologischer Provenienz, bewußt verzichtend auf weltanschauliche Konflikte, unterkühlt; im Osten: von Panzern, Bajonetten, Stacheldrähten und Mauern gezähmt, zum Schweigen gebracht, zur Resignation verurteilt – bis auf ein paar Ausnahmen.

Ein Jahrhundert lang war Deutschland das Laboratorium der Welt, in dem experimentiert wurde mit vielen politischen Konzeptionen. Zu unserer Zeit gewinnt man westlich der Elbe Wahlen mit der Parole: »Keine Experimente«; östlich der Elbe experimentiert man nach andernorts erprobten Rezepten. In diesem Land wurde der Sozialismus versucht als Lösung wirtschaftlicher, politischer, menschlicher Probleme. Heute existiert fast nur noch das Wort im Namen westlicher Parteien und Organisationen; oder als Phrase in östlicher Propaganda. In diesem Lande wurde der Kommunismus erdacht »als wirkliche Aneignung des menschlichen Wesens durch und für den Menschen. Er ist das aufgelöste Rätsel der Geschichte und weiß sich als diese Lösung« (Karl Marx). Heute sind die Kommunisten, trotz einer neu gegründeten Partei, in der Bundesrepublik zur Bedeutungslosigkeit herabgesunken. In Deutschland wurde in der Form des Nationalsozialismus der Faschismus zur tödlichen Höhe entwickelt. Heute ist »Faschist« oder »Nazi« im Westen ein Schatten der Vergangenheit, im Osten ein Schimpfwort.

Einst schienen die Deutschen wie Pfauen aufgeplustert vom Stolz auf die eigene Nation, deren staatliche Einheit erst 1871, nach einem gewonnenen Krieg, proklamiert worden war. Heute müssen sie von ihren Politikern westlich der Elbe zu »echtem« Nationalgefühl aufgemuntert, östlich der Elbe zu »sozialistischem Staatsgefühl« ermahnt werden. Einst ein Volk von Idealisten, heute ein Volk von Produzenten und Konsumenten, oder von Resignierten. Einst ein Volk von Utopisten, heute ein Volk von Gläubigern und Schuldnern, oder von Resignierten. Einst romantisch, heute rechnend und nüchtern, oder resigniert. Einst Dichter und Denker (Madame de Staël), heute Funktionäre und Lobbyisten. Einst in benagelten Stiefeln durch die halbe Welt, heute in weichem Wildleder durch die ganze Welt – östlich und westlich. Kürzlich noch als militaristisch verschrien, damit das Erbe Frankreichs übernehmend, das seinerseits das Erbe Schwedens angetreten hatte, heute im Westen: ein Gesetz, das Erlaubnis gibt, den Wehrdienst zu verweigern.

1932, vierzehn Jahre nach dem ersten Weltkrieg: wirtschaftliche Depressionen, 6 Millionen Arbeitslose, politisch bedroht und bedrohend, insgesamt labil. 1969, vierundzwanzig Jahre nach dem zweiten Weltkrieg: einerseits besorgt, wenn die Produktionsrate um ein Prozent weniger steigt, über 1 Million Gastarbeiter, Wohlstand; andererseits wirtschaftlich Moskaus potentester Verbündeter. 1932: Philosophie, Literatur, Rundfunk, Theater, Musik, Oper, Ballett, Malerei, Architektur, Plastik und Film voller Lebenskraft; 1968: nicht mit vergleichbarer Wirkung, in beiden Teilen. Also 1969: nahezu die Umkehrung der Situation von 1932, in beiden Teilen Deutschlands.

Welch ein Land! Alle diese Antworten sind richtig, wie die Antwort des Ödipus richtig war. Dennoch halte ich sie für Halbwahrheiten. Sie sind auf den Trick der Sphinx hereingefallen. Sie beantworten jeweils nur eine simple Frage. Sie bleiben einseitig. Wie aber soll man die Wahrheit über Deutschland erkennen?

Ob es überhaupt möglich ist oder nicht – ich jedenfalls bin überzeugt, daß jeder Versuch, der gesuchten Wahrheit auf die Spur zu kommen, auch im Jahre 1969 noch mit der Stunde Null beginnen muß, mit dem Jahre 1945. Man muß die roten Fäden nachziehen, die von der Stunde Null bis in die Gegenwart führen. Und das wird noch viele Jahre so bleiben. Denn mag es in der deutschen Geschichte Diskontinuitäten die Fülle gegeben haben, zwischen 1945 und heute besteht Kontinuität.

Alles, was das Deutschland des Jahres 1969 rätselhaft erscheinen läßt in den Augen der Nachbarn, hat seinen Ursprung im Jahre 1945, begann mit dem Tage, an dem das »Tausendjährige Reich« Hitlers nach zwölf Jahren ein unrühmliches Ende zudiktiert bekam, mit dem Sturz der nationalsozialistischen Diktatur, mit dem verlorenen Krieg, mit der bedingungslosen

Kapitulation. Um vieles einschneidender als für die Geschichte der Nachbarländer ist das Jahr 1945 für die Historie der Deutschen eine Zäsur: sentimental und moralisch, wirtschaftlich und politisch, technisch, soziologisch und künstlerisch. Eine Zäsur solcher Art hat es in der Geschichte dieses Landes zuvor nicht gegeben.

Die Stunde Null war die Stunde der Toten. Tot waren bis auf wenige die Bannerträger des Diktators. Tot war der Mann selbst, Adolf Hitler aus Braunau am Inn, gleich hinter der österreichischen Grenze: Der Gefreite des ersten Weltkrieges, der Putschist von 1923, der Gefangene auf der Festung Landsberg, der Führer der Nationalsozialistischen Deutschen Arbeiterpartei, der Propagandist der nationalen Erhebung, der Verächter der Demokratie, der Reichskanzler des Jahres 1933, der Autor des Bestsellers »Mein Kampf«, der Diktator eines Siebzig-Millionen-Volkes bis zu seinem Selbstmord; der Lügner, Vertragsbrecher, Terrorist, Mörder, Antisemit; der Befehlsgeber der Konzentrationslager, der neuen Wehrmacht, der Rüstung, der Wirtschaft, des Handels, der Industrie, der Gesetze, der Pädagogik, der Wahlen, der Autobahnen, der Mode, der Forschung, der Kunst – und des von ihm provozierten zweiten Weltkriegs. Adolf Hitler, der Österreich annektierte und den tschechoslowakischen Staat zerschlug, der Sieger in Polen, Holland, Belgien und Frankreich, in Dänemark und Norwegen, in Jugoslawien und Griechenland, in Nordafrika und Rußland – und der Besiegte in Rußland, Nordafrika, Polen und Ungarn, in Italien, in Frankreich und auf dem eigenen Boden. Der Führer: dem in Deutschland viele zugejubelt und geglaubt, den außerhalb Deutschlands zu viele belächelt und unterschätzt, dem im eigenen Volk manche von Anfang bis Ende mißtraut, dem etliche widerstanden – ihre Zahl ist nicht klein, und es waren die Besten –, den sie bis zu ihrem Tode bekämpft hatten. Der wahnsinnige Verbrecher schließlich, dem einige Millionen Deutsche zum Opfer gefallen sind an den Fronten, in den Gaskammern, an den Galgen, auf den Exekutionsstätten; und viele Millionen Russen, Polen, Franzosen, Engländer und Amerikaner, Holländer, Griechen und Jugoslawen, Dänen, Norweger und Belgier, Tschechen, Ungarn und Rumänen, Italiener und Spanier, Esten, Slowaken, Letten und Livländer, Inder, Afrikaner – und Juden.

Die Stunde Null war zugleich auch die Stunde der Überlebenden. In Erdlöchern unter den Trümmern ihrer Städte oder in Gefangenenlagern zwischen Wladiwostok und San Francisco wachten sie eines Tages auf: aus einem Rausch oder aus einem Alptraum, aus Ohnmacht und Resignation. Und waren verfemt in der ganzen Welt. Und wurden kollektiv der Verbrechen beschuldigt, die einige in ihrem Namen begangen hatten. Und waren in der Mehrzahl außerstande, sich die vielen Millionen Toten vorzustellen, die Nachrichten über sie zu glauben oder gar zu begreifen. Aber sie waren verurteilt, von nun an mit der Erinnerung an diese Toten zu leben. Auch die Verbrechen vermochten nur wenige zu verstehen. Die meisten erfuhren erst in der Stunde Null oder noch später, was geschehen war. Das ist ein historisches Faktum, kein Alibi. Die unzähligen Toten und die unsäglichen Greuel überforderten die Vorstellungskraft des normalen Menschen.

So hin- und hergerissen zwischen Schuld und Nicht-Begreifen fanden sie ihr Land von den Siegermächten besetzt und in vier Besatzungszonen aufgeteilt. Russen und Amerikaner, Engländer und Franzosen begannen, die Überlebenden nach ihren eigenen Vorstellungen vom Menschen und von der Politik umzuerziehen. Im Westen des viergeteilten Landes sollten Schuldige und Unschuldige, Nazis und Antifaschisten, Kommunisten und Sozialisten nach den unterschiedlichen Prinzipien der Sieger zu Demokraten umerzogen werden. Engländer und Amerikaner folgten anderen Methoden und wohl auch anderen politischen Zielen als Franzosen. Im Osten richtete sich das pädagogische Programm nach marxistisch-leninistisch-stalinistischen Rezepten.

Was aus einem Menschen wird, kann – abgesehen von ererbten Anlagen – in den ersten fünf Lebensjahren bestimmt werden. Das deutsche Volk im Jahre Null war kein Kind. Aber es war leer, weich, prägsam, aufnahmefähig. Es lernte begierig, teils freiwillig, teils gezwungen, es ahmte nach und begann erst langsam wieder zu denken. Das war ein historisch unvergleichlicher Prozeß, zumindest für Deutschland.

Die frühen Meinungsverschiedenheiten der westlichen Sieger- und Besatzungsmächte, ihre Unsicherheiten in Sachen Demokratie, die dem Ideal dieser Lebens- und Staatsform nicht eben zum Nutzen gereichten, gleichwohl einem gebrochenen, prägsamen Volk demonstriert wurden, sind für den aufmerksamen Beobachter noch heute zu spüren. Es trifft nur teilweise zu, wenn man behauptet, gelegentliche Unsicherheiten des demokratischen Verhaltens in Westdeutschland seien Nachwirkungen der diktatorischen Gewöhnung oder des braunen Giftes. Die Deutschen des Jahres Null waren in ihrer Mehrheit viel zu gute Schüler, um nicht auch die Schwächen ihrer siegreichen Lehrer zu kopieren.

Und die Uneinigkeit aller vier Besatzungsmächte in den Fragen, wie die Deutschen fortan leben, wie sie sich in ihren Trümmern und mit ihrem Hunger einrichten, wie sie sich politisch entwickeln sollten, legte schon

1945 jene Spaltpilze, die Jahre später das Land in eine Bundesrepublik Deutschland und in eine Deutsche Demokratische Republik auseinanderrissen.

Es geht mir nicht um Vorwurf oder Schuld. Wer besaß denn ein Rezept, wie es die Sieger- und Besatzungsmächte besser hätten machen sollen, wie sie 1945 konstituiert waren und nach dem, was sie mit Deutschen erlebt und von Deutschen erlitten hatten? Es geht hier um den Versuch, die Kontinuität zwischen 1945 und 1969 nachzuweisen und solchermaßen die deutsche Gegenwart ein wenig verstehen zu lernen.

Selbst im Drei-Zonen-Gebiet, das sich später zur Bundesrepublik Deutschland zusammenschloß, ist noch heute im Bereich der Administration die unterschiedliche Kommunalpolitik Englands, Amerikas und Frankreichs nachweisbar. Da entstand ein Föderalismus, mit dem die Politiker der Länder fertig zu werden gelernt haben und anscheinend zufrieden sind, der sich aber auf dem Gebiet der Kultur, besonders der Pädagogik, nachteilig auswirkt und bisweilen in Provinzialismen ausartet.

Einer wissenschaftlichen Untersuchung bedürfte es, um zu analysieren, welche kulturellen Einflüsse der vier Besatzungsmächte auf das deutsche Volk niedergingen: in der Philosophie und in den Künsten, in den Wissenschaften, in der Mode, im Lebensstil, bis hinein in die Sprache. In Ostdeutschland wimmelt es von Fremdwörtern aus dem Russischen, besonders in den technischen und politischen Spezialsprachen. In Westdeutschland findet man eine große Zahl von Idiomen aus dem Anglo-Amerikanischen und aus dem Französischen, wiederum vor allem in der Sprache der Techniker und Politiker, aber auch der Soziologen, der Film- und Fernsehleute, der Jazzfans, der Biologen und anderer Wissenschaften. Ohne die Direktion der Besatzungsmächte, die Zeitungslizenzen vergaben und Lizenzträger auf ihre eigene Ansicht von der Funktion der Presse verpflichteten, sähe die west- und die ostdeutsche Publizistik anders aus. Ob besser oder schlechter steht nicht zur Debatte. Und ohne die Besatzungsmächte wäre der deutsche Rundfunk heute anders konstruiert. Auch er ist, wie er ist, ein Besatzungskind.

Deutschland hatte bedingungslos kapituliert. Deutschland war in eine historisch unvergleichbare Katastrophe solchen Ausmaßes gestürzt, daß dieses Volk unfähig schien, sich selbst von der Diktatur zu befreien oder wenigstens nachträglich zu säubern. Die Revolution vom 20. Juli 1944 gegen Hitler war gescheitert, aus welchen Gründen und Notwendigkeiten immer. Und 1945 zeigte sich wenig, was die Sieger als revolutionären Willen zur Selbstreinigung werten mochten. Infolgedessen wurde dem deutschen Volk aber auch die Chance nicht gegeben, das braune Gift selbst auszuscheiden, die Verbrecher selbst und vor deutschen Gerichten abzuurteilen. Die westlichen Besatzungsmächte entschieden sich für einen operativen Eingriff, der nach ihrer Meinung radikal sein sollte. Es begann der ebenso aufrichtig gemeinte wie mangelhaft ersonnene und dumm durchgeführte Prozeß der Entnazifizierung. Mit Hilfe von bürokratisch langen Fragebögen – vierzehn Millionen allein in der amerikanischen Zone – hofften die Besatzungsmächte, sich über die deutsche Seele Klarheit verschaffen, die guten von den bösen Deutschen, die Nazis von den Antifaschisten, die Belasteten von den Mitläufern und Unbelasteten scheiden zu können. Als hätten die Psychologen der letzten fünzig Jahre geschlafen! Selbstverständlich erweisen sich die Methoden dieser bürokratischen Gewissenserforschung, ob anfangs von Alliierten betrieben, ob später von Deutschen fortgeführt, nachträglich als viel zu grob, die Beurteilung nach Kategorien, die jenseits des Ozeans erdacht worden waren, als viel zu undifferenziert, um ein ganzes Volk in einer solchen Situation erkennen zu können. Trotz des begonnenen Krieges, trotz der Verbrechen des Naziregimes war das deutsche Volk schon mit der These von der Kollektivschuld falsch behandelt worden. Und nun auch noch: Entnazifizierung auf dem Papier.

Die Folge war eine schleichende Unaufrichtigkeit (wer wird einem Sieger die Wahrheit sagen über seine geheimen Taten und Gedanken?), ein Sich-drücken (es wurde ihnen leicht gemacht, sich zu entschuldigen), ein Suchen nach dem moralischen und faktischen Alibi (davon haben wir nichts gewußt!), falsche Bekenntnisse, Selbsttäuschungen, Selbstbetrug. Vor allem wurde den wirklichen Nazis unausgesprochen erlaubt, ihre Schuld paritätisch auf das ganze Volk zu verteilen, auf die kleinen Belasteten und auf die vielen Mitläufer. Ein Volk, in seiner Mehrzahl bereit, ehrliche Gewissenserforschung zu halten, wurde mit der nicht genügend durchdachten Methode der Entnazifizierung zur Mimikry verleitet und innerhalb ganz kurzer Zeit zum zweiten Male moralisch gebrochen. Das Messer des Operateurs war bis zum Krankheitsherd erst gar nicht vorgedrungen, es hatte lediglich an den Geschwulsten ein wenig herumgeschnitten.

Vielleicht war es nicht möglich, die Entwicklung vorauszusehen, ihr vorzubeugen. Vielleicht war es faktisch unmöglich, den notwendigen Reinigungsprozeß schon in den ersten Monaten nach dem verlorenen Krieg durchzuführen. Fest steht jedenfalls, daß er damals falsch begonnen, und weil falsch begonnen, suspekt und bald verdrängt wurde. Fest steht, daß er erst in den folgenden Jahren langsam, von Fall zu Fall und als wiederkehrende Schocktherapie in einem Lande nachgeholt werden konnte, das sich ansonsten offensichtlich schon auf neuen Wegen befand. Dann und wann wird die westdeutsche Bevölkerung noch heute von Prozessen gegen ehemalige Nazis aufgeschreckt, während man ostseits der Elbe fast schweigend über die Vergangenheit hinweggeht, als habe sie nur westlich der Elbe stattgehabt, jedenfalls diffamierend in aller Welt propagiert, alle Ehemaligen seien unter den Bonner Schutz geflohen. Noch heute, da alle Welt, beschäftigt mit ganz anderen Problemen, das Nazi-Deutschland allmählich vergißt, kann die Säuberung nicht abgeschlossen werden, weil ihre Anfänge in falschen Spuren liefen. Und so erschienen denn die Westdeutschen als eine Ansammlung von seltsamen Typen, die fortwährend zurückblicken, sich selbst bemitleiden und in ihrer dunklen Vergangenheit herumleuchten.

Sie bemitleiden sich nicht selbst: sie müssen nachholen, um ihrer Gegenwart und einer besseren Zukunft willen, was damals, als es leichter möglich gewesen wäre, versäumt wurde. Gezwungen, zurückzublicken, gewillt, nach vorn zu gehen – das ergibt das Bild der Schizophrenie. Wir leben nicht gern so, wir leben so nicht freiwillig.

Außerdem: Glaubt irgend jemand, ein solch komplexer Vorgang könne ohne Konsequenzen bleiben, ohne moralisch-politische Wirkung auf die Haltung eines Volkes? Der Ursprung einer oft konstatierten, politischen Interesselosigkeit weiter Kreise in Westdeutschland ist auch in dem doppelten moralischen Schock der Stunde Null zu suchen. Dem Schock des bösen Erwachens folgte der Schock des verdrängten schlechten Gewissens, dem doppelten Schock folgte Mißtrauen gegenüber Politik und Politikern, dem Mißtrauen Müdigkeit, die Müdigkeit wuchs sich aus zur Interesselosigkeit, die Interesselosigkeit zu einer Bewegung, die als »Ohne-mich«-Bewegung bekannt wurde. Der Rückzug aus Öffentlichkeit und Politik ins Privatleben setzte ein in der Stunde Null: nach der Katastrophe, mit der Kollektivschuld-These, mit der Entnazifizierung und mit den Nürnberger Prozessen gegen Nazi-Führer, Ärzte und Wissenschaftler.

Viele wären noch heute froh, wenn wir die Nürnberger Prozesse selbst hätten führen können. Die Angeklagten von Nürnberg – daß sie rechtens beschuldigt wurden, steht außer Frage – wurden nach Gesetzen verurteilt, die post festum erlassen worden waren, abgeurteilt im Namen von Mächten, die sich in der Geschichte – und sogar im vergangenen Krieg – ähnlicher Verbrechen schuldig gemacht hatten, Vergehen gegen das Völkerrecht. Ein ungewöhnliches Verfahren. Es minderte in den Augen vieler – nicht nur

Deutscher – die Legitimität des Gerichts. Welche Auswirkungen die Nürnberger Prozesse für das Rechtsempfinden des deutschen Volkes haben mußten, kann nur angedeutet werden.

Das Jahr Null war aber auch ein Jahr des Aufbruchs, der guten Vorsätze, der neuen Wege. Viele der Reformen, die das westdeutsche Volk noch heute beschäftigen, stammen aus dem Jahre 1945; Reformen in der Pädagogik von der Volksschule bis zur Universität, in der Verwaltung, in den Wissenschaften, in den Rechten und Gesetzesbüchern, in der Sozialgesetzgebung, im gesamten öffentlichen Leben und in manchen privaten Bereichen. Ringsum waren Tod und Trümmer. Darin aber der Wille zum Überleben. Die Zeit des Terrors war vorbei, nun galt es, die Freiheit zu begreifen und zu begründen; die Epoche des Hasses war zuende, nun sollten Toleranz und Liebe herrschen und Verständnis unter den Menschen und Völkern, Achtung, Zusammenarbeit, Hilfe. Der Nationalrausch war verraucht, nun sollte Europa sein. So denkend und handelnd, wollten viele Deutsche wiedergutmachen, was in ihrem Namen an der Menschheit gesündigt worden war.

Dieser starke moralische Impetus – keineswegs romantisch verschwärmt, nicht in passivem Selbstmitleid vergeudet, sondern nachweislich aktiv, aus Schuld und Reue, zwischen Tod und Trümmern zu politischen Einsichten reifend und in handfeste Pläne umgesetzt – dieser Impuls kann von aufmerksamen Beobachtern auch heute noch in Westdeutschland aufgespürt werden. Die Kraft des Aufbruchs schwächte sich ab mit den Jahren, besonders als die Wirtschaft sich zu erholen begann. Das ist natürlich. Es wurde auch nicht alles realisiert, oder nur wenig von dem, was damals gewünscht und geplant war.

Das hängt damit zusammen, daß es ein Neubeginn ohne diejenigen war und sein mußte, die vor Hitler geflohen waren. Den Widerstand gegen Hitler hatten zu viele der Besten nicht überlebt. Und von den Emigranten kehrten zu wenige in die Heimat zurück. Wären alle Frauen und Männer, auf die wir warteten, von den Besatzungsbehörden oder von den ersten deutschen Verwaltungen schon bald zu Hilfe gerufen worden, Deutschland sähe heute anders aus. Wahrscheinlich hätten sich manche der bis jetzt ungelösten Probleme erledigt, hätten wir nicht auf Intelligenz und Erfahrung der Emigranten verzichten müssen: der Philosophen und Politiker, der Zeitungsleute und Künstler jeglicher Art, der Städtebauer und Architekten. Unterm tätigen Einfluß der Emigranten hätte auch das berühmte deutsche Wirtschaftswunder ein anderes Gesicht angenommen. Möglicherweise war das Wirtschaftswunder der Bundesrepublik für Ausländer der rätselhafteste Aspekt im Bild, das sie sich vom Nachkriegsdeutschland gemacht haben. Wie soll man sich erklären, daß ein Land nach einem total verlorenen Krieg, mit zertrümmerten Städten und einer arg dezimierten Bevölkerung, aufgelöster Wirtschaft und zusammengebrochenem Versorgungssystem, mit zerschlagener Produktion und eingestürzten Brücken, verbrannten Straßen und geplatzten Wasserrohren, gesprengten Talsperren und verkohlten Warenlagern, ohne Kohle und Elektrizität, ohne ausreichenden Wagenpark und lebensnotwendige Gegenstände aller Art – daß ein solches Land nach kurzer Zeit schon ein wirtschaftliches Wunder vorzeigen konnte? Mindestens fünf Jahrzehnte wird es dauern, orakelten Experten, bis Deutschland wieder aufgebaut ist. Und dann dauerte es keine zehn Jahre.

Aber es war kein Wunder. Das sogenannte Wirtschaftswunder ist die Konsequenz des Fleißes, der alliierten Hilfe und weltweiter politischer Konstellationen.

Die Basis des westdeutschen Wirtschaftswunders war zugleich: ein umfassendes Chaos und die beginnende Entfremdung der westlichen und östlichen Siegermächte. Das Chaos erwies sich als ebenso fruchtbar wie die Entfremdung, die zum kalten Krieg führte. Und noch der kalte Krieg gereichte der westdeutschen Wirtschaft zum Profit. Dieses Volk hatte politisch ausgespielt, war moralisch geschockt, geistig verwirrt – aber seine Vitalität war nicht gebrochen. Die Städte waren zerstört, also mußten sie rasch wieder aufgebaut werden, neuer, nicht immer schöner. Der Hunger war ungewöhnlich erschreckend für das ehedem zivilisierte Volk, also mußte er schnell beseitigt werden – mit Hilfe westlicher Siegermächte, durch private Spenden und öffentliche Zuwendungen. Der Krieg hatte Fabriken, Maschinen, Produktionsstätten zerstört, also konnten sie moderner, besser, produktiver wieder errichtet werden. Im beginnenden Streit zwischen Ost und West glaubten vor allem Amerikaner auf die deutschen Kraftreserven jeglicher Art, bis hin zu einer deutschen Bundeswehr, nicht verzichten zu können. Also unterstützten sie die Bevölkerung und die Regierung.

Das Volk wollte überleben. Es wollte sich selbst und den andern beweisen, daß es – trotz des Rückfalls in die Barbarei – rechtens zu den kultivierten Gemeinschaften dieses Planeten gehört. Es war willens, sich von seiner jüngsten Vergangenheit abzusetzen. Die Erneuerung des Denkens und der Moral ging naturgemäß langsamer vor sich, durch manche Hindernisse hindurch und war als Beweis für die gewünschte Wandlung nicht augenfällig genug. Neue Häuser, Städte, Fabriken, Maschinen und Straßen, neue Schulen, Kirchen, Theater, neue Autos und Gebrauchsgegenstände – das ließ sich vorzeigen als Beweis, sich selbst und den andern. Und die emsige Arbeit am Wiederaufbau half ein wenig mit, die Vergangenheit, die Toten, die Gewissensbisse, den doppelten moralischen Schock zu vergessen.

Inzwischen aber ist keine Rede mehr von einem Wirtschaftswunder. Vorübergehend hatte sich sogar eine kleine wirtschaftliche Flaute eingestellt (1966–1968) und zurechtgerückt, was sich als permanente Steigerung der Produktion und des Gewinns ohnehin nicht halten konnte. Die Regierungen des Bundes und der Länder wie Gemeinden müssen sparen. Was sich im Vergleich mit dem »Wunder« als eine Krise ausnimmt, ist nur die Normalisierung der wirtschaftlichen Verhältnisse.

Eine Völkerwanderung von mehr als zwölf Millionen Habenichtsen zog vom Osten her durch Deutschland zu vierzig Millionen Verwahrlosten im Westen des Vaterlandes. Die Flüchtlinge und Heimatvertriebenen aus Schlesien und Pommern, aus der Tschechoslowakei, dem Sudetenland und Ostpreußen, aus Rumänien, Lettland, Livland, Litauen und Polen, aus Rußland, Jugoslawien und Ungarn – und die über drei Millionen Flüchtlinge aus der sowjetisch besetzten Zone Deutschlands – wie viele ängstliche Gedanken sind ihnen gewidmet worden, Gedanken an Aufruhr und Revanche, neuen Krieg und Proletarisierung. In ein paar Jahren waren die mehr als zwölf Millionen Menschen von der westdeutschen Bevölkerung absorbiert worden.

Noch ärmer als die Ärmsten in Westdeutschland, hineingeworfen in einen schon überfüllten Topf, noch härter als die Einheimischen gezwungen, die Berechtigung ihrer Existenz, einer zivilisierten Existenz nachzuweisen, wurden die Flüchtlinge zum entscheidenden Ansporn für die westdeutsche Hochkonjunktur. Das Wirtschaftswunder ist ohne die Flüchtlinge nicht denkbar. Heute arbeiten an allen Knotenpunkten der Wirtschaft, Verwaltung, Politik und Regierung auch Flüchtlinge und Vertriebene. Aus Königsbergern wurden Münchener, aus Breslauern Frankfurter, aus Pommern Hamburger, aus Brandenburgern Kölner, aus Staatsbürgern fast aller europäischer Länder westdeutsche Bürger. Verglichen mit der Eingliederung der Flüchtlinge und mit ihrer friedlichen Leistung beim Wiederaufbau und schließlich beim Wirtschaftswunder, sind gelegentliche verbale Entgleisungen ihrer Funktionäre Bagatellen, die man nicht verschweigen, aber auch nicht überbewerten sollte. Die Flüchtlinge sind für die Nachbarn keine Gefahr mehr.

Schon im Herbst 1945 setzte die systematische Sowjetisierung des öst-

lichen Deutschland ein, das nach dem Übereinkommen der Besatzungsmächte von der Elbe bis zur Oder-Neiße-Linie reichte: radikale Veränderung der sozialen und wirtschaftlichen Struktur; Herrschaft einer
Arbeiterklasse, die zum Herrschen nicht vorbereitet war, also übernahmen
Funktionäre im Namen der Arbeiter und Bauern die Macht, bis heute;
entschädigungslose Enteignung alles größeren landwirtschaftlichen und
gewerblichen Besitzes; nachfolgende Sozialisierung des Besitzes. Unter
dem volksdemokratischen Diktat – ein Scheinmanöver, das von Moskau
aus gesteuert wurde – mußten sich die kommunistische und die sozialdemo-
kratische Partei zur Sozialistischen Einheitspartei (SED) zusammenschließen. Ein Jahr nach der Konferenz von Potsdam ist die Zone fest in
der Hand der sowjetischen Besatzungsmacht und eine Domäne der kommunistischen Partei.

Ein Jahr nach Potsdam, am 30. Juni 1946, wurden durch Verordnung des
alliierten Kontrollrats die Grenzen zwischen der Sowjetzone und den Westzonen gesperrt. Die Trennung des westlichen vom östlichen Teil geschah
mit Billigung und in der Verantwortung aller vier Besatzungsmächte.
Die deutsche Teilung ist nicht das Werk der Deutschen, sondern ihrer
Sieger, vornehmlich der Sowjets, die härter und nach klareren Zielen zu
taktieren verstanden als ihre Verbündeten. Und mag man heute der westlichen Bevölkerung und ihren Regierungen mangelnde Aktivität bezüg-
lich der Wiedervereinigung vorwerfen – man darf nicht unterschlagen,
daß auch die Wiedervereinigung nicht allein das Werk der Deutschen
sein kann. Noch sind die Siegermächte nicht aus der Verantwortung ent-
lassen.

Während die Westmächte die Demontage von Maschinen und ganzen
Fabriken in ihren Zonen bald beendeten, demontierten die Sowjets in
Ostdeutschland weiter und forderten zusätzlich noch Reparationen aus der
spärlich laufenden Produktion. Während die Westalliierten die administrativen und politischen Aufgaben nach und nach an Deutsche zurück-
gaben, festigte Moskau die Position der Einheitspartei. 1948 reformierten
die zusammengeschlossenen Westzonen von einem Tag auf den andern
ihre Geldwährung, womit die Grundlage des wirtschaftlichen Aufstiegs
gelegt wurde; fünf Tage später tat die Sowjetzone das Gleiche, doch der
wirtschaftliche Aufstieg ließ Jahre auf sich warten. 1949, am 23. Mai,
wurde mit dem Grundgesetz die Bundesrepublik Deutschland proklamiert,
Sitz Bonn, unter dem Schutz der westlichen Hohen Kommissare; am
7. Oktober 1949 wurde die Deutsche Demokratische Republik ausge-
rufen, Sitz Ost-Berlin, unter dem Schutz der russischen Besatzungsmacht.

Das deutsche Volk diesseits und jenseits der Elbe war nicht gefragt worden, ob es sich in zwei Staaten formieren wollte. Aber nun existieren zwei staatliche Gebilde nach den Vorstellungen der jeweils zuständigen Siegermächte. Nicht den Staat, wohl aber ihre Regierungs- und Oppositionsparteien haben in geheimer und freier Wahl die Bürger Westdeutschlands wählen können. Dem östlichen Bevölkerungsteil hingegen ist bis heute keine freie und geheime Wahl gewährt worden, die Zusammensetzung der Regierung wurde von der Einheitspartei und von Moskau diktiert. Zwei Regierungen, und beide behaupten von sich, die wahre zu sein. Zwei Gesellschaftssysteme: das eine von oben gelenkt, das andere frei entwickelt. Feindliche Brüder. Zwei Welten in einem Land. Da versagen alle historischen Parallelen. Auch ist geschichtlich einmalig, daß noch vierundzwanzig Jahre nach Kriegsende weder mit dem westlichen noch mit dem östlichen Teil noch mit dem ganzen Volk ein Friedensvertrag abgeschlossen wurde.

Die sowjetisch besetzte Zone (seit 1949 DDR) konnte bei den Aufräumungsarbeiten und dem nachfolgenden Wiederaufbau nicht mit einer vergleichbaren Zahl hilfreicher Flüchtlinge rechnen. Im Gegenteil: einige Millionen Menschen flohen noch zu ihren Brüdern in den »goldenen Westen«. Einige flohen aus Abenteuerlust, andere, weil sie der Parteidiktatur entgehen wollten; die einen flüchteten unter Lebensgefahr, die anderen aus Sehnsucht nach einem freieren Leben; die einen aus Hunger, die andern vom Wirtschaftswunder gelockt; die einen zu Verwandten, die andern in die Fremde: Jugendliche und Spezialarbeiter, Lehrer und Krankenschwestern, Professoren und Ärzte, Bauern und Techniker, Männer, Frauen und Kinder. Flohen durch den Stacheldraht und über Minenfelder, bei Nacht und am Tage, meistens im nebeligen Morgen, zu Fuß und mit ganzen Zügen, unter der Erde her und durch Flüsse, flohen aus einem Land, das rundum scharf bewacht war, flohen von Deutschland nach Deutschland, oder von irgendwoher – selbst über Asien und Amerika – nach Westdeutschland. Die meisten nahmen den Weg von Ost- nach Westberlin. Um die Zone nicht ausbluten zu lassen, ließ Ulbricht, von Moskau gedeckt, die Grenzen noch schärfer bewachen, quer durch Deutschland zehn Kilometer breite Todesstreifen ziehen, noch mehr Wachttürme bauen, noch mehr Stacheldraht spannen. Und weil das alles nichts nützte, weil Millionen weiter von Deutschland nach Deutschland flohen, wurde am 13. August 1961 mitten durch Berlin eine Mauer gezogen und der Befehl gegeben, auf jeden Flüchtenden zu schießen.

Siebzehn Millionen Deutsche östlich des Eisernen Vorhangs, der aus Stacheldraht, Minenfeldern und Mauern, Wachttürmen und teils schießwilligen Wächtern besteht. Sie sind für Westdeutschland eine unübersehbare, wenn auch nicht immer gegenwärtige Mahnung. Die fließt in die Träume und verdirbt manchen Spaß. Tatsache ist, daß die DDR, obwohl langsamer, wenngleich unter unvergleichlichen Opfern, aus eigener Kraft – dazu war Westdeutschland nicht gezwungen worden – wieder aufgebaut wurde, daß auch dort die Tage des Hungerns längst vorbei sind, daß die Wirtschaft trotz dokrinärer, »volksdemokratischer« Zwangsmaßnahmen Fortschritte machen konnte, daß der andere Teil Deutschlands die Wirtschaft anderer Ostblockstaaten unterstützen muß und unterstützen kann, daß dieses Land im Jahre 1969 der wirtschaftlich stärkste Verbündete Moskaus, wie die Bundesrepublik Deutschland der stärkste Verbündete Amerikas ist.

Ein anderes Volk?

Aber nicht wahr: Das Sichtbare, das Faktische des bekannten Wirtschaftswunders im Westen und des weniger bekannten im Osten, das ist es eigentlich nicht, was dem fremden Beobachter rätselhaft erscheint. Denn daß »die« Deutschen tüchtige Leute sind, das weiß schließlich jedes Kind. (Ein Urteil nach dem Maße des Ödipus.) Erregender scheint die Frage zu sein, ob sich das Bewußtsein der Deutschen in den letzten Jahrzehnten verändert hat.

Es hat sich verändert. Unter all den Fakten und ihren Folgen, die ich zu skizzieren versuchte, haben sich die Werte, an denen Menschen ihr Verhalten orientieren, auf der Skala verschoben: In der Niederlage und unter der Kollektivschuldthese, unter verdrängter Schuld und dem doppelten Schock, unter der deutschen Teilung und den Wirtschaftswundern, unter den Flüchtlingsströmen und unter der Remilitarisierung, die viele, die meisten von uns, nicht wollten.

Da die Deutschen im Ulbricht-Staat nicht so leben können, wie sie möchten, da sie nicht in der Lage sind, die Werte ihres Verhaltens selbst zu bestimmen, kann ich von nun an, um objektiv zu bleiben, nur noch über die Bürger der Bundesrepublik referieren, und ich werde dabei einer leichten Verallgemeinerung nicht entgehen.

Standen an der Spitze der Wertskala bis 1945 Vaterland, Nation, Ideologien, Weltanschauungen, Irrationales, so sind sie heute verdrängt worden von dem Wunsch nach individuellem Glück, nach einer privaten Karriere.

Das spüren auch die beiden großen christlichen Kirchen. Gleich nach 1945 konnten sie einen enormen Zustrom von Gläubigen in die Gottesdienste verzeichnen. Aber es ist auch ihnen nicht gelungen, den moralischen Impuls der Stunde Null dauerhaft zu festigen, die Chance zu nutzen, der westlichen Gesellschaft eine nicht nur christlich etikettierte, sondern spirituell fundierte, eindeutige Richtung der Entwicklung zu weisen. Den einzelnen konnten sie leiten, ihn trösten, in seinem Glauben stärken, ihm Sünden vergeben. Aber als gesellschaftliche Institutionen, die sie ja auch sind – der gläubige Bürger zahlt Kirchensteuern, die Priester stehen im Gehalt des Staates – waren sie in der Stunde Null gebrochen wie ihre Gläubigen, sie waren gewissermaßen zu Komplizen ihrer Pfarrkinder geworden. Abgesehen von einigen Gruppen in beiden christlichen Kirchen, waren beide Institutionen insgesamt dem Diktator doch nur zögernd, im Endeffekt zu schwach gegenübergetreten – und zu spät; sie hatten ihn – teilweise – sogar als eine, wenn auch suspekte Hilfe gegen den antichristlichen Kommunismus gesehen, ihn zunächst gewähren lassen, ihn sogar mit dem Konkordat zwischen Rom und Berlin hoffähig gemacht auf dem internationalen Parkett und sich erst dann – immer noch partiell und dazu vorsichtig – gegen Hitler gestellt, als der daran ging, nun auch die Kirchen zu bekämpfen.

Man kann sich denken, daß es beiden christlichen Kirchen – abgesehen wiederum von einigen Ausnahmen einzelner Theologen, Laien und Gruppen – nicht unangenehm war, daß die Gläubigen, die zur Kirche strömten, nach Trost, Hoffnung und Vergebung verlangten, nicht aber die Frage stellten, ob die beiden christlichen Kirchen nicht mehr gegen die Verbrechen des Nationalsozialismus hätten ausrichten können, wenn sie früher mutig und energischer gewesen wären. So kommt es, daß diese historische Frage – gerichtet allerdings nur an die katholische Kirche und von dem evangelischen Dramatiker Hochhuth im Stück »Der Stellvertreter« brutal gestellt – erst 1963 öffentlich diskutiert wurde und sogleich die heftigsten Auseinandersetzungen erregte.

Die christlichen Kirchen haben das Grundgesetz des westdeutschen Staates mitgeschaffen und es als das Gesetz eines demokratischen, aber auch eines christlichen Staates proklamieren helfen. Es ist ihnen gelungen, bei der Besetzung wichtiger Positionen im Staat, in der Verwaltung, in der Kultur ein Mitspracherecht zu erwirken, entsprechend dem Konfessions-Proporz. Sie bekämpfen sich nicht gegenseitig, sie befürworten gemeinsam eine politische Partei, sie suchen den christlich-brüderlichen Consensus. Aber sie haben sich um einer ideologischen Machtposition willen mit einem spät-kapitalistischen Regierungsprogramm verbunden, wenn auch nicht identifiziert, das es ihnen nun schwer macht, beispielsweise die gängigen

Vorstellungen von Besitz und Eigentum, von Erfolg und Freiheit zeitgemäß zu revidieren, obwohl immer wieder Anregungen dazu aus beiden christlichen Kirchen kommen. Sie selbst haben vom Wirtschaftswunder profitiert: Sie haben neue, große, schöne, moderne Kirchen gebaut, die Gehälter sind gestiegen, neue, oft mehr Glocken als zuvor hängen in den Kirchtürmen. Aber sie klagen über Mangel an priesterlichem Nachwuchs und darüber, daß der Kirchenbesuch in keinem Verhältnis steht zu dem im Jahre Null, dem »Jahr der schönen Not«. Als Institutionen selbst ins Wirtschaftswunder verwoben, nahmen sie teil an der allgemeinen Konformierung, an der während des Wirtschaftswunders einsetzenden restaurativen Phase. Ihre Appelle zum Maßhalten, ihre Warnungen vor den Illusionen des Erfolges und des Besitzes werden nicht gehört, nicht ernst genommen.

Ihr Einfluß ist groß wie der Einfluß der Parteien, der Gewerkschaften, der Verbände – im Administrativen. Beide christlichen Kirchen sind als soziale Institutionen in der pluralistischen Struktur der Gesellschaft zu Mächten neben anderen Mächten geworden. Sie haben ihre Jugendgruppen wie die Parteien; sie verfügen über karitative Organisationen wie der Staat; sie suchen die Bürger zu beeinflussen wie andere Verbände. Im Verein mit anderen Gruppen haben sie auf ihre Weise mitgewirkt an der Verschiebung auf der Wertskala, nach denen die Menschen ihr Verhalten orientieren, zu einem Teil ganz anders, als sie es wollten und ihrem Auftrag nach sollten.

Haben die Deutschen sich verändert? An die Stelle der Untertanenhaltung gegenüber dem Staat trat ein latenter Protest gegen alle, insbesondere staatlichen Eingriffe in den eigenen Lebensplan. In Westdeutschland hat man eigentlich erst während der letzten zwanzig Jahre zumindest in breiteren Schichten den individuellen Lebenserfolg und Lebensgenuß als Richtschnur des Handels entdeckt und sogleich akzeptiert.

Die dunkle Lust zum Tode, die eine der erschreckenden Phänomene beider Weltkriege war, weicht der Lust am Leben. Selbstverständlich waltet die Lebenslust noch von Augenblick zu Augenblick und als aktuelle Befriedigung; selbstverständlich mangelt ihr noch die Kultivierung. Es fehlt an Erfahrungen. Die Lebenslust tummelt sich noch wie das Kind, das an allem nascht, was süß ist, blind für die Umwelt, blind für das Morgen, blind auch für Steigerungen und Sublimierungen. Die neue deutsche Lebenslust hat zweifellos etwas Pueriles. Aber sie ist nicht aggressiv, nicht gierig nach Fremdem, nicht barbarisch, nicht so hektisch, wie sich uns die Lebensgier nach dem ersten Weltkrieg darstellt. Derselbe Tatbestand läßt sich auch negativ als materialistische Lebenshaltung beschreiben, als Egoismus, Götzendienst am Lebensstandard, gepaart mit politischer Apathie, ungenügender Anteilnahme am Schicksal der Menschen im andern Teil Deutschlands, Gedankenlosigkeit. Ich will den Richter nicht spielen, kann es nicht, sondern nur konstatieren, daß die Begier nach Erfolg und Besitz, nach Erholung und allgemeinem Komfort, nach Spaß und Unterhaltung Erscheinungen sind, die notwendig aus der Gesamtentwicklung nach der Stunde Null resultieren. Nach so viel Tod und blindem Idealismus, Gehorchen und Machtgier, Fanatismus und blutigen Opfern ist das Pendel auf die andere Seite geschwungen. Mir scheint's natürlich.

»Nie wieder arm, nie wieder Hunger, nie wieder Niederlage«, nach dem berühmten Scarlett-Eid aus »Vom Winde verweht«, das hat man sich unausgesprochen geschworen. Nach Mißerfolgen und Niederlagen der Nation will man nun endlich auf der Seite der Erfolgreichen stehen, nach so viel Unglück bei den Glücklichen, nach so viel Hunger bei den Satten, nach so viel Armut bei den Reichen. Geld ist zum Sinnbild geworden, Erfolg zum Leitwort der Gesellschaft. Wer Erfolg hat, ist angesehen und beliebt, ob er gleich ein mieser Kerl sei, welcher Mittel er sich immer bediente. Erfolgsmanager, Erfolgsregisseure, Erfolgsfrauen, Erfolgsautoren, Erfolgsdichter, Erfolgsmenschen. Nach Erfolg streben alle: beim Film und in den Kirchen, in den Künsten und in der Literatur, in der Politik und in der Wirtschaft, im Handel und in der Pädagogik, in den Wissenschaften und im Büro, in der Freundschaft und in der Liebe, in der Ehe, im Beruf, im Privatleben.

Das ist in der zweiten Hälfte dieses technischen Jahrhunderts überall so, zumindest in der westlichen Welt. Warum sollte das gerade bei den Deutschen zu Beunruhigungen Anlaß sein? Die begründenden Entwicklungen mögen in den Ländern verschieden sein, die Beurteilungen auch; aber die Resultate sind die gleichen. Die Westdeutschen haben sich ihren Freunden, die ehedem ihre Besieger waren, angepaßt, wie es von ihnen erwartet wurde. Sie wollen sich nicht mehr unterscheiden von den Völkern der zivilisierten Welt. Heute sind sie leichter zu durchschauen als je zuvor, weil sie vergleichbar geworden sind.

Prosperität war jedenfalls das einzig ernsthafte Erlebnis nach 1945. Es war neu, es kam überraschend. Es faszinierte die Menschen und veränderte sie. Nur in Deutschland?

Wie überall im Westen ist auch in der Bundesrepublik der Anteil der Minister und Parlamentsabgeordneten, die familiär oder beruflich Beziehungen zur Wirtschaft haben, gegenüber allen früheren Phasen der deutschen Geschichte erheblich angewachsen. Im Bereich der Wirtschaft selber hat der Wille, politischen Einfluß auszuüben, zugenommen, seit auch die mittleren Unternehmer und die angestellten Manager der Großindustrie niemanden über sich sehen, der ihnen Orientierungspunkte des Verhaltens setzt. So erklärt sich, wenigstens teilweise, der Affekt gegen jede Art von Plan, auch das Austrocknen sozialistischer Ideen, auch die Renaissance eines Spät-Kapitalismus. Was immer neu sein mag an der wirtschaftlichen Situation, die Namen der Mächtigen sind es nicht. In den Händen einiger hundert Familien, die Deutschlands Wirtschaft seit Beginn des Jahrhunderts präsentierten, liegt noch heute – oder heute wieder – das Kapital. Obwohl sich die alliierten Militärbehörden bemühten, ihre Macht zu brechen, Deutschlands Stahl und Kohle, auch die Chemie und die Lebensmittelindustrie, auch der Maschinenbau und das Bankwesen, auch die Zeitungen – die eine Ausnahme des Springerkonzerns bestätigt nur die Regel – werden von den wenigen Familien verwaltet, die das Geschäft so provokativ verstanden, seitdem Deutschland eine Großmacht wurde. Ein paar Neuankömmlinge fallen kaum ins Gewicht, sie haben es ohnehin schwer, manch einer von ihnen ist inzwischen auf der Strecke geblieben. Freilich haben sie alle begriffen, daß die Wirtschaft um so eher floriert, je besser es den Arbeitern geht.

Das durchschnittliche Einkommen des westdeutschen Arbeiters wuchs beispielsweise von 1950 bis 1957 um siebzig Prozent. Sie arbeiten vielfach nur noch vierzig Stunden die Woche, und möchten noch weniger arbeiten. Sie haben ihre proletarische Vergangenheit weitgehend vergessen, sie haben ihre kleinen Wohnungen mit kleinbürgerlichem Komfort ausgestattet, sie sind zu eifrigen Auslandstouristen geworden und haben zugleich noch Lust und Mittel zum Sparen. Und sie sind rechtens stolz, das alles auch mit ihrer eigenen Hände Arbeit geschafft zu haben. Erstmals in der deutschen Geschichte beginnen deutsche Arbeiter und Angestellte, ihr Leben zu genießen, mit Bewußtsein. Sie haben keine Zeit für öffentliche Angelegenheiten, sie genießen ihr Leben. Sie haben keine Zeit für sozialistische Ideen, sie genießen, was ihnen der Kapitalismus in seiner heutigen Form an sozialen Errungenschaften bietet. Die westdeutschen Arbeiter und Angestellten, die deutschen Bürger von 1969, sind weder besonders fleißig noch besonders militärfreundlich, weder subaltern noch romantisch, sie lernen ihr eigenes Leben zu genießen, denken – wenn überhaupt – europäisch, wollen die Welt nicht erobern und nicht beherrschen, sondern kennenlernen als friedliche Partizipanten an Schönheit und Glück, oder was sie dafür halten, mühen sich um tolerantes Denken und Handeln, sind im eigenen Lande zumeist gastfreundlich zu Fremden. Im allgemeinen, im allgemeinen.

Im heutigen Westdeutschland leben viele Fremde. Gastarbeiter. Sie kommen aus Italien und Spanien, Griechenland und der Türkei, Portugal und Pakistan, Persien und Jugoslawien. Diese Gastarbeiter kamen nicht nach Westdeutschland, um westdeutsche Musik zu hören, westdeutsche Literatur zu lesen, westdeutsches Theater zu sehen, an westdeutscher Kunst sich zu erfreuen, sich westdeutschen philosophischen Gedanken hinzugeben, sondern angelockt vom Wirtschaftswunder, von dem sie profitieren wollen in den Fabriken und Betrieben. Sie wollen von der Gesellschaft nicht absorbiert werden, sondern Gäste bleiben, die mit gutem Geld in der Tasche eines Tages zurückkehren in die Heimat, um dort ein neues, besseres Leben zu beginnen. So helfen sie sich selbst und der westdeutschen Wirtschaft.

Und im deutschen Pragmatismus oder Materialismus oder Egoismus eine neue Generation, die Hitler zum Teil nur noch dem Namen nach kennt, jedenfalls kaum berührt wird von den Scheußlichkeiten zwischen 1933 und 1945, aufgewachsen in einer Periode des Wohlstands.

Die jungen Männer sind schlanker und größer als ihre Väter, geistig normal und gesund, fühlen sich im allgemeinen zufrieden in diesem Land der Prosperität. Wohlstand ist den meisten selbstverständlich, sie halten ihn für die normale und einzig würdige Möglichkeit des Menschen. Wunder, Angst oder Verzweiflung sind ihnen – im allgemeinen – unbekannte Vokabeln. Viele lassen sich nicht leicht erregen, von Ideologien schon gar nicht, von der Politik selten, von den Auswirkungen der Politik meist nur zum Unwillen, zum Beispiel von der Existenz der Atombombe, unter der bewußt zu leben sie auch gelernt haben. Da Leben gleichgesetzt wird mit Besitzen, wie sie es von ihren Vätern erfahren haben, geben sich manche ein wenig gelangweilt, wenn sie oder ihre Väter besitzen, und sehen kein Ziel und zeigen wenig Enthusiasmus oder gar leidenschaftliche Auflehnung.

Dennoch darf man sie unternehmungslustig nennen, in allen Bereichen der persönlichen, ertragreichen Leistung, die zu privatem Wohlergehen berechtigt, aktiv auch, lebendig, unabhängig, interessiert, aufgeschlossen, mehr jedenfalls, als frühere Generationen es waren. Und wenn man sie überzeugt hat, was nicht leicht ist, sind sie auch bereit, sich in öffentlichen Angelegenheiten zu engagieren. Es gibt Pädagogen beider Konfessionen, die behaupten, die Jugend schwindele weniger als frühere Generationen, ihre Sitten seien freier, aber ehrlicher. Sicher ist wohl, daß sie den Wissenschaften mehr glauben als den Künsten, daß sie Tatsachen den Konzeptionen vorziehen, Besitz den Träumen, Nüchternheit dem Romantizismus und die Macht der Liebe.

Richtig ist wohl auch, daß ein großer Teil der jungen Generation den Faschismus Hitlers einfach nicht mehr versteht und deshalb nicht goutiert. Bei ihr kommt der Rassismus der dreißiger Jahre nicht mehr an. Beides ist so hoffnungslos veraltet wie die Mode oder die Autos jener Jahrgänge. Aber etwa rund die Hälfte der Jugend ist politisch nicht sonderlich interessiert, ist konformistisch und auf Konsum eingestellt. Der Ideologie einer »formierten Gesellschaft« aber, wie sie der frühere Bundeskanzler Erhard proklamiert hatte, einer doch wieder auf Autorität, wenn auch anders gewandet, gerichteten Denkweise, die Ordnung mehr schätzt als unruhiges Fortwärtsstreben, einer solchen Gesellschaft, die sich im gesättigten Land mehr und mehr abzeichnet, würde die Jugend, ebenso wie die Erwachsenen, gedankenlos und gutgläubig verfallen.

Und eben dagegen sind in den letzten Jahren Studenten aufgetreten. Gerade gegen die »formierte Gesellschaft«, gegen das Establishment, gegen das Festgefahrensein der Gedanken und Handlungen, gegen die oppositionslose Zustimmungsgesellschaft revoltieren sie und suchen Gelegenheiten, ihre Revolte sichtbar zu machen. Sie finden Gelegenheiten in allen Fällen, wo sie protestieren können gegen einen Krieg, den der engste politische Verbündete, die USA, in Vietnam führt. Sie lassen sich in handgreiflichen Protest ein, wenn sie undemokratischen Methoden der Polizei begegnen. Sie protestieren gegen den Duodez-Pomp, mit dem der Schah von Persien empfangen wurde. Sie protestieren gegen die Systemzwänge der Restauration, gegen die Routine der herrschenden Mächte, der Regierung, der Parteien, der Organisationen. Sie protestieren gegen vieles, gegen sehr vieles, und werden von der Bürgerschaft abgetan mit den Stempeln: Gammler, Rote, Mini-Maoisten. Ihre Zahl ist nicht groß, aber ihr Protest macht Wellen. Da die parlamentarische Opposition innerhalb der großen Koalition auf das kleine Häuflein der Freien Demokraten zusammengeschmolzen ist, versuchen sie, die Funktion einer außenparlamentarischen Opposition zu übernehmen. Unruheherde, vor allem an den Universitäten, vor allem in Berlin, die sehr wohl etwas in Bewegung bringen können, was zu versteinern droht.

Und die deutschen Mädchen? Sie gehören dazu, zu all den skizzierten Gruppen, auch zu den unruhigen. Sie sind hübscher, attraktiver, reizvoller, als ihre Mütter es waren. Demonstrativ in ihrer Feminität, vielleicht ein bißchen früh, vielleicht ein bißchen zu sachverständig. In engen Hosen, phantastischen Anzügen oder Mini-Röckchen versuchen sie anmutig zu sein, mit zerzausten Frisuren oder langen Mähnen raffiniert zu spielen. Sie versuchen viel und kopieren viel, aber sie sind zweimal so unabhängig, wie ihre Mütter es waren, und dreimal weniger naiv. Ihr Ton mag bisweilen arrogant klingen, ihr Freimut provokativ erscheinen – das deutsche Gretchen ist ausgestorben, und die Mädchen im Dorf wissen sich ebenso anziehend zu kleiden wie die in der Stadt. Für ihre Mütter galt: Küche, Kirche, Kinder. Die Töchter haben Hobbies und gehen auf Parties, spielen mit Schallplatten und haben Boyfriends. Auch sie stehen in der Küche, aber gleich nebenan steht der Kosmetiktisch; sie gehen in die Kirche, aber ebenso gern ins Kino; sie wollen Kinder, aber nicht zu viele.

Auch das gehört zum vielfältigen Bild der Jugend: Eine erstaunliche Anzahl von Jungen und Mädchen fährt Jahr für Jahr nach Israel, um auf ihre Art »wiedergutzumachen«, mit der Arbeit ihrer Hände, nicht mit großen Worten, die sie hassen. Sie erkennen die finanziellen Wiedergutmachungsleistungen der Bundesregierung an, wissen, daß allein der westliche Teil Deutschlands sich bereit erklärt hat, wenigstens äußerlich wieder gut zu machen, was im Namen des ganzen deutschen Volkes verschuldet wurde und in Wahrheit nicht wiedergutzumachen ist, meinen aber, daß es mit dem Geld allein nicht getan sei. Darum gehen sie nach Israel.

Das Wort Jude wird noch auf lange Sicht in Deutschland ein Tabu-Wort sein. Zu unvergleichlich waren die Verbrechen, unfaßlich die Zahl der Opfer. Es gilt als gesellschaftliches Tabu, sich antisemitisch zu äußern, man kann dafür angeprangert, man kann sogar gerichtlich bestraft werden. Dennoch ist nicht zu leugnen, daß es auch in Westdeutschland – wie in jedem anderen Land – noch immer Antisemitismus gibt, unter der Hand und verschwiegen. Er wird nicht ausgetragen, wie überall, er wird mit einer Konsequenz und Disziplin verdrängt, die den Fremden stören kann. Das Schweigen den im Land lebenden Juden gegenüber ist befangen. Es ist noch nicht gelungen – und es konnte in so kurzer Zeit unmöglich gelingen –, zu den wenigen Juden, die nach Westdeutschland zurückgefunden haben, ein normales Verhältnis herzustellen. Beide, Juden und Westdeutsche, leben in einem Ausnahmezustand der Schonung und des Schweigens.

Ganz anders verhält es sich, betrachtet man die Beziehungen der westdeutschen Bevölkerung zum Staate Israel. Gerade der jüngste israelisch-arabische Krieg hat gezeigt, daß sich in diesem Volk doch etwas verändert hat. Die Hilfsangebote und tatsächlichen Hilfeleistungen für den bedrohten Staat Israel dokumentierten eine Wandlung hin zum Normalen. Es ging eine Welle aktiver, opferfreudiger Sympathie durch das Land, und dabei spielte die Vergangenheit zweifellos eine wichtige, wenn auch selten artikulierte, schon gar nicht pathetisch artikulierte Rolle. Die starken Beziehungen zum Staate Israel, die seitdem offenkundig geworden sind, lassen vermuten, daß sich auch das Verhältnis zu den in Westdeutschland lebenden Juden normalisieren wird.

Warum, könnte man fragen, wird all das, was ich nur skizzieren konnte, nicht ausführlich behandelt? Warum bietet man nicht statt eines Aufsatzes über die Philosophie einen über soziologische Tatsachen; statt einiger Berichte über Literatur nicht einen über die pädagogische Situation; statt einiger Arbeiten über Theater, Musik, Kunst und Film nicht sachliche Aufklärung über die wirtschaftliche Lage, über die Jugend, über den technischen Fortschritt, über den Deutschen Gewerkschaftsbund, über die Parteien im Osten und Westen, über die Konfessionen? Zwei Gründe gibt es dafür:

Erstens: Der Herausgeber dieses panoramatischen Versuchs ist Schriftsteller. Er steht näher bei der Philosophie, der Literatur, den Künsten und meint, durch sie hindurch mehr zeigen, mehr erkennen zu können.

Zweitens: Er glaubt an ein Wort des Konfuzius: Wenn die Begriffe nicht in Ordnung sind, kann auch das Denken nicht in Ordnung sein, wenn das Denken nicht in Ordnung ist, stimmen auch die Gefühle nicht, wenn aber die Gefühle nicht stimmen, kann es kein rechtes Handeln geben. Begriffe werden in der Kultur gefunden, Definitionen, Bilder, Symbole. Ich halte dafür, daß sich ein Volk am ehesten in seiner Philosophie, seiner Literatur, auf seinem Theater, im Funk und im Fernsehen, in der Musik, in der Kunst, im Film ausdrückt und zu erkennen gibt, das Spezifische, das Eigenartige nämlich. Ferner meine ich, die Kultur liefere die Seismographen, die für Vergangenes, Gegenwärtiges und Kommendes definierte Daten präpariert.

Deutschland ist gespalten, aber ein Volk. Dennoch gehen die Autoren vornehmlich auf die westdeutsche Situation ein. Warum? Die beiden Teile Deutschlands entwickeln sich in verschiedenen Richtungen. Es übersteigt den begrenzten Umfang eines solchen Versuchs, über jeden Bereich der Kultur jeweils zwei Aufsätze zu bringen. Nur in einem Falle sei eine Ausnahme erlaubt: bei der gegenwärtigen Literatur.

Der Leser wird nach der Lektüre zugeben, daß es Verlag und Herausgeber nicht darum zu tun ist, für die Bundesrepublik Deutschland Propaganda zu machen. Die zum Teil heftige Kritik, die einige Autoren an kulturellen Erscheinungen oder Leistungen üben, entkräftet jeden Verdacht. Sie zeigt zugleich aber auch, daß Kritik in diesem Land als selbstverständlich angesehen und in ihrer Funktion gewertet wird. Es war allen Autoren freigestellt, zu loben oder zu tadeln, wie sie es für richtig hielten. Die Subjektivität ihres Ausdrucks und ihrer Meinungen sollte nicht verwischt werden. So entstand ein Bild, das nicht durch Einheitlichkeit besticht, sondern in seiner Pluralität ehrlich bleibt. So entstand ein panoramatisches Mosaik. Auch dieser Aspekt kann, richtig gelesen und gewertet, zum Faktum der Erkenntnis werden und zur Wahrheitsfindung beitragen, die auf den Trick der Sphinx und auf das rasche Urteilen des Ödipus nicht hereingefallen ist.

Zwischen Metaphysik und Sozialkritik

Betrachtungen zur deutschen Philosophie nach 1945

Ivo Frenzel

Philosophie, so sagt man bei uns gern, war immer in Deutschland zu Hause, in besonderem Maße sogar. Blickt man auf die Tradition, so wird sofort klar, daß das »Volk der Dichter und Denker« mehr bedeutende Philosophen von universalem Rang hervorgebracht hat als Poeten. Die Dichtung der spät einsetzenden deutschen Klassik hat in der Literaturgeschichte des Abendlandes nicht die gleiche wichtige Rolle gespielt wie die große Dichtung der Franzosen und Engländer, und die deutsche Romantik war insgesamt ein vornehmlich auf die Nation bezogenes Ereignis. Das heißt: Goethe und Schiller, Hölderlin, Novalis und Kleist sind für die europäische Dichtung nie in dem gleichen Sinne Schlüsselfiguren gewesen wie Shakespeare, Corneille und Racine. Aber ohne Leibniz und Wolff, Kant und Fichte, Schelling und Hegel, Marx und Engels, Nietzsche, Husserl und Heidegger wäre die Geschichte der Philosophie in den vergangenen zwei Jahrhunderten kaum vorstellbar. In einer Zeitspanne von nur zwei Generationen erlebte der griechische Geist einst auf dem Wege von Sokrates über Platon zu Aristoteles seine höchste Ausformung, die sich durch zwei Jahrtausende auswirken sollte. In den zwei Generationen deutscher Philosophie von Kant bis Hegel entschied sich das Schicksal der neueren Philosophie überhaupt: denn ohne den deutschen Transzendentalismus hätten Kierkegaard, Bergson und Nietzsche ebensowenig einen Ansatzpunkt für ihre Thesen gehabt wie Marx und Lenin.

Diese deutsche idealistische Philosophie, der der europäische Geist im Guten wie im Bösen manches verdankt, war in ihrer Tendenz antiempirisch, – in ihrem Wesen war sie stets Metaphysik, Suche nach letzten Bedingungen und Prinzipien. Metaphysik in einer Weise, wie wir sie sonst nur in griechischen und indischen Texten finden. Es mag sein, daß sich in diesen drei Sprachen Dinge sagen oder andeuten lassen, die sich der rationalen Präzision des Französischen ebenso verschließen wie dem trockenen Duktus eines lateinisch oder englisch niedergeschriebenen Gedankenganges. Zweifellos aber entspricht ein Denken, das sich vornehmlich mit fundamentalen Problemen und letzten Dingen beschäftigt, auch durchaus dem faustischen Bild, das wir Deutschen uns gern von unserer eigenen geistigen Existenz machen. Damit hängt zusammen, daß die Philosophie bei den gebildeten Schichten des deutschen Bürgertums in den letzten hundertfünfzig Jahren stets ein gewisses Ansehen genoß, mochte sie nun im einzelnen verstanden werden oder nicht.

Deutschland hatte seit je seine Denker und mit ihnen seine metaphysische Philosophie, für die es empfänglich war. Die treffendste und zugleich einfachste Definition dieser Art von Philosophie ist romantischer Herkunft und stammt von Novalis: »Die Philosophie ist eigentlich Heimweh – Trieb überall zu Hause zu sein.«

Eine andere Sache freilich ist es, wenn man fragt, was die Deutschen im Laufe ihrer unglücklichen Geschichte aus ihrer Philosophie gemacht haben. Lieferte nicht Hegels Staatsphilosophie theoretische Vorwände für den preußischen Imperialismus? Hat nicht Marx mit seinem Denken eine der unabsehbarsten und verhängnisvollsten Bewegungen der Weltgeschichte ausgelöst? War nicht der Irrationalismus Nietzsches und der Romantiker der mehr oder minder direkte Vorläufer der »völkischen Lehre« und der ganzen konfusen Ideologie des Nationalsozialismus? Diesen Fragen sah sich die deutsche Philosophie 1945 angesichts der Katastrophe gegenüber.

Die Ausgangssituation war 1945 keine primär philosophische, sondern zunächst eine politische und geschichtliche. Nicht das Werk einiger unangefochtener Geister hat die Naziphilosphen davongejagt und das verblendete Volk wieder sehend gemacht, sondern allein die totale militärische Niederlage hat das vermocht. Immerhin war der Schock so gewaltig, daß inmitten des Zusammenbruchs große Kräfte frei wurden, die sich besonders an den deutschen Universitäten auf eine Besinnung und auf eine strenge Analyse des Vergangenen richteten. Eine ganze Generation, die aus Gefangenenlagern und Lazaretten kam, suchte auf der Alma Mater Antwort auf die Fragen nach Schuld, Verhängnis und Sinn ihrer Geschichte und ihrer Existenz. Die positiven Wissenschaften vermochten diese Fragen damals kaum aufzunehmen, geschweige denn zu beantworten, – von diesem Zustande profitierte die Philosophie. Der metaphysische Hunger einer Jugend dokumentierte sich in überfüllten Hörsälen und Seminaren. Mit Eifer wurden die Werke alter und neuer Denker studiert, – ein philosophisches Zeitalter schien anzubrechen: was man im Äußeren verloren, sollte im geistigen Raum zurückgewonnen werden.

Jahre später hatten sich die Lebensbedingungen gebessert, und damit schien die allgemeine Begeisterung für die Philosophie spürbar abgeebbt zu sein. Nach einem philosophisch bestimmten Jahrzehnt voll metaphysischen Nachholbedarfs hatten die Einzelwissenschaften wieder stärkeres Gewicht im Bewußtsein der Öffentlichkeit bekommen. Antwort auf brennende Fragen erhoffte man sich nicht so sehr von der Philosophie als von der Soziologie und von ganz neuen Wissenschaften, die plötzlich bei der Erforschung menschlicher Verhaltensweisen eine wichtige Rolle spielten, wie etwa Kybernetik und Spieltheorie. Diese Neuorientierung zu positivem Tatsachenwissen hält an und wird sich im Laufe der kommenden Jahre vielleicht noch verstärken. Die Philosophie führt daneben heute ein zwar respektiertes, aber im ganzen weniger beachtetes Dasein, – so wenigstens will es scheinen. Deshalb müssen wir fragen: war der philosophische Aufbruch jener heute uns schon entrückten Jahre nach 1945 ein schönes Umsonst? Hat er in eine Sackgasse geführt? Oder haben wir, sei es bewußt oder unbewußt, falsche Erwartungen hinsichtlich einer Erneuerung der Philosophie in Deutschland gehegt, Erwartungen, die sich naturgemäß gar nicht erfüllen konnten?

Wenn wir versuchen, die philosophische Entwicklung in Deutschland seit dem letzten Kriege nachzuzeichnen, so wird sich dabei zeigen, daß wir jede dieser Fragen bedingt bejahen müssen. Die Philosophie ist im ganzen gesehen seit dreihundert Jahren nonkonformistisch. Das heißt: es gibt keine gemeinsame Grundlagen mehr, die die einzelnen Lehrmeinungen untereinander verbinden. Auch die christliche Philosophie des katholischen Mittelalters, der Thomismus, der einst das Gebäude abgab, innerhalb dessen Mauern sich jeder ernstzunehmende Disput vollzog, ist heute eine Doktrin unter anderen, und die fortschreitende Aufklärung hat ihre eigenen Ersatzsysteme längst zerstört. An dieser Weltsituation der Philosophie hat auch die Philosophie in Deutschland ihren Anteil. So etwas wie »die deutsche Philosophie« gibt es daher im strengen Wortsinn gar nicht. Aber es gibt philosophische Richtungen, die sich heftig untereinander befehden, es gibt standpunktbedingte Fragen und ebensolche Antworten.

Blickt man heute auf die Entwicklung der deutschen Philosophie nach dem Kriege zurück, so lassen sich sieben große Strömungen erkennen, die in der philosophischen Diskussion dieser Zeit eine zum Teil bedeutende Rolle gespielt haben. Wir nennen sie in der Reihenfolge, in der wir sie hier betrachten wollen.

Es sind: die Existenzphilosophie, der Neuthomismus, die Realontologie, die philosophische Anthropologie, die von der modernen Physik inspirierte

Philosophie der Natur, der logische Positivismus und die dialektische Sozialphilosophie.

Die Einteilung in solche Gruppen hat immer etwas Unbefriedigendes, und wir wollen zugeben, daß man eine Klassifizierung auch anders vornehmen könnte. Auch ist es so, daß diese sieben Richtungen einerseits keineswegs in sich einheitlich sind, andererseits aber vielfach starke Beziehungen und Abhängigkeiten unter manchen dieser Gruppen bestehen. So hat zum Beispiel die Existenzphilosophie einen Teil der philosophischen Anthropologie ebenso beeinflußt wie manche Ansätze der neuen Naturphilosophie.

Keine dieser philosophischen Schulen aber ist eigentlich neu in Deutschland, keine ist erst nach 1945 als Folge der geschichtlichen Katastrophe entstanden. Im Grunde haben alle ihren Ursprung in den zwanziger Jahren, zum Teil reichen ihre Anfänge sogar in die Zeit vor dem ersten Weltkrieg zurück.

Die grundlegenden Arbeiten von Jaspers, Heidegger und Nicolai Hartmann sind bereits in den zwanziger Jahren erschienen, gleiches gilt von Helmuth Plessner, vom sogenannten Wiener Kreis und von Ernst Bloch. Die Anfänge des Neothomismus reichen noch weiter zurück. Auch die Ansätze für Adornos dialektische Sozialphilosophie liegen in den »Zwanzigern« bei Benjamin und Horkheimer, und zum auslösenden Anlaß für Weizsäckers Philosophie wurde Heisenbergs Physik, deren wesentliche Ausformung bereits 1927 abgeschlossen war.

Die Epochen der Philosophie laufen nicht synchron mit denen der allgemeinen Geschichte, und die schwierige Arbeit philosophischen Denkens gibt kaum je eine Antwort auf die aktuellen Fragen des Tages. Aus diesem Umstand resultiert für alle, die von der Philosophie so etwas wie eine Lebenshilfe erhoffen, ein Gefühl des Unbefriedigtseins, ja, der Enttäuschung. Denn Philosophie, so hofft man, soll Antworten geben können auf alle uns bewegenden wesentlichen Fragen. Oft aber bleibt sie diese Antwort schuldig, und bisweilen zeigt sie uns, daß unsere Fragen falsch gestellt waren.

Die Generation von 1945 war jedoch voller Hoffnung, daß die Philosophie ihr wirklich Wesentliches zu sagen hätte. Da eine neue Philosophie sich nicht vom platonischen Ideenhimmel herunterdekretieren ließ, kamen die schon seit Jahren bestehenden Schulen plötzlich zu unerhörtem Ansehen. Aus einer Erwartungsstimmung entstand auf diese Weise so etwas wie eine neue philosophische Situation, die positiv durch das offene und leidenschaftliche Gespräch gekennzeichnet wurde, das es seit so vielen Jahren nicht mehr gegeben hatte. Und diese Erwartung schien vor allem von der Existenzphilosophie erfüllt zu werden. Von ihr kam in der Tat auch das erste Wort im Sommer 1945, das die Öffentlichkeit wachrüttelte und beunruhigte.

Karl Jaspers war es, der damals von Heidelberg aus als erster Deutscher in einer philosophisch ernst zu nehmenden Weise die Frage nach der deutschen Schuld stellte und seine Landsleute zum Nachdenken über ihr eigenes Versagen anregte. Jaspers war überhaupt, so weit wir sehen können, der einzige deutsche Philosoph von wirklichem Rang, der sich gleich nach 1945 philosophierend um eine Aufhellung der geschichtlichen Situation bemühte. Wenige Monate nach Kriegsende zählte er zu den Mitbegründern der Zeitschrift *Die Wandlung* und er verstand es seither, sich auch außerhalb der Universität in der Öffentlichkeit Gehör zu verschaffen. Damals schrieb er:

»Wir haben fast alles verloren: Staat, Wirtschaft, die gesicherten Bedingungen unseres physischen Daseins, und schlimmer noch als das: die gültigen, uns alle verbindenden Normen, die moralische Würde, das einigende Selbstbewußtsein als Volk . . . Wir sind innerlich und äußerlich verwandelt in zwölf Jahren. Wir stehen in weiterer Verwandlung, die noch unabsehbar ist . . . Wo wir angesichts der Grenzen des Menschlichen leben, vor dem Äußersten stehen, da gilt uns als das eigentlich Böse der Nihilismus . . . Aber aus der Verwerfung des Bösen und aus der Freiheit des einzelnen ist noch kein Leben möglich. Freiheit ist nur in dem Maße, als alle frei sind. Miteinander bauen wir nicht nur die Welt unseres materiellen Daseins, sondern den Geist und die Sitte unserer Gesellschaft. Auch der Staat, auch die Ordnung der Millionen beginnt in den einzelnen. Aber der einzelne ist machtlos. Es bedarf des öffentlichen Geistes, der ihn trägt . . . So wollen und müssen wir versuchen, wie wir uns denkend in dieser ungeheuren Not zurechtfinden.«

Wer diese Zeilen heute wieder liest, ist beeindruckt von der Klarheit des Blicks für das Notwendige und von der selbstverständlich wirkenden Einfachheit dieses Programms. Und immer, wenn Karl Jaspers in den folgenden Jahren den von ihm beschworenen öffentlichen Geist gefährdet sah, wenn die Diskussion in Halbwahrheiten oder gar Lügen zu ersticken drohte, hat er sich beharrlich und in einem für die Obrigkeit oft äußerst unbequemen Sinne zu Worte gemeldet. Die Verpflichtung, sich mit Hilfe des eigenen philosophischen Denkens in den Dienst der Öffentlichkeit zu stellen, kennen wir auch in Frankreich durch Sartre und in England durch Bertrand Russell. In Deutschland ist das Beispiel von Jaspers, der 1948 nach Basel ging, vielleicht mit Ausnahme Carl Friedrich von Weizsäckers unter den Philosophen eigentlich ohne Nachfolge geblieben. Ja, manche von Jaspers' Kollegen haben dessen zeitkritisches Engagement oft mehr oder minder entschieden abgelehnt und es bisweilen als mit ihrer philosophischen Würde unvereinbar geringschätzig belächelt. Die an deutschen Universitäten sehr typische Meinung, daß Philosophie sich nicht ohne Gefahr aktuell engagieren könne, stimmt doch bedenklich. Der Rückzug der deutschen Professoren nach dem verunglückten Paulskirchenexperiment von 1848 in eine vorwiegend private Geistigkeit findet in einer solchen Haltung nach über hundert Jahren seinen Nachhall. Philosophie wird seither und nach dem Zusammenbruch des Hegelschen Systems, so scheint es, um ihrer selbst willen betrieben, und es ist zu fragen, ob darin nicht ein generelles Versagen der deutschen Philosophie zu sehen ist.

Jaspers' Stimme hatte auch deswegen ein solches Gewicht, weil er zu den eigentlichen Begründern der Existenzphilosophie gehört. Und diese Strömung bestimmte in den ersten Nachkriegsjahren ganz wesentlich die philosophische Situation. Martin Heidegger, ihr anderer Hauptvertreter, hat freilich viel stärker schulbildend gewirkt, und es hat am Anfang der fünfziger Jahre eine Zeit gegeben, da etwa die Hälfte aller deutschen philosophischen Lehrstühle mit Leuten besetzt war, die die entscheidende Zeit ihrer philosophischen Entwicklung in der Schule Heideggers verbracht haben, – mögen sie heute auch vielfach zu Gegnern des Freiburger Philosophen geworden sein.

Die Frage, was eigentlich Existenzphilosophie sei, bewegte in den Jahren zwischen 1945 und 1948 auch die Laien. Das Zauberwort ›Existentialismus‹ war in Frankreich zum Leben erwacht, und mit dem Bekanntwerden der Werke von Sartre und Camus nahm man auch in Deutschland schnell davon Besitz. Sartre aber berief sich auf Heidegger, nicht zuletzt durch diesen Umstand wurde dessen Philosophie plötzlich wieder ins allgemeine Bewußtsein gehoben. Dabei handelt es sich eigentlich zunächst um eine Wiederentdeckung, denn die ersten leidenschaftlichen Diskussionen um diese Philosophie lagen bereits über fünfzehn Jahre zurück. Die Existenzphilosophie hat schon um 1930 herum in Deutschland großen Einfluß ausgeübt.»Die Gemeinsamkeit dieser in sich wiederum noch sehr mannigfaltigen Bewegung besteht im Rückgang auf den großen dänischen Philosophen Sören Kierkegaard, der erst in diesen Jahren wirklich entdeckt wurde und zu größerem Einfluß kam. Der von ihm geprägte Begriff ›Existenz‹ bezeichnet den gemeinsamen Ausgangspunkt der sich danach benennenden Existenzphilosophie.« (Bollnow)

Kierkegaards radikales Denken berührte sich aber auch mit Intentionen, die bei Nietzsche und – in weniger zugespitzter Weise – bei der Lebensphilosophie Diltheyscher Prägung ebenso vorgezeichnet waren: das menschliche Dasein steht im Mittelpunkt eines Philosophierens, das sich im übrigen gegen allgemeine Systematik wendet. Konnte die Existenzphilosophie sich inhaltlich auf diese Ahnherren berufen, so verdankte sie ihre Methode der Phänomenologie Edmund Husserls. Und daraus entstand in unserem Jahrhundert eine entscheidende Wende der philosophischen Auffassung gegenüber der jahrhundertealten Philosophie, die sich in geschlossenen Systemen bewegte.

Wenn wir uns mit dem Inhalt der Existenzphilosophie noch etwas näher beschäftigen, so wird sogleich klar, warum dieses Denken sowohl um 1930, also mitten in der Misere der Weltwirtschaftskrise und inmitten jener bürgerkriegsähnlichen Situation, deren Folge in Deutschland der Nationalsozialismus sein sollte, als auch im zerbombten, besetzten, geteilten und rechtsunsicheren Deutschland nach 1945 so viele Zuläufer finden konnte.

In der grenzenlosen Einsamkeit der technsich gewordenen Welt, die von jeder sinngebenden Ordnung verlassen scheint, bleibt dem Menschen nur die Verzweiflung oder die Rückkehr auf den innersten Pol seines Seins: die Existenz. Der Mensch erlebt sich als gefährdeter, der in Grenzsituationen aufs äußerste bedroht ist. Die Rettung liegt nur in ihm selbst, in seiner Existenz, ungeachtet aller inhaltlichen Beziehungen zur Welt. Er erfährt sich als einzelner, der ganz auf sich gestellt ist.

Die negativen Stimmungen der Angst, des Seins zum Tode und der Geworfenheit, die Heidegger zum Ausgangspunkt seiner Analyse machte, waren es aber, die so viel selbstverständlichen Anklang fanden, – denn hier schien eine neue konkrete Philosophie vorzuliegen, die sich mit Phänomenen beschäftigte, mit denen jedermann sich auseinanderzusetzen hatte. Und doch war Heideggers Philosophie nie eine Jedermannsweltanschauung und wollte es auch nie sein. Aber die Exklusivität einer äußerst schwierigen und oft zum mythischen Dunkel neigenden Sprache hat Heideggers Zuläufer eher gerade angelockt als wirksam verschreckt. Alles Geheimnisvolle, Tragische und Unausgestandene der deutschen Situation schien im weiten Raum dieses Denkens irgendwo Unterschlupf und Erklärung zu finden.

Die eigentliche Größe der Heideggerschen Philosophie geriet dabei oft aus dem Blickfeld. Denn die in seinem Hauptwerk *Sein und Zeit* entworfene Analyse der Zeitlichkeit und Geschichtlichkeit des menschlichen Daseins gehört zu den größten Leistungen der Philosophie seit Hegels *Phänomenologie des Geistes*. Auf Vorarbeiten Bergsons aufbauend, zog Heidegger die Dreidimensionalität der Zeit zur Wesenscharakterisierung des menschlichen Daseins heran. Im Schnittpunkt der drei Zeitdimensionen Vergangenheit, Gegenwart und Zukunft vollzieht sich unsere jeweilige Existenz. Und dabei wird die Zeit wieder mit den Begriffen Tod und Endlichkeit zusammengedacht. Aber Tod und Endlichkeit bleiben immer auf den Menschen selbst bezogen, – so verwandelt Heidegger ein Kernstück christlicher Theologie und Philosophie in eine radikal innerweltliche Lehre. Bei dem verbindlicheren Jaspers gibt es in seiner »Philosophie des Umgreifenden« eine Transzendenz, in der dem einzelnen Raum bleibt für eine Begegnung mit Gott oder dem Geschehen der Offenbarung. Heideggers Analyse stößt nur auf innerweltlich Seiendes, und das eigentliche Sein, zu dem es zurückzukehren gilt, dessen wir wieder teilhaftig werden müssen, kennt keine Transzendenz.

Der Heidegger von *Sein und Zeit* lehrte die Entschlossenheit als das, worauf es ankomme, die Möglichkeit, sich in einer existentiellen Situation zu entscheiden. Eben dasselbe lehrte Sartre in Paris die französische Jugend. Die Forderung nach Entschlossenheit ist aber ebenso formal, wie Kants kategorischer Imperativ es einst war. Da es der Existenzphilosophie primär um die Verwirklichung des einzelnen menschlichen Daseins geht, diese Philosophie also die Individualität des einzelnen in höchstem Maße anspricht, kann und will sie keine verbindliche Ethik geben, also keine allgemeinen Normen für das sittliche Verhalten. Da man aber nicht nur entschlossen um der Entschlossenheit willen sein kann, bedarf die Verwirklichung dieser philosophischen Forderung einer inhaltlichen Erfüllung, die nicht in der Philosophie selbst liegt. Damit hängt die Anfälligkeit der Existenzphilosophie für ideologische Infektionen zusammen. Sartre hat bekanntlich immer zum Kommunismus tendiert, Heidegger gehörte ähnlich wie Gottfried Benn zu denen, die anfänglich glaubten, daß im Nationalsozialismus geschichtliche Möglichkeiten im Sinne ihres Denkens lägen. Mochte diese Illusion für Heidegger auch schnell verflogen sein: seine Blindheit für soziale Phänomene und die Unverbindlichkeit seines Philosophierens, schließlich die starre Dogmatik seiner engsten Schüler haben die Heideggersche Philosophie nie ganz vom Ideologieverdacht befreien können.

Seine weitere Entwicklung nach dem Kriege hat Heidegger selbst als die »Kehre« seines Denkens beschrieben. Gemeint ist damit die Umkehr des Denkens von der fundamental-ontologischen Existenzanalyse des menschlichen Daseins zu einer Erhellung dessen, was das Sein eigentlich ist. Oder anders ausgedrückt: die Frage nach der Zeitlichkeit des Daseins wurde abgelöst von der Frage nach dem Sein selbst. Das geschah aber bisher nicht in dem seit Jahrzehnten vergeblich erwarteten zweiten Teil von *Sein und Zeit*, sondern in einzelnen Aufsätzen und Vorträgen, Interpretationen vorsokratischer und hölderlinscher Texte. Darin soll sich das Sein selbst offenbaren, während herkömmliche Ontologie es stets nur mit dem Seienden, das heißt dem vielerlei verdinglichten Sein in der Welt, zu tun hatte. Philosophie rückt so zwangsläufig und eingestandenermaßen in die Nähe von Dichtung. So wird dieses Denken zu einer völlig neuen Art von Metaphysik, die von einer Feindschaft zum Cartesianismus und zur rationalen westlichen Philosophie überhaupt beseelt ist.

Der trotz aller Gegenargumente der Schüler nicht wegzuleugnende Irrationalismus der Heideggerschen Lehre ist das bedenklichste Zeichen dieser Philosophie. Und es bleibt ein wundersames Zeichen der Zeit, daß die philosophische Selbstbesinnung der Deutschen nach diesem Kriege sich zu einem großen Teil im Zeichen dieser Seinsmystik vollzog. Ehemalige Schüler Heideggers wie Karl Löwith haben dagegen in aufsehenerregenden Polemiken protestiert, konservative Denker wie Helmuth Plessner haben vor den Verführungen dieses Denkens gewarnt, Köpfe wie Adorno und Bloch haben mit kritischem Hohn nicht gespart, – Heidegger und die Seinen hat das wenig angefochten. Die Autorität des Mannes, der sich nicht wie Jaspers in seiner 1948 erschienenen *Philosophischen Logik* zur Rationalität auch des philosophischen Denkens bekannte, der aktuelles Engagement scheute und statt dessen der reinen Frage nach dem Sein nachging, schien dadurch eher noch zu wachsen. – Erst in der zweiten Hälfte der fünfziger Jahre verebbte das übergroße allgemeine Interesse an der Philosophie des Freiburger Meisters, – vielleicht zum Nutzen der Sache, die er vertritt, vielleicht aber ist damit auch die einstweilen letzte große Epoche deutschen Philosophierens zu Ende gegangen. Heideggers Art der hermeneutischen Methode hat ihren Einfluß zumindest auf fast zwei Generationen deutscher Philosophie und Geisteswissenschaft ausgeübt: die Geschichtsphilosophie, die Anthropologie, aber auch Teile der Kunstwissenschaft wie der Naturphilosophie haben von seiner Methodik Impulse empfangen.

Die geschichtliche Katastrophe forderte die Philosophie selbstverständlich dazu heraus, die philosophische Frage nach dem Sinn der Geschichte erneut zu stellen. Das geschah besonders durch drei bemerkenswerte Versuche. Karl Jaspers Studie *Vom Ziel und Ursprung der Geschichte* ist viel beachtet und mit ebensolchem Recht auch häufig scharf kritisiert worden. Hier lag ein Versuch vor, das Wesen der Geschichte im weltgeschichtlichen Maßstab neu zu deuten. Jaspers prägte den Begriff der »Achsenzeit« und meinte damit die historische Menschwerdung von etwa 800 bis 200 vor Christus. Von diesem an sich schon problematischen Ansatz aus interpretierte er die Geschichte als »Zerfall« dieser sich in der Achsenzeit ereignenden Menschwerdung, als einen Zerfall, der in der heutigen Weltkrisis seinen einstweiligen Höhepunkt hat und uns alle, enterbte Erben der historischen Entwicklung, an den Rand des Nichts stellt. Damit ist dann aber doch nur wieder die Kierkegaardsche Verzweiflung angepeilt und damit die existentielle Bewährung des einzelnen in dieser Notzeit. Jaspers hat den philosophischen Glauben, daß diese existentielle Bewährung des einzelnen in der Lage sei, die Not zu meistern und die gegenwärtige Weltkrisis zu überstehen.

Romano Guardini scheint in seinem Werk *Das Ende der Neuzeit* von einem ähnlichen Ansatz auszugehen wie die Existentialisten: schon der Titel deutet ja unmißverständlich das Bewußtsein der Krise an. Guardini entfaltet das Phänomen der Geschichte aber nicht durch eine existentielle Analyse der Innerlichkeit des Menschen, sondern mit Hilfe einer historischen Betrachtung der Kulturentwicklung. Auch Guardini bejaht die Dimension der Zukunft, die aber nicht wie bei den Kierkegaardianern jeweils nur die eines einzelnen ist, sondern er glaubt an ein kommendes Christentum der Tapferkeit und des Vertrauens, das inmitten der verdinglichten Kultur der industrialisierten Gesellschaft entstehen und ein neues Zeitalter heraufführen soll. Man kann sagen, daß Guardini damit die Kraft des Wunders beschwört und als Theologe über die zulässigen Grenzen des Philosophierens weit hinausgeht. – Im Deutschland dieser Jahre hat mancherlei Philosophie opportunistisch und oberflächlich christliche Gedanken aufgenommen. Das schien ein ebenso billiger wie unanfechtbarer Weg, die nationalsozialistischen Gespenster zu verscheuchen. Guardinis Philosophie aber zählt neben der in den letzten Jahren auch in Deutschland viel diskutierten Arbeit Teilhard de Chardins zu den ganz wenigen ernst zu nehmenden Versuchen der Herausforderung einer christlichen Philosophie in einer säkularisierten Welt.

Karl Löwith hingegen sieht in Hegel das letzte Glied der christlichen Philosophie, einer für uns bereits zu Ende gegangenen Epoche, von der uns nur das zweifelhafte Geschenk des Historismus und seiner Relativierungen geblieben ist. Der Heidegger-Renegat verweist auf die griechische Kultur als Beispiel einer großen geschichtlichen Verwirklichung, ohne daß deren Träger in der Blütezeit schon ein eigentliches historisches Bewußtsein gehabt hätten. Aber Löwiths Aporie versagt sich redlicherweise eine Antwort für eine geschichtsphilosophische Interpretation der Zukunft. Die fröhlichen Tage Spenglerscher Spekulation sind längst vorüber. Allgemein ist zu sagen, daß das Bewußtsein der Krise allein nicht ausgereicht hat, um in all diesen Jahren einen großen geschichtsphilosophischen Entwurf von wirklicher Bedeutung hervorzubringen. Auch Alfred Webers These des »Abschieds von der bisherigen Geschichte« und Hans Freyers »Theorie des gegenwärtigen Zeitalters« fehlte letzte überzeugende Kraft. Angestoßen von dem nationalen Debakel des Jahres 1945 hat es die deutsche Philosophie bisher einzig vermocht, das Bewußtsein für die Krise zu schärfen.

Wir sagten schon, daß sich im befreiten Deutschland mancherlei christliche Philosophie schnell wieder zu Worte meldete. So wundert es nicht, daß der Thomismus eine kräftige und durchaus legitime Belebung erfuhr. An den Universitäten mit größerem katholischen Einfluß war er ja seit je vertreten, hatte es aber bei uns nie zu einer so außerordentlichen und langanhaltenden Wirkung gebracht wie etwa in Frankreich die Philosophie um Jacques Maritain oder um Etienne Gilson. Mit Josef Pieper hatte die deutsche Philosophie aber plötzlich einen Thomisten, der das Werk Thomas von Aquins auf eine bisher ungeahnte Weise lebendig wiederzugeben und zu interpretieren wußte, wie man es bisher kaum für möglich gehalten hatte. Seine Wiederbelebung der konsequenten Beschäftigung mit Thomas dürfte zu den bleibenden Leistungen der katholischen Philosophie in Deutschland nach dem Kriege gehören, – protestantischerseits verdanken wir Wilhelm Kamlah die Wiederentdeckung Augustins. Im übrigen ist selbst der Thomismus nicht von Heideggerschen Einflüssen verschont geblieben: so versuchte sich z. B. Bernhard Welte an einer existentiellen Auslegung der Texte des Heiligen Thomas.

Die Philosophie des Thomas von Aquin ist bekanntlich die geschichtlich bedeutendste christliche Adaptierung der Ontologie des Aristoteles. Die Tradition der aristotelischen Seinslehre wird aber in Deutschland seit der Mitte des vorigen Jahrhunderts auch außerhalb des theologisch tingierten Thomismus gepflegt. Der bisher letzte große Vertreter eines nicht christlichen und ebenso nicht marxistischen ontologischen Realismus war Nicolai Hartmann, der 1950 starb. Sein Werk, das den letzten Versuch eines in sich geschlossenen philosophischen Systems darstellt, hat noch ein halbes Jahrzehnt nach dem Kriege die philosophische Situation mitbestimmt. Nicolai Hartmanns Position in der philosophischen Landschaft jener Jahre war ganz klar dadurch bezeichnet, daß sich sein Denken im vollkommenen Gegensatz zu Heidegger, aber auch zu allen anthropologischen und soziologischen Strömungen der Zeit befand.

Daß es im zwanzigsten Jahrhundert noch einmal eine Philosophie geben sollte, die zwischen der antik-mittelalterlichen Ontologie und der kritischen Philosophie der Neuzeit vermittelte, mag erstaunlich scheinen. Zweifellos war aber mit diesem, wie sich zeigen sollte, mißglückten Versuch ein Stück klassischer abendländischer Philosophie konsequent zu Ende gedacht worden. Im Gegensatz zu fast allen anderen modernen Strömungen ist Hartmanns kritischer Realismus nicht anthropozentrisch. Die Welt existiert für ihn als vielfältiges Seiendes durchaus auch ohne den Menschen, der erst die letzte bis heute bekannte Seinsstufe als Träger des von Hartmann sogenannten geistigen Seins repräsentiert. Der Glaube an die vom Menschen unabhängige, komplexe Realität ist die metaphysische Grundvoraussetzung für dieses ganze Denken.

Es ist bezeichnend, daß Hartmann in Kierkegaard den unseligsten und raffiniertesten Selbstquäler der Geistesgeschichte sieht. Dementsprechend wird die von der Existenzphilosophie hochgespielte metaphysische Bedeutung der Angst und des Todes geleugnet: für Stimmungen ist in der Hartmannschen Ontologie kein Platz, wenngleich die emotionalen Phänomene auch für Hartmann eine Rolle spielen bei der Realitätserfahrung. Aber der große Zug dieses Philosophierens geht zur kosmischen Betrachtung. Und angesichts der Universalität der gesamten Wirklichkeit, spielen die Schrecken, ja der Tod und die Ängste, die ein einzelner durchstehen muß, eine ganz untergeordnete, geringfügige Rolle im Gesamtprozeß des Weltgeschehens. Unberührt zeigt sich diese Philosophie auch folgerichtig gegenüber der aktuellen historischen Situation: kein Krisenbewußtsein inspiriert die trockenen und soliden Analysen in den Hartmannschen Werken. Nicolai Hartmann hat übrigens dieser seiner Philosophie auch im Persönlichen nachgelebt. Während das Dritte Reich, das ihn nie berührt und interessiert hat, zugrunde ging, saß Hartmann ungeachtet der Kämpfe um Berlin und der nachfolgenden russischen Besetzung in seiner Berliner Wohnung und schrieb das letzte Buch seiner systematischen Philosophie, eine fast fünfhundert Seiten starke »Ästhetik«. Wenige Monate später ging Hartmann nach Göttingen, – dort fand er viele Schüler; obwohl es eigentlich heute keine wirklichen Nachfolger seines Werkes gibt, beherrschte seine Philosophie als Gegenpol zur Freiburger Schule Martin Heideggers einen Teil der Diskussion, besonders auf den zahlreichen philosophischen Kongressen der Nachkriegszeit.

Hartmann und Heidegger waren beide in ihrer Art vorzügliche Lehrer, beide erzogen eine nachwachsende Generation zu einer ungewöhnlichen Strenge des Denkens. Aber während Heideggers Sprache besonders im Munde seiner Schüler jenen irrationalen, stark weltanschaulich gefärbten Akzent hatte, fehlte der nüchternen, sich bewußt trocken gebenden Diktion Hartmanns jeder irgendwie begeisternde Effekt.

Viele wandten sich mit Grausen ab. Die Unpersönlichkeit des Hartmannschen Stils in einer Zeit, die gerade erst zu realisieren begann, was Auschwitz und Stalingrad eigentlich bedeuteten, mochte abstoßend sein. So gab es am Ende der vierziger Jahre zwei eigentümliche Lager, in denen sich die Philosophierenden in Deutschland verschanzt hatten: auf der einen Seite die krisenbewußten Existentialisten aller Schattierungen, die freilich von dem gefährlichen deutschen Irrationalismus nicht loskamen, auf der anderen Seite die Hartmannianer, die unberührt von der Zeit die klassischen Probleme der Erkenntnis, der Ethik und der alten Ontologie weiter behandelten, als sei nichts gewesen, die frei waren von jedem weltanschaulichen Engagement und sich ganz der strengen, rationalen Philosophie verschrieben hatten und dabei der guten Überzeugung waren, daß kühle Rationalität, wie sie Descartes einst gelehrt hatte, dasjenige war, was die Deutschen zunächst einmal wieder lernen müßten.

Es bedarf keines weiteren Wortes, um festzustellen, daß beide Positionen große Schwächen hatten. Beiden fehlte vor allem der Blick für die soziale Wirklichkeit des Menschen, – für den Menschen als Zoon politikon –, aber eben jene Wirklichkeit galt es doch eigentlich wiederzuentdecken. Freilich, es gab daneben Ansätze im Kleinen: etwa rechtsphilosophische und naturrechtliche Versuche bei Coing, Ebbinghaus und anderen, – sie haben aber nie die Situation im ganzen bestimmt. Neue Akzente sollten erst in den fünfziger Jahren kommen.

Zu Beginn der fünfziger Jahre kehrten nämlich einige Philosophen nach Deutschland zurück, die während der Nazizeit zur Emigration gezwungen waren: Helmuth Plessner erhielt einen Lehrstuhl in Göttingen, Max Horkheimer und Theodor W. Adorno nahmen ihre Lehrtätigkeit in Frankfurt wieder auf, und Ernst Bloch lehrte in Leipzig. Neue Schülerkreise bildeten sich, neue Probleme wurden wesentlich, und die philosophische Situation wurde im ganzen um einige Nuancen reicher.

Mit Plessner griff einer der Begründer der philosophischen Anthropologie wieder in die Debatte ein. Plessner kommt gleichermaßen von der Biologie wie von der Soziologie zu seinen Problemstellungen. Philosophische Anthropologie, wie Plessner sie in den zwanziger Jahren zuerst formuliert hat, beschränkt sich nicht wie die deutschen Existenzphilosophie auf eine phänomenale Beschreibung menschlicher Innerlichkeit, sondern stützt sich bei der Erforschung der Frage, was denn das Wesen des Menschen sei, auch auf das Wissen, das die empirischen Wissenschaften bisher erarbeitet haben. Der Mensch hat nicht nur Stimmungen und ist nicht nur ein Subjekt der Erkenntnis, er ist auch in einem ganz wesentlichen Sinne stets ein leiblicher Organismus, der tätig praktizierend sich in jedem Augenblick mit seiner Welt auseinandersetzt. Die moderne Verhaltensforschung, die Medizin, die Ethnologie und alle Sozialwissenschaften geben diesem neuen Denken deshalb Material für die philosophische Betrachtung. Für Plessner erscheint die philosophische Anthropologie als der späte Reflex einer ganzen Geschichte des neuzeitlichen Denkens über den Menschen, welches die Frage nach seiner Natur in ein um so schärferes Licht rückte, als seine Rolle in der Welt sich verdunkelte. Eine Philosophie dieser Art hat den Anschluß an die positiven Wissenschaften wiedergefunden, bleibt aber nicht in deren Grenzen befangen.

Diesen Vorteil hat sie vor dem Neopositivismus, der freilich aus zweierlei Gründen eine Sonderstellung in unserer Betrachtung einnimmt: einmal handelt es sich bei dem sogenannten logischen Positivismus um eine im Grunde antiphilosophische Strömung, weil von den positivistischen Philosophen die Möglichkeit einer eigenständigen philosophischen Wissenschaft, die über den Menschen, die Welt, über die Wirklichkeit schlechthin Auskunft zu geben vermöchte, energisch in Abrede gestellt wird. Und zweitens war diese antiphilosophische Lehre in Deutschland nie recht zu Hause. In Wien entstand vor Jahrzehnten die neue Lehre, die aller Metaphysik den baldigen Tod prophezeite. Wittgenstein, Moritz Schlick, Carnap und von Neurath hießen die Begründer, Bertrand Russell war der wichtigste Pate für diese Schule, die es in England und Amerika zu ungeheurem Ansehen bringen sollte. Wissenschaftliche Aussagen werden den logischen Positivisten zufolge entweder von der Mathematik oder von den empirischen Wissenschaften ausgesprochen. Für Philosophie im überkommenen Wortsinn ist daneben kein Platz. Die Diskussion um diese Lehre hat sich nur zu einem geringen Teil in Deutschland vollzogen. Das ursprüngliche Bestreben des Positivismus, die traditionelle Philosophie durch Aufdeckung ihrer Sinnlosigkeit zu überwinden, ist als gescheitert anzusehen. Jetzt, da eine gemäßigtere Strömung Raum gewinnt, haben die Gedanken der Wiener Schule auch in Deutschland Eingang gefunden. Josef König, Günther Patzig, Helmut Delius, Jürgen von Kempski und vor allem auch Wolfgang Stegmüller sind in den letzten Jahren mit brillanten logistischen

Studien hervorgetreten, Wittgensteins Werke erschienen 1960 zum ersten Male auch in einem deutschen Verlag.

Auch die Probleme, die die moderne Physik und die Technik der Philosophie unabweislich stellen, haben erst teilweise in der philosophischen Debatte Bedeutung gewonnen. Friedrich Dessauer und Simon Moser haben sich beide an einer Philosophie der Technik versucht. Eine philosophisch relevante Äußerung zu diesem Modethema deutscher Kongresse und Akademien liegt mit einem Vortrag von Heidegger vor, der die Technik als menschliches Schicksal begriff, dessen volle Tragweite noch gar nicht erkannt ist. Heidegger zog sich auf den Hölderlinschen Satz zurück, daß dort, wo Gefahr ist, auch das Rettende wächst, – er wich, wie schon früher, verbindlichen Feststellungen aus, aber er zeigte doch sehr plausibel die Schwierigkeiten, die jede ernsthafte philosophische Auseinandersetzung mit der Technik mit sich bringt.

Demgegenüber konnten die Erkenntnisse der modernen Atomphysik schon in einem viel entscheidenderen Sinne für die Philosophie fruchtbar gemacht werden. Deutschland besitzt in Carl Friedrich von Weizsäcker einen Philosophen, der zunächst als Physiker in der Schule Heisenbergs groß geworden ist. Weizsäcker hat als einer der ersten die erkenntnistheoretischen Konsequenzen, die die Quantentheorie mit sich bringt, gesehen, und er hat seit Jahren unablässig darauf hingewiesen. Er hat es vermocht, auch bei physikalischen Laien eine Vorstellung von der Wende zu erwecken, der sich unser gesamtes Denken heute gegenübersehen muß. Die Heisenbergsche Quantenmechanik hatte gezeigt, daß es nicht erlaubt ist zu fragen, ob das Atom ein Teilchen oder eine Welle sei. Zulässig ist nur die Behauptung, daß das Atom entweder ein Teilchen oder eine Welle ist und daß allein die experimentelle Anordnung, die der Mensch trifft, darüber entscheidet, als was sich ein Kernteilchen manifestiert. Weizsäcker wagt von diesem Sachverhalt den Schritt in die philosophische Betrachtung:

»Sollte demnach die Wirklichkeit von unserer Willkür abhängen? Nicht die Wirklichkeit, aber das Bild, unter dem wir sie begreifen. Wir können vom Atom nicht anders erfahren als durch das Experiment. Das Experiment ist aber eben eine Vergewaltigung der Natur. Wir zwingen gleichsam das Atom, uns seine Eigenschaften in einer angemessenen Sprache mitzuteilen... Eigentlich versagt dabei nicht die raumzeitliche Anschauung, – denn wir erfahren ja vom Atom gar nichts anderes als raumzeitliche Maßergebnisse. Es versagt auch nicht, wie man wegen des Auftretens von Wahrscheinlichkeitsaussagen gemeint hat, das Kausalgesetz, –

denn durch jedes Experiment schaffen wir geschlossene Kausalketten. Es versagt aber die Einfügung dieser isolierten Anschauungsfragmente und Kausalketten in ein objektives Modell des Vorgangs: es versagt die Objektivierbarkeit der Natur.«

Der Mensch ist also nicht mehr als passiv erkennendes Subjekt zu verstehen, dem das Objekt der Erkenntnis, in diesem Falle also ein Atom, in Distanz konkret gegenübersteht. Vielmehr bilden Mensch und Atom bei diesem Erkenntnisvorgang eine operationale Einheit. Das alte Gegenüber von Subjekt und Objekt, von denkender und materieller Substanz, das sich durch die ganze Erkenntnislehre der Philosophie zieht, scheint so mit einem Schlage außer Kraft gesetzt zu sein. Die philosophische Anthropologie, aber auch die Existenzphilosophie, die ihrerseits den Subjekt-Objekt-Gegensatz der alten Metaphysik überwinden wollen, werden hier von der Physik in ihren Intentionen bestätigt. –

Was die Atomphysik für die Sozialgeschichte des Menschen bedeutet, ist freilich noch wenig durchdacht. Einstweilen kümmert sich die Sozialphilosophie in Deutschland noch wenig um die Auswirkungen der modernen Physik, wenngleich gerade sie es doch sind, von denen wir eine völlige Wandlung des Zeitalters, unserer Lebensgewohnheiten und unserer sozialen Verhältnisse am ehesten zu erwarten haben.

Einen spektakulären Versuch in dieser Richtung unternahm jedoch der Physiko-Chemiker Robert Havemann, der als überzeugter Kommunist in einer Vorlesungsreihe an der Ostberliner Humboldt-Universität im Wintersemester 1963/64 beweisen wollte, daß die Quantenmechanik der Naturphilosophie von Friedrich Engels nicht widerspreche und sich mit den Prinzipien des Diamat durchaus vertrage. Havemanns zwar unvollkommener aber doch kühner und diskussionswürdiger Ansatz hätte große Dispute unter den marxistischen Theoretikern auslösen müssen. Die Behörden der DDR entzogen ihm jedoch die Lehrerlaubnis und verurteilten ihn zum Schweigen. An den Universitäten der DDR war Philosophieren schon längst mit dem bloßen Nachvollzug des historischen und dialektischen Materialismus gleichgesetzt worden. Dort bildet sich heute bestenfalls eine marxistische Scholastik heraus: die in sich als abgeschlossen geltende marxistische Lehre wird ohne wesentliche Fortbildung tradiert. Schöpferische Denker, die versuchen, den Marxismus ein Stück weiterzudenken, werden als Häretiker verfolgt. So wurden die Werke Blochs in der Ostzone unterdrückt, während sie in Westdeutschland verlegt und offen diskutiert wurden, – und zwar längst bevor Bloch Leipzig und der DDR den Rücken kehrte, um nach Tübingen zu gehen. Damit verlor die östliche Hälfte Deutschlands den einzigen marxistischen Philosophen von Rang.

Die Schwierigkeiten, die man Bloch gegen Ende der fünfziger Jahre in Leipzig machte, sind für uns um so weniger zu verstehen, als die Thesen seiner Philosophie damals bereits seit vierzig Jahren bekannt waren. Denn schon 1918 veröffentlichte der junge Bloch seine erste grundlegende Arbeit über den *Geist der Utopie*. Als 1959 Blochs zweibändige, über 1600 Seiten starke Studie *Das Prinzip Hoffnung* in einer unzensierten und autorisierten Ausgabe in Frankfurt am Main erschien, konnte jedermann sehen, wie wenig sich Bloch von den ursprünglichen Positionen seines Denkens fortentwickelt hatte. Aber wie die Existenzphilosophie und Anthropologie der zwanziger Jahre plötzlich aktuelles Interesse erregten, so wurde nun auch Blochs Philosophie neu entdeckt. Ernst Bloch versucht im *Prinzip Hoffnung* das Märchen vom goldenen Zeitalter ernstzunehmen und den Traum, der dorthin führt, als Praxis auszugeben. Gegen die ganze abendländische Philosophie richtet sich sein Denken nicht auf das eine, das Urprinzip oder den einen Gott, der am Anfang war, sondern in die Zukunft, auf das Ende der Geschichte, dahin, wo der Mensch der Selbsterlösung fähig wird. Blochs Werk ist Anthropologie aus marxistischem Ursprung und doch zugleich ein Denken, dessen Kraft aus ganz anderen Wurzeln stammt. Deren Namen sind: deutscher Idealismus schellingscher und fichtescher Prägung, jüdische Mystik und Existenzphilosophie in der Nachfolge Kierkegaards.

Ernst Bloch gehört, wie übrigens auch Jaspers und Heidegger, zur Generation der heute Fünfundsiebzig- bis Achtzigjährigen, die noch im Kaiserreich studierten und deren Philosophie auch als Reaktion auf das 19. Jahrhundert und seinen Wissenschaftsbetrieb zu verstehen ist. Jahrzehnte vergingen, bis das Werk dieser Männer im Bewußtsein der Öffentlichkeit eine Rolle spielte. Das Philosophieren Jüngerer blieb weitgehend ein akademisches Ereignis, – sicher oft mit Recht. Schulphilosophie ist eine nüchterne und manchmal recht aufgeblasene Sache, die verschreckte Examenskandidaten irritieren mag. Wer sich mit gebotener Strenge dieser Sache nähert, muß es mit einer gewaltigen Tradition aufnehmen und sie sich aneignen. Häufig bleibt es bei solcher Aneignung und vorsichtiger Interpretation des Überlieferten, was kein absoluter Schade zu sein braucht. Nicht auf jedem Lehrstuhl kann ein Genie sitzen, und ein Dialog mit Plato, Kant, Hegel und Nietzsche ist für die Schule des Denkens zweifellos nützlicher als die Adaption der Werke zweitklassiger Zeitgenossen.

Einzig die heute so genannte Frankfurter Schule mit Max Horkheimer,

Theodor W. Adorno, Herbert Marcuse und Jürgen Habermaas hat in den sechziger Jahren weites Aufsehen erregt. Während Horkheimer als Senior des Frankfurt Instituts für Sozialforschung nach dem Kriege nur noch mit Gelegenheitsarbeitern hervorgetreten ist, wurde besonders Adorno durch zahlreiche sozialkritische und ästhetische Studien einem breitem Publikum bekannt. Seine Reflexionen über alte und neue Musik, Dichtung und Metaphysik gipfeln in der Entlarvung unseres von den Massenmedien gesteuerten Kulturbetriebs als Kulturindustrie, die alles Geistige wie Ware handelt und im Dienst herrschender Ideologien steht. Charakteristisch ist, daß die Analyse sozialer Sachverhalte in dieser Philosophie nicht – wie in der empirischen Soziologie etwa bei Schelsky – das Selbstverständnis der Gesellschaft stützen soll, sondern die Ergebnisse der Analyse gegen die bestehende Gesellschaft selbst gerichtet werden. Wichtigstes Zeugnis dieses Denkens ist das 1966 erschienene Werk »Negative Dialektik«, das in einer Heidegger genau entgegengesetzten Weise die europäische Philosophie destruiert. Adorno will die »Entzauberung des Begriffs« leisten. Realität und Praxis sind immer mehr als begriffliche Definitionen zu fixieren. Dialektik führt zur Auflösung der Begriffe und wird zum Motor des Denkens, jedoch hat sie – anders als bei Hegel und Marx – keine affirmative Funktion. Im Prozeß einer kritischen Aufklärung wird die bestehende Welt als unheilvoll erkannt, aber kein Rezept für eine Wende zum Besseren gefunden. Philosophie beschränkt sich auf die kritische Funktion dialektischen Sezierens. »Philosophie, wie sie im Angesicht der Verzweiflung einzig noch zu verantworten ist, wäre der Versuch, alle Dinge so zu betrachten, wie sie vom Standpunkt der Erlösung sich darstellen«, heißt es am Ende der *Minima Moralia* von Adorno. Aber auch das ist säkularisierte Eschatologie in der Nachfolge der alten Metaphysik.

Daß diese »kritische Theorie« praktisch werden kann, zeigte sich, als im Sommer 1967 deutsche Studenten zum öffentlichen Protest gegen das Establishment des Wohlfahrtsstaates schritten. Das geschah unter Berufung auf die Schriften Herbert Marcuses. Schon in den dreißiger Jahren, als das Frankfurter Institut für Sozialforschung vor den Nazis zunächst nach Paris, dann nach New York fliehen mußte, galt Marcuse als einer seiner brillantesten Vertreter. Gastvorlesungen in den fünfziger Jahren machten eine jüngere Generation zunächst in Frankfurt mit den Gedanken dieses Philosophen bekannt. Schärfer als Adorno pointierte Marcuse dann in seinen Veröffentlichungen die kritische Zielsetzung: »Das Denken im Widerspruch muß dem Bestehenden gegenüber utopischer werden.« Anwendung von Gewalt ist das Recht von Minderheiten, denn diese beginnen damit nach Marcuse keine neue Kette von Gewalttaten, sondern zerbrechen nur etablierte Herrschaftsverhältnisse. In solchem Pathos schwingt Marx' These mit, daß die Waffe der Kritik die Kritik der Waffen (d. h. durch die Waffen) nicht ersetzen kann.

Philosophie und revolutionäre Praxis sind sich damit aber – allem äußeren Anschein zum Trotz – keineswegs so nahe gekommen wie etwa vor hundert Jahren bei Marx und Engels. Die negative Utopie der Frankfurter Schule wie auch Ernst Blochs *Prinzip Hoffnung* gibt keine konkreten Regeln für die Aktion und schon gar keine geschichtsphilosophischen Prognosen wie das »Kommunistische Manifest«. Darin liegt ihre Glaubwürdigkeit, aber auch ihre Schwäche.

Heidegger beklagt die Seinsvergessenheit der Welt und wünscht, daß der einzelne Mensch wieder die Geborgenheit des Seins erfahre, Blochs Utopia entwirft für alle Menschen ein Reich das »Heimat« heißt, Adorno und Marcuse gehen von der Voraussetzung aus, daß die wahre Gesellschaft frei vom Zwang der Herrschaftsverhältnisse zu existieren habe. Das ist nicht nur Hippie-Ideologie. Es ist der Traum, den die deutsche Philosophie, ohnmächtig gegenüber dem geschichtslosen Verhalten der Konsumgesellschaft, in diesen Jahren träumt. Jedoch: auch Träume können legitim sein, und bereits Marx wußte, daß die Revolution im Gehirn des Philosophen beginnt.

Die Literatur der Emigration

Jonas Lesser

Es dauerte hundert Jahre nach dem Dreissigjährigen Kriege, in dem ganz Deutschland genauso verwüstet worden war wie in unseren Tagen durch Hitlers Kriege, bis in Frankfurt Johann Wolfgang Goethe geboren wurde, der die deutsche Literatur auf eine nie zuvor erreichte Höhe führte. Wer kann heute sagen, ob und wann die durch das Tausendjährige Reich ruinierte deutsche Literatur wieder Schriftsteller vom Range etwa Thomas und Heinrich Manns, Jakob Wassermanns, Hugo von Hofmannsthals, Stefan Georges aufweisen wird?

Klaus Mann schrieb 1933: »Ein Massenexodus der Dichter setzte ein. Noch nie zuvor in der Geschichte hat eine Nation innerhalb weniger Monate so viele ihrer literarischen Repräsentanten eingebüßt.« Aber Gottfried Benn, einst mit Klaus Mann befreundet, rief diesem ins Exil nach: »Ihr Vorwurf, ich kämpfte für das Irrationale . . ., das schreiben Sie in dem Augenblick, wo es sich herausstellt, daß nie in einer der wahrhaft großen Epochen der menschlichen Geschichte das Wesen des Menschen anders gedeutet wurde als irrational. Verstehen Sie doch endlich dort am lateinischen Meer, daß es sich bei den Vorgängen in Deutschland um das Hervortreten eines neuen biologischen Typus handelt. Wollen Sie, Amateur der Zivilisation und Troubadour des westlichen Fortschritts, endlich doch verstehen, es handelt sich gar nicht um Regierungsformen, sondern um die vielleicht letzte großartige Konzeption der weißen Rasse.« Ernst Toller hatte nicht ganz denselben Eindruck, sondern sagte auf dem P.E.N.-Kongreß in Ragusa: »Wahnsinn beherrscht die Zeit. Barbarei regiert die Menschen. In uns lebt das Wissen um eine Menschheit, die befreit ist von Barbarei, von Lüge, von sozialer Ungerechtigkeit und Unfreiheit.«

Ungefähr zweitausend Schriftsteller, große und weniger bekannte, »arische« und jüdische, verließen damals Deutschland fluchtartig und oft ohne einen Pfennig in der Tasche; aber mehr als hundert sogenannte Dichter und viele hundert sogenannte Wissenschaftler schrieben eine ganze Bibliothek schändlicher Bücher zum Ruhme des barbarischsten Regimes der Geschichte. Da unter den Geflohenen auch elf jüdische Nobelpreisträger und viele andere Professoren waren, sagte Churchill während des Hitlerkrieges, die deutsche Wirtschaft sei verarmt und hinter der englischen zurückgeblieben.

Am 10. Mai 1933 wurden die Werke von Karl Marx, Heinrich Mann, Ernst Glaeser, Erich Kaestner, F. W. Foerster, Sigmund Freud, Emil Ludwig, Werner Hegemann, Erich Maria Remarque, Kurt Tucholsky und Carl von Ossietzky öffentlich verbrannt, weil sie angeblich Materialismus über Idealismus, Dekadenz über Zucht und Sitte, Gesinnungslumperei und Verrat über Volksverherrlichung, Heeresverrat über Wehrhaftigkeit gestellt, die deutsche Vergangenheit verleumdet, die deutsche Seele zerfasert und jüdische Demokratie gepredigt hatten. In den gleichgeschalteten Zeitungen konnte man Hymnen auf die die Bücher in die Flammen werfenden Studenten lesen, die »jungen Deutschen mit rassigen Gesichtern, die im Schein der brennenden Fackeln noch trotziger und entschlossener als bei Tageslicht wirkten«, und manche Zeitungen erinnerten an die Verbrennung von undeutschen Büchern vor hundert Jahren, am 16. Oktober 1817, durch deutsche Studenten. »Und heute steht abermals das Gericht über sie auf, und abermals schichtet der deutsche Bursch ihnen das Feuer der Vernichtung.« Oskar Maria Graf aber, der in New York lebte, schrieb: »Gerade ich bin als ein Vertreter des neuen deutschen Geistes angerufen worden. Vergebens frage ich mich: ›Was habe ich getan, um diese Schande zu verdienen? Das Dritte Reich hat alle bedeutenden deutschen Gelehrten verbrannt, hat alle echte Literatur abgelehnt, hat die größte Zahl seiner verdienstvollen Autoren in die Verbannung geschickt. Die Vertreter dieses barbarischen Nationalismus wagen mich als einen ihrer ›Intellektuellen‹ zu beanspruchen. Diese Schande habe ich nicht verdient! Ich habe das Recht, zu fordern, daß meine Bücher der reinen Flamme des Scheiterhaufens übergeben werden. Verbrennt die Bücher des deutschen Geistes!‹«
Was in Hunderten von Büchern der geflohenen Romanschriftsteller, Historiker und Philosophen geschrieben steht, kann hier nicht einmal angedeutet werden. Es ist viel zu grauenhaft.

Friedrich Huppert sagte in ganz einfachen Versen das Wesentliche aus:

Und als wir an die Grenze kamen,
da hatten viele keinen Paß,
und mancher hatte keinen Namen,
doch jeder hatte seinen Haß.

David Luschnat, ein ostpreußischer Pastorensohn, anders als die vielen Pastoren, die Hitler umjubelten (einer sagte sogar: »Hitler ist Christus«), schrieb:

Ob Satan mordet, höhnt und lacht,
zwei Menschen wandern in die Nacht:
Ahasver-Jesus bis ans Ende,
sie wandern bis zur Welten-Wende –
dann ist's vollbracht.

Und:

Er allein, Herr Adolf Hitler,
Dritten Reiches stolzer Drittler . . .
Einen Führer muß man haben,
um ein Massengrab zu graben
für das ganze deutsche Reich.
Strömt herbei, ihr Mörderscharen,
hört die Hakenkreuzfanfaren!
Morden dürft ihr Tag und Nacht.
Ich, der Obermördermeister,
schmiere ins Gehirn euch Kleister,
bis ihr euer Werk vollbracht.

Wo sind die geflohenen Schriftsteller (und wir meinen hier nur die Schriftsteller im engeren literarischen Sinne, nicht die Wissenschaftler und Philosophen) geblieben? Einige, die nicht rechtzeitig geflohen waren, wurden von den Schergen Hitlers ermordet, wie Alfred Grünwald, Georg Hermann, Paul Kornfeld, Arno Nadel, Emil Alfons Rheinhardt. Einige begingen im Exil Selbstmord, wie Walter Hasenclever, Ernst Toller, Ernst Weiß, Alfred Wolfenstein, Stefan Zweig.
In der Schweiz leben Hermann Adler, Hermann Kesten, Robert Neumann, Erich Maria Remarque, Margarete Sussman, in der Schweiz liegen begraben Ludwig Derleth, Stefan George, Georg Kaiser, Thomas Mann, Alfred Mombert, Robert Musil, Alfred Neumann, Karl Otten. In Frankreich liegen begraben Annette Kolb, Ivan Goll, Joseph Roth, René Schickele. In England leben Fritz Beer, Arnold Hahn, Arthur Koestler, Felix Langer, Eduard Necker. In England begraben liegen Max Hermann-Neisse und Eduard Saenger. In den Vereinigten Staaten leben: Mascha Kaleko, Edgar Maass, Joachim Maass, Hertha Pauli, Hans Natonek, Ernst Waldinger; in den Vereinigten Staaten liegen begraben: Raoul Auernheimer, Richard Beer-Hofmann, Hermann Broch, Lion Feuchtwanger, Bruno Frank, Oskar Jellinek, Kurt Kersten, Heinrich Mann, Franz Werfel. In Israel leben Schalom ben Chorin (Fritz Rosenthal), Max Brod, Werner Kraft. Begraben liegen dort Else Lasker-Schüler. In Nor-

wegen lebt Max Tau. Paul Zech liegt in Argentinien, Karl Wolfskehl in Neuseeland begraben.

Ich will hier einiges über ein paar der bedeutendsten geflüchteten Schriftsteller aussagen. Es geziemt sich, mit Thomas Mann zu beginnen, weil er der leidenschaftlichste Warner vor der Hitlerbarbarei war, im Dritten Reich von Hitlers Literarhistorikern aufs schändlichste verleumdet wurde und auch heute noch von vielen gehaßt wird, weil er nach dem Kriege kein Blatt vor den Mund genommen, sondern die ganze nicht gern gehörte Wahrheit über Deutschlands Vergangenheit ausgesagt hat. 1937 warnte er seine verblendeten Landsleute, daß, wenn sie einen gottverhaßten Krieg beginnen sollten, sie geschlagen werden würden, so daß sie sich nie wieder würden erheben können – eine Warnung, die sich 1945 erfüllte. Als er von dem Worte Hanns Johsts erfuhr: »Wenn ich das Wort Kultur höre, entsichere ich meinen Revolver«, sagte er, daß ein Volk, das man solcherlei lehre, untergehen werde. Hören wir nun etwas genauer, was er in seinen Exil-Dichtungen schrieb.

In *Lotte von Weimar* verglich er die Goethe-Zeit mit der Hitler-Zeit. Er wandte das Wort über den biblischen Joseph auf Goethe an: »Gesegnet mit Segen oben vom Himmel herab und mit Segen von der Tiefe, die unten liegt.« Goethes Lebenswerk war »ein Walten im Geisterreich von absoluter Freiheit und Kühnheit.« Wir hören Goethes verschiedene sehr abfällige Urteile über seine Deutschen sagen, die er wirklich gesagt hat: sie sollten sich nicht auf sich selbst beschränken, da nicht feindliche Absonderung von anderen Völkern, sondern freundschaftlicher Verkehr mit aller Welt an der Tagesordnung sei; sie sollten sich nicht selbst verherrlichen, weil das Schicksal sie schlagen werde; sie sollten über die Erde zerstreut werden wie die Juden; wenn sie die Klarheit hassen, den Reiz der Wahrheit nicht kennen, Dunst und Rausch und berserkerisches Unmaß lieben, sich verzückten Schurken hingeben – so könne das nicht gut ausgehen. Thomas Mann läßt Goethe seinen eigenen Fluch aussprechen: »Sie mögen mich nicht, ich mag sie auch nicht. Ich habe mein Deutschtum für mich – mag sie mitsamt der boshaften Philisterei, die sie so nennen, der Teufel holen.« Er zeigt, daß Goethe Napoleon hoch schätzte und daß er in dem nationalistischen Lärm der Befreiungskriege »die noch unschuldige Vorform von etwas Schrecklichem« erblickte, »das sich eines Tages unter den Deutschen zu den gräßlichsten Narrheiten manifestieren wird.« Auch die »Duckmäuserei, Vaterländerei« und den »feindselig bigotten Gemütsmuff« der Romantik verabscheute er, die das Zeitalter der unheiligen Allianz dreier autokratischer Herrscher und des Fürsten Metternich charakterisierte. Goethes Sekretär John, einst ein Revolutionär, will nun in den Staatsdienst eintreten, in die Zensurbehörde, und Goethe sagt von ihm: »Der wird ein Zelot der Ordnung, ein Torquemada der Gesetzlichkeit.« Thomas Manns größtes Werk, *Joseph und seine Brüder*, ursprünglich als ein Menschheitslied konzipiert, wurde unter dem Zwang der Ereignisse auch zu einer Verhöhnung des Hitler-Reiches. Die ihm zugrunde liegende Idee ist die von Alfred Jeremias übernommene Theorie, daß den Religionen um das Mittelmeer herum der Glaube an einen sterbenden und wiederauferstehenden Erlösergott gemein sei, dem babylonischen, ägyptischen und christlichen Glauben. Mythisch-typisch kehre alles wieder, und das Mythisch-Typische sei auch im menschlichen Leben zu finden: jeder wandelt in Spuren. Joseph, in seiner Jugend ein Narcissus-Typ, macht sich diesen Glauben für seine Laufbahn zunutze, ist aber im Sinne der Kirchenväter mit einigen Zügen als Vorläufer Jesu ausgestattet.

Wir lernen allerlei über die babylonische und die ägyptische Religion kennen und hören die abfällige Kritik der jüdischen Stammväter über deren Vielgötterei, denn sie verehren nur den einen und wahren Gott, El eljon. Ägypten ist das »Totenland« für Jaakob, und Joseph sagt, daß die Toten Ägyptens Götter und seine Götter Tote seien. Die Sphinx starrt »verheißungslos, in wüster Unwandelbarkeit« in die Zukunft hinaus, die aber in Wirklichkeit der Religion der Juden gehört. Wir hören, daß Abraham über Erde, Mond, Sonne und Sterne hinaus zu Gott vordringt, bei dem er notgedrungen stehen bleibt. Jaakob wohnt in einem Zelt – symbolischer Weise, denn er dient »einem Gott, dessen Wesen nicht Ruhe und wohnendes Behagen« ist, »einem Gott der Zukunftspläne«. Joseph bewundert »die Kühnheit und Seelenstärke« Abrahams in seinem Glauben an den einen Gott, und er lehrt Amenophis IV., der bei der Sonne stehen geblieben ist, daß er noch einen Schritt weiter gehen müsse, um beim Monotheismus Abrahams anzukommen. Er sagt auch zu seinem Herrn, dem Wesir Peteprê: »Wir wissen's so gut wie allein in der Welt, was die Sünde ist.« Jaakob trauert über den vermeintlichen Tod seines Lieblingssohnes mit Worten Hiobs, er rechtet mit Gott, aber unterwirft sich schließlich seinem Ratschluß. Gott, lesen wir, ist der große Antwortlose, und es ist der größte Ruhm der Religion der Juden, daß der Mensch doch nicht an ihm verzweifelt.

In Thomas Manns Epos gibt es nicht »Arier« und untermenschliche Juden, wie im Dritten Reich. Gegensätze sind hier Kain und Abel, der erste Mörder und das erste Opfer; Esau und Jaakob, Laban und Jaakob, Gottesdiener und Götzendiener. Abraham ist »aus Stolz und Liebe entschlossen,

Gott ganz allein zu dienen.« Aber die nationalsozialistischen Ägypter sind ein »Völkchen, das sich Grenzenloses darauf einbildete, mit Nilwasser aufgezogen zu sein, das nicht den geringsten Zweifel an der urgesetzten Überlegenheit seiner Gesittung über die ganze ringsum gelagerte Welt« duldete. Der oberste »Nationalsozialist« ist der oberste Priester Beknechons, der gegen die »Mißachtung urfrommer Volksordnung« ist. Der durchschnittliche Nationalsozialist ist im Zwerg Dudu symbolisiert, einem »Würdebold« und »Tückebold«; sein Ariertum ist »das Gediegenheitsbewußtsein seines unterwüchsigen Lebens«, er nennt Joseph einen »chabirischen Fremdling«, einen »räudigen Asiaten.« Mut-em-enet, Peteprês Gemahlin, nimmt Beknechons' Losungen auf und sucht Joseph aus ihrem Haus zu entfernen, und sagt zu Peteprê: »Amun haßt die Lockerung durch das Fremde, und die Mißachtung urfrommer Volksordnung, weil sie die Länder entnervt ... das nervig Volkszüchtige ist seines Willens Meinung.« Aber Peteprê, der zu der kleinen Minderheit nicht-nationalsozialistischer Ägypter (Deutschen) gehört, antwortet ihr unwillig: »Volksmark und Väterbrauch und lockerndes Fremdtum – es ist ja Beknechons unerfreuliche Wörterliste.«

Doktor Faustus ist der Roman des Paktes Hitler-Deutschlands mit dem Teufel. Adrian Leverkühn, ein Musiker (denn die Rolle der Musik, besonders der romantischen deutschen Musik, war ein Verhängnis für Deutschland) ist mit seinem Hochmut (»Wen hätte dieser Mann geliebt?«) der stellvertretende Held dieses Deutschlands, und wenn ihm Züge Nietzsches verliehen sind, so darum, weil Nietzsche mit gewissen Lehren viel zum Nationalsozialismus beigetragen hat. Sein Freund und Biograph Serenus Zeitblom, ein Humanist, der nie versucht ist, sich »mit den unteren Mächten einzulassen«, sondern mit dem Rabbiner Dr. Carlebach und mit Monsignore Hinterpförtner verkehrt, repräsentiert die anständig gebliebene Minderheit des deutschen Volkes unter Hitler. Er nennt Hitlers Europa ein „von erstickend verbrauchter Luft erfülltes Gefängnis« und sieht, daß in Deutschlands Luft viel von der spätmittelalterlichen Luft der Reformationszeit hängen geblieben ist. Darum konnte Hitler, von ungezählten Millionen umjubelt, den humanistischen Traum von einem europäischen Deutschland durch die allerdings etwas beängstigende, der Welt unerträgliche Wirklichkeit eines deutschen Europa ersetzen.« Sein Drittes Reich – ein »nie für möglich gehaltener Sanskulottismus« – war möglichgeworden wegen eines »Seelentums, bedroht von Versponnenheit, Einsamkeitsgift, provinzlerischer Eckensteherei, neurotischer Verstrickung, stillem Satanismus.« Die Jugend, der wir im »Doktor Faustus« begegnen, hält den Jugendgedanken für einen »Vorzug unseres Volkes«, der deutsche Geist ist »jung und zukunftsvoll«, und jung sein heißt »abschütteln können, wozu anderen die Lebenscourage fehlt.« Der Russe hat Tiefe, aber keine Form, der Westen Form, aber keine Tiefe – beides, Tiefe und Form, hat nur der Deutsche. Also auch in der Jugend der Hochmut, der vor dem Fall kam.

Zeitblom nennt es im Namen Thomas Manns eine falsche Vaterlandsliebe, zu behaupten, »daß der Blutstaat« Hitlers »etwas unserer Volksnatur durchaus Fremdes und in ihr Wurzelloses gewesen wäre.« Das zielt auf alle jene preußischen Könige und Kaiser und die ihnen zujubelnden Generale, Politiker, Schriftsteller, Theologen und Professoren, die durch ihre Denkweise und ihre Taten Deutschland hitlerreif gemacht haben und auch Hitler-Deutschland zujubelten. Die Professoren Hitlers jubelten: »Das kommt, das kommt, und wenn es da ist, wird es uns auf der Höhe des Augenblicks finden.« Sie lehrten »Fabeln, Wahnbilder, Hirngespinste, die mit Wahrheit, Vernunft, Wissenschaft überhaupt nichts zu tun« hatten. »Dem Gedanken war Freiheit gegeben, die Gewalt zu rechtfertigen.« Einen Juden aus Wilna, der in Paris lebt, läßt Thomas Mann sagen: »Wir Juden haben alles zu fürchten vom deutschen Charakter, qui est essentiellement antisémitique.« Dies spielt auf den tausendjährigen deutschen Antisemitismus an, der von zahllosen Verführern von den Kreuzzügen bis zu Hitler in hitlerischer Sprache gepredigt wurde und zur Ermordung von sechs Millionen Juden führte. Dieser Jude sagt von den Deutschen: »Sie werden sich mit ihrem Nationalismus, ihrem Hochmut, ihrer Unvergleichlichkeitspuschel ins Unglück bringen.« Er nennt es auch einen »deutschen Aberglauben, daß es draußen nur Valse brillante gibt und Ernst nur in Deutschland.«

Zeitblom nennt die Hitlerherrschaft »die verzerrte, verpöbelte, verscheußlichte Wahrwerdung einer Gesinnung, die der christlichhumane Mensch in den Zügen unserer Großen, der an Figur gewaltigsten Verkörperungen des Deutschtums ausgeprägt findet.« Damit spielt er, kurz gesagt, auf Bismarck, Wagner, Nietzsche und Luther an. Über den letzteren sei etwas Genaueres ausgesagt, denn es ist ein Protestant, der dies sagt, der mit Verzweiflung erkannt hat, daß die Reformation, trotz aller geistig-religiösen Erneuerung, die sie gebracht, ein großes nationales Unglück war für Deutschland um ihrer politischen Folgen willen. Einer der jungen Menschen, die wir schon zitiert haben, sagt: »Die deutschen Taten geschahen immer aus einer gewissen gewaltigen Unreife, und nicht umsonst sind wir das Volk der Reformation.« Zeitblom versteht »die Beklemmung, die die

Reformation Geistern wie Crotus Rubianus schuf, weil sie einen Einbruch subjektiver Willkür in die objektiven Satzungen und Ordnungen der Kirche in ihr sahen.« Er war »zu vernünftigen Zugeständnissen bereit«, aber Luther nannte ihn »Dr. Kröte, des Cardinals zu Mainz Tellerlecker« und den Papst »des Teufels Saw.«

Thomas Mann faßt zusammen: »Unsere Liebe gehört dem Schicksal, jedem Schicksal, wenn es nur eines ist, sei es auch der den Himmel mit Götterdämmerungsröte entzündende Untergang!« Es lebte eine frevlerische Vernunftsverachtung in den Deutschen. »Der Riesenrausch, den wir immer Rauschlüsternen uns daran tranken, und in dem wir durch Jahre trügerischen Hoch-Lebens ein Übermaß des Schmählichen verübt haben – er muß bezahlt sein.« Diese Verbrechen, nie zuvor erhört in der Geschichte, haben die tausendjährige deutsche Geschichte »ad absurdum geführt« und mündeten »in einen Bankerott ohne Beispiel, in eine von donnernden Flammen umtanzte Höllenfahrt.« Jeder Deutsche ist dadurch bloßgestellt. »Was nur immer auf deutsch gelebt hat, steht da als ein Abscheu und als ein Beispiel des Bösen.« Man hat es Thomas Mann verübelt, daß er Beethovens Neunte Symphonie »zurücknimmt«. Das konnte man nur tun, weil man nicht bedachte, daß der Chor in dieser größten aller Symphonien Beethovens Schillers, des Freiheitsdichters, Worte singt:

Seid umschlungen, Millionen!
Diesen Kuß der ganzen Welt!

Binnen hundertzwanzig Jahren nach Schillers Tod war daraus der Haß gegen alle Völker geworden. Warum? Thomas Manns Antwort lautet: die Wahnsinnigen der Jahre 1933–1945 und ihre vielen Vorläufer hatten eine »nur allzu gelehrige, nur allzu sehr aus der Theorie lebende Menschenart in die Schule des Bösen« genommen.

Das Jeremias-Wort, das Thomas Mann zitiert, soll uns daran erinnern, daß die Juden schon vor dreitausend Jahren wußten, daß Gott den Abfall von ihm bestraft: »Wir, wir haben gesündigt und sind ungehorsam gewesen ... Du hast uns zu Kot und Unflat gemacht unter den Völkern.« Es ist auch von *contritio* die Rede, der »contritio ohne jede Hoffnung und als völliger Unglaube an die Möglichkeit der Gnade und Verzeihung, als die felsenfeste Überzeugung des Sünders, er habe es zu grob gemacht, und selbst die unendliche Güte reiche nicht aus, seine Sünde zu verzeihen.«

Adrian bekennt am Schluß: »Lange schon war meine Seele in Hochmut und Stolz zu dem Satan unterwegs gewesen ... Meine Sünde ist größer, denn daß sie mir könnte verziehen werden.« Es ist das Bekenntnis des ersten Mörders, Kains.

Heinrich Mann, der Verfasser des weltberühmten Romans *Der Untertan*, der ungehörte und verfemte Warner vor Wilhelm II. und Adolf I. (»Jeder Diktator findet sein Waterloo«), der 1933 fliehen mußte und zu Fuß die Pyrenäen überschritt, um sich nach den Vereinigten Staaten zu retten, schrieb im Exil sein größtes Buch, den weitläufigen Roman *Henri Quatre*, ein Zeitbild, das die ganze Wildheit und Weisheit einer bedeutenden Epoche in unvergeßlichen Bildern vor uns ausbreitet. Sein anderes Zeitbild, »Ein Zeitalter wird besichtigt«, nannte Thomas Mann ein Werk »von unbeschreiblich strengem und heiterem Glanz, naiver Weisheit und moralischer Würde, geschrieben in einer Prosa, deren intellektuell federnde Simplizität sie mir als die Sprache der Zukunft erscheinen läßt.«

Max Herrmann-Neisse, ein Abkömmling schlesischer Bauern, der in London arm und vergessen starb, schrieb 1933 die Gedichte *Verdammnis 1933* und *Apokalypse 1933*. In jenem sagte er: »Ich sah das Dunkel schon von ferne kommen.« In diesem:

> *Es schreit der Leitende; das Echo schweigt,*
> *der Nachbar stellt sich taub, die Welt bleibt träge . . .*
> *Denn er, der Blutbefleckte, der Barbar,*
> *ward aus den Unterwelten losgebunden*
> *zur Menschenjagd mit seiner Mörderschar*
> *und hetzt die Welt mit seinen Höllenhunden.*

Dieser zarte Dichter ist verzweifelt über all den deutschen Haß, der einen Weltenbrand erregen wird; er widmet England, das ihm eine Zuflucht geboten, viele Gedichte, und alle sind sie voll von unsäglicher Trauer und Verzweiflung: er fühlt sich gestorben in dieser heimatlichen Fremde. »Niemand ist in dieser Welt einem Einsamen Gefährte.« Aber er weiß: »Denn wo Du bist, ist Heimatland.«
Heimweh? Ja. Aber Rückkehr?

> *Sie haben die Heimat zur Hölle gemacht,*
> *entweiht und geschändet die heilige Nacht.*

Das Ergebnis:

> *Ein deutscher Dichter bin ich einst gewesen,*
> *jetzt ist mein Leben Spuk wie mein Gedicht.*
> *Ist diese Not und Schmach am allergrößten,*
> *Bleibt nur Verzweiflung und das Weltgericht.*

Paul Zech, ein Abkömmling westfälischer Bauern, im ersten Krieg verschüttet und gasvergiftet, floh 1933 nach Südamerika und verdiente sich sein kärgliches Brot in Buenos Aires als Klavierspieler in einer obskuren Bar. Er schrieb im Exil das Drama *Nur ein Judenweib* und *Sonette aus dem Exil*. In diesen rechnete er mit seiner barbarisierten Heimat ab, wo die Erde rot war von Blut; es demütigte ihn tief, »Brot aus milder Hand« annehmen zu müssen. Immer gejagt von dem Gefühl des »Verlorenseins«, war er dennoch sicher, daß »die braune Pest« das Schicksal Sodoms erfahren werde. Er erlebte dies noch und starb 1946.

Dies waren »Arier«. Nun seien einige jüdische Schriftsteller in Erinnerung gebracht. Franz Werfel, Verfasser des *Jeremias*, der *Vierzig Tage des Musa Dagh*, beschrieb den Führer ins Nichts wie folgt:

> *Des Teufels Kreuz am Rocke,*
> *tief in der Stirn die Locke,*
> *das Chaplinbärtchen wie ein Klecks:*
> *das ist die Dämonie des Drecks.*

Er schrieb im Exil die drei großen Romane: *Der veruntreute Himmel*, *Das Lied der Bernadette* (zum Dank für seine Errettung, nachdem er zu Fuß die Pyrenäen überschritten hatte) und den großartig-rätselhaften *Stern der Ungeborenen*.

Margarete Susmann, die in der Schweiz lebte, nachdem ihre Schwester Selbstmord beging, als sie am Grenzübergang gehindert wurde, schrieb herzzerreißende Verse über das Schicksal ihres Volkes; hier sind einige:

> *Ihr Wandernden, ihr ruhelos Gehetzten,*
> *Ihr Wild für alle – durch die Flucht gezeichnet . . .*
> *Ihr Heimatlosen, ihr auf allen Straßen*
> *Der Welt verstoßen Irrenden, Verfemten . . .*
> *Nehmt nun, das euer ist, das Menschheitserbe,*
> *Das bröckelnde, auf eure schwachen Schultern,*
> *Die schwerste Last, die Menschen je getragen . . .*

Mascha Kaleko, die viele Verse leichteren Sinnes geschrieben, erhebt sich in manchen zur vollen Tragik der Propheten des Alten Testaments. In solchen etwa:

> *Rot schreit der Mohn auf Polens grünen Feldern,*
> *in Polens schwarzen Wäldern lauert Tod . . .*
> *Wer wird in diesem Jahr den Schofar blasen*
> *den stummen Betern unterm fahlen Rasen,*
> *den Hunderttausend, die kein Grabstein nennt,*
> *und die nur Gott allein bei Namen kennt?*

Arno Nadel, der fast alles in Kurzversen schrieb, schrieb in seinem *Grab-gesang:* »Wie lange ist's, daß wir den Tod gedacht! . . . Drum, Vater, Herr, nimm mich, mein Nichts, das wankende, laß endlich mich deine süße Fülle trinken.«

Arnold Hahn schrieb im Londoner Exil seinen einzigartigen Gedichtzyklus *Das Volk Messiah. Siebenmal sieben Sonette zum Ruhme der Juden.*

> *Ist Gott die Liebe? Ist er das Mit-Leiden? . . .*
> *Ist dieses Gott? Wie war's da zu vermeiden,*
> *Daß sich die Menschen gegen ihn gewendet?*

Gott hat die Juden auserwählt, obwohl er den schweren Weg der Wahrheit in der Welt voraussah.

> *Du sollst den Nächsten wie dich selber lieben . . .*
> *Wohnt einst bei dir ein Fremdling – steht geschrieben –*
> *So sollst du ihn nicht drücken und nicht schinden,*
> *Er soll bei dir die gleichen Rechte finden . . .*
> *Du Volk des Hohen Liedes und der Psalmen.*

Immer aber wurden die Juden verfolgt durch die Jahrtausende:

> *Jud! Jud! Du ewiger Hohnruf aller Gassen,*
> *Landstraßen, Plätze, Märkte dieser Welt.*

Man nannte sie feige, geldgierig, Zersetzer, Nörgler, Literaten, man ver-jagte sie aus allen Berufen und sperrte sie in Ghettos.

> *O Herr! Wie lange dauert noch dies Lernen!*

Seine Tröster riefen dem verfolgten Volke zu:

> *O laß, o laß dich nicht vom Zweifel fassen,*
> *Verleiten nicht, o Volk, dich selbst zu hassen.*
> *Du bist, du bist zu Hohem auserlesen!*

Aber dann kam Hitler –

> *Was half denn Lernen, Bluten und Entsagen*
> *In den Jahrtausenden und in den Tagen*
> *So ante Christum wie post Christum natum.*

Die Folgen? Einst wurde Jesus ans Kreuz genagelt –

> *Sein ganzes Volk wird jetzt ans Kreuz befohlen . . .*
> *O Gott! O fluche nun auch dem Infamen!*

Verflucht sei, wer um eignes Volk zu »wecken«,
Zum Hetzwild Juda macht zu seinen Zwecken.

Arnold Hahn, der heute zweiundachtzig ist, fragt:

Wo wäre wohl ein andres Volk geblieben
Im staubigen Gelände der Geschichte,
Wär es, behangen mit des Spotts Gewichte,
Zweitausend Jahr wie Du umhergetrieben?

Karl Wolfskehl, dessen Vorfahren tausend Jahre auf deutschem Boden
gelebt hatten, verließ Deutschland im Jahre 1933, »eiskalt und glühheiß
vor Abscheu und Zorn« und beschloß, »so weit zu gehen als dies überhaupt auf diesem Kleinplanet möglich ist . . .«
Er liegt in Auckland (Neuseeland) begraben, auf seinem Grabstein die
Worte: Exul poeta. »Ein verstoßener Dichter schleicht nicht zurück«,
schrieb er. Den »Heil Hitler!«-Rufern sagte er: »Und ob ihr tausend
Worte habt, das Wort, das Wort ist tot.« Er sagte sich in dem großen
Gedicht *An die Deutschen* für immer von Deutschland los. Aber er fühlte
sich als »Mithüter des deutschen Geistes«, des weltbürgerlich-goethisch-
georgischen Geistes; auch George liegt in der Fremde begraben, ein uner-
bittlicher Kritiker des wilhelminischen hitlerischen Ungeistes. Wolfskehl:
»Wo ich bin, ist Deutscher Geist!« »Alles«, schrieb er, »was ich bin, steht
unter dem Namen Hiob, seitdem ich bin, lebe ich, erfahre ich Hiob.« In
diesem Sinne schrieb er die Gedichtfolge *Hiob.* Als Hiob Simson sagte er
über die Juden in Hitlers Deutschland:

Sie ließen ihn aus den Verliesen holen,
Sein Leid als köstlichen Rauschtrank auszuschlürfen.

Hiob Simson reißt die Säulen des Tempels der Götzendiener ein –

Ein Tod stößt alles Leben mit zur Nacht.

Als Hiob Nabi, als Prophet, sagte Wolfskehl zu den Deutschen:

Wüßtet ihr was ich weiß,
Euch ränne kalter Schweiß
Über Stirn und Lider,
Euch schlotterten die Glieder
Wie vom Rutenstreich.

Es ist von großer Wichtigkeit, daß man in Deutschland auf das höre, was die ungehörten Warner vor Hitler heute sagen, auf das, was im Vorhergehenden angedeutet wurde, und das, was in den vielen Büchern steht, die in Westdeutschland bisher unbekannt geblieben sind, weil sie nach 1945 dort nicht wieder aufgelegt wurden. Es genügt, zum Beispiel, nicht, Thomas Mann das ihm einst von einem Hitler-Professor abgesprochene Ehrendoktorat der Bonner Universität noch einmal zu verleihen und ihm den Pour le mérite-Orden aufs Totenbett zu legen, wenn man nicht auf das hören will, was er und sein Bruder über die Folgen des Hitler-Wahnsinns ungezählter Millionen gesagt haben.

Wer wird nicht einen Klopstock loben?
Doch wird ihn jeder lesen? Nein.
Wir wollen weniger erhoben
Und fleißiger gelesen sein.

Fleißiger, als man heute die Äußerungen vergeßlicher Politiker und die Bücher der Generäle und Professoren Hitlers liest.
Es bleibt nur noch übrig, einiges von dem anzudeuten, was die jüngere deutsche Literatur unserer Tage von der älteren lernen könnte, die heute »Tausend Jahre« hinter 1933 zu liegen scheint. Auch hier führen wir Thomas Mann an, denn er war nicht nur der bedeutendste der emigrierten deutschen Schriftsteller, sondern hat auch das Bedeutendste über die uns hier beschäftigenden Fragen ausgesagt. Da die meisten Deutschen sich immer geistig zu vornehm dünkten, um sich mit Politik zu befassen (»Politisch Lied, ein garstig Lied«), drückte er die Hoffnung aus, daß ihnen »unter der Herrschaft kühnster Willkür vielleicht zum ersten Mal ein Begriff davon dämmert, was es mit der Freiheit auf sich hat.« Ihre unpolitische Einstellung hat sie dem Hitlerismus erliegen lassen, ihre Revolutionen, immer wieder verhinderte Revolutionen, waren »der Budenzauber der Weltgeschichte«, so daß Hermann Hesse, der sich schon vom wilhelminischen Deutschland lossagte, nach 1945 die Deutschen »als politische Nation unmöglich« nannte und Thomas Mann ihm beipflichtete. Thomas Mann legt August von Goethe diese Worte in den Mund: »Ist doch die Politik nichts Isoliertes, sondern steht in hundert Bezügen, mit denen sie ein Ganzes und Untrennbares an Gesinnung, Glauben und Willensmeinung bildet. Sie ist in allem übrigen enthalten und gebunden, im Sittlichen, Ästhetischen, scheinbar nur Geistigen und Philosophischen. Unsere Zeit läßt in jedem Dinge, jeder Menschlichkeit, jeder Schönheit die in ihr inhärente Politik aufbrechen.« August sagt dies im Sinne seines Vaters, der ein eminent politischer Mensch war, und sich glücklich schätzte, so

lange gelebt und so viele politische Änderungen miterlebt zu haben; darum, sagt er, sei er auch zu ganz anderen Meinungen gekommen als die anderen, die von geschichtlichen Revolutionen nur in Büchern lesen. August rühmt darum seinem Vater nach – wir reden von *Lotte in Weimar* –: »Längst hat er sich vom Zeitlichen, Individuellen, Nationellen zum Immer-Menschlichen und Allgemein-Gültigen erhoben.« Er bezieht sich damit auf die Äußerungen Goethes zu Eckermann und in Briefen an Thomas Carlyle.

Die jüngere Generation von Schriftstellern täte auch gut, sich Thomas Manns Wort zu Herzen zu nehmen: »Kann man denn ›ordentliche‹ Romane überhaupt noch lesen – ich meine Romane, die bloß ›Romane‹ sind?« Thomas Manns spätere Romane, *Der Zauberberg, Joseph und seine Brüder, Doktor Faustus* sind keine Romane im hergebrachten Sinne des Wortes, denn er weiß, daß niemand mehr so große Romane hergebrachten Sinnes wie Tolstois *Krieg und Frieden* und *Anna Karenina* werde schreiben können. Darum versuchte er etwas anderes. In den *Zauberberg* ist aufs kunstvollste die ganze europäische philosophische und politische Problematik hineingearbeitet, in den *Joseph* die europäisch-vorderasiatischen Religionen, in den *Doktor Faustus* die ganze unselige deutsche Geschichte. Dieser Roman von fast 800 Seiten ist ein Motivgewebe, in dem »keine freie Note mehr« vorhanden ist. Alles ist aus dem Teufelspakt entwickelt, um das Hitler-Reich als das Reich des Teufels zu kennzeichnen, auf das auch das Wort »gebunden durch selbstbereiteten Zwang, also frei« sehr gut paßt. Und da die Musik in der Geschichte Deutschlands eine allzu große Rolle gespielt hat, ist in den Roman auch eine Geschichte der Musik zwanglos hineingearbeitet. Das alles hat man in Deutschland bis heute nicht begriffen, und dieses Unverständnis führte zu den erstaunlichsten Fehlurteilen über Thomas Mann auch in ästhetischer Hinsicht. Von den emigrierten Schriftstellern bewegt sich Hermann Broch in seinem großartigen Roman *Der Tod des Vergil* auf ähnlichen Wegen, in Deutschland nach dem Hitlerkriege, soviel ich sehe, nur Paul Schallück in seinem *Engelbert Reineke*, den man sehr mit Recht eine Zwölftonmusik genannt hat, weil seine Motive so eng verwoben sind wie die Zwölftonmusik des *Doktor Faustus*.

Sprache und Stil angehend, ist zu sagen, daß Thomas Mann Wortungetüme wie: Naturale Lebensbezüge, theonome Bindung, Wesensfrage, Strukturprinzip, seinshafte Entsprechungen, dialektisches Spannungsverhältnis, Ordnungsqualitäten, Fluchtposition verhöhnt, weil schon Goethe solche hegelische Sprache verhöhnte, die kein Deutscher recht verstehe – wie sollte dann ein Ausländer sie verstehen? Der Stil eines Großes erstrebenden Schriftstellers muß klar sein. Ein Franzose rühmte an Thomas Mann die »lucidité critique de sa pensée qui est celle d'un moraliste européen.« Also nichts von unklarer Romantik, sondern Klarheit, Klassik, nichts, wie es von Goethes Stil in *Lotte in Weimar* heißt, »von Feierlichkeit und priesterlicher Gebärde, nichts von Verstiegenheit und Überschwang«, sondern »kluger Zauber«! Sehr wichtig ist auch dies: »Tiefsinn soll lächeln«, und wichtig ist auch dies in mehr als bloß künstlerischer Hinsicht: »Ach, was könnte man Starkes und Merkwürdiges anbieten, wenn man in einer freien, geistreichen Gesellschaft lebte! Wie ist die Kunst gebunden in ihrer natürlichen Kühnheit.«

Die schwierigste Frage habe ich mir für den Schluß aufgehoben. Im *Doktor Faustus* ist zu lesen: »Werk, Zeit und Schein, sie sind eins, zusammen verfallen sie der Kritik. Sie ertragen Schein und Spiel nicht mehr, die Fiktion, die Selbstherrlichkeit der Form, die die Leidenschaften, das Menschenleid zensuriert, in Rollen aufteilt, in Bilder überträgt. Zulässig ist allein noch der nicht fiktive, der nicht verspielte Ausdruck des Leides in seinem realen Augenblick.« Das ist das Ergebnis eines leidenschaftlichen Künstlers, und soweit wir es begreifen können, fließt es ebenso aus dem furchtbaren Erlebnis des grauenhaftesten Régimes aller Zeiten, wie aus der Entwicklung der europäischen Kunst. Beides ist ein und dieselbe Krisis: die des Zeitalters und die der Kunst. Die Zukunft? Wer wagt eine Antwort? Nur die tastende Frage Goethes steht zur Verfügung, die wir in *Lotte in Weimar* lesen: »Was ist denn all Menschenwerk, Tat und Gedicht, ohne die Liebe?«

Der sozialistische Realismus

Sabine Brandt

In den Jahren nach 1945 ließen sich eine Reihe bedeutender deutscher Schriftsteller, ehemalige Emigranten und Vertreter der »Inneren Emigration«, in der Sowjetischen Besatzungszone Deutschlands nieder. Unter anderen kamen: die Dramatiker Bertolt Brecht, Friedrich Wolf, Arnolt Bronnen; die Epiker Arnold Zweig, Anna Seghers, Ludwig Renn, Theodor Plievier, Hans Fallada, Bernhard Kellermann, Ehm Welk, Stefan Heym; die Lyriker Johannes R. Becher, Stephan Hermlin, Peter Huchel, Erich Arendt. Durch den Zustrom so vieler bewährter, zum Teil weltberühmter Autoren gewann das Literaturwesen der Sowjetzone ein internationales Ansehen, von dem es bis heute zehrt.

Soweit sie nicht als alte Kommunisten ohnehin dem kommunistischen Regime verbunden waren, wurden die Zuwanderer vor allem durch die geschickte, materiell großzügige und relativ liberale Kulturpolitik angezogen, die Johannes R. Becher als Präsident des 1945 gegründeten »Kulturbundes zur demokratischen Erneuerung Deutschlands« damals betrieb. Aber der Honigmond zwischen Regime und Schriftstellern dauerte nicht lange. Nach der Gründung der DDR 1949 wurde die geistige Bewegungsfreiheit im östlichen Deutschland mehr und mehr beschnitten. 1951 verkündete Otto Grotewohl, Ministerpräsident der DDR: »Literatur und bildende Künste sind der Politik untergeordnet ..., die Idee der Kunst muß der Marschrichtung des politischen Kampfes folgen.« Die Kulturfunktionäre der SED gingen daran, die Schriftsteller in ein Reglement zu zwängen, das dem der Nationalsozialisten in nichts nachstand. In den Jahren 1951/52 führte die Partei eine lautstarke Kampagne gegen den »Formalismus« in Kunst und Literatur, ein Begriff, der dem nationalsozialistischen Schlagwort »Entartete Kunst« entspricht und wie dieses ein Verdammungsurteil gegen die modernen Kunstrichtungen des 20. Jahrhunderts enthält. Die Schriftsteller wurden aufgefordert, den Traditionen, denen sie nahestanden oder die sie selbst begründet hatten, zu entsagen und sich künftig zur Kunstdoktrin des Sozialistischen Realismus zu bekennen.

Der Sozialistische Realismus, der durch einen Beschluß des Zentralkomitees der SED im Mai 1951 zum verbindlichen Schaffensprinzip erklärt wurde, ist keine ästhetische, sondern eine politische Kategorie. Vom Künstler wird nicht die Widerspiegelung der Welt, sondern ihre Interpretation im Sinne der Parteipolitik erwartet. Die Partei entscheidet, ob und warum ein Werk dem Sozialistischen Realismus zuzuordnen ist, und ihre Kriterien wechseln mit der Linie ihrer Politik. Seit Bestehen der DDR sind viele formal verschiedene und inhaltlich entgegengesetzte Arbeiten unter den Begriff des Sozialistischen Realismus subsumiert worden. Einige Schriftsteller hatten sich schon früh, als die ersten Anzeichen einer solchen Entwicklung spürbar wurden, nach Westen abgesetzt. Die greise Ricarda Huch verließ, dreiundachtzigjährig, ihr Heim in Jena, wo sie fast zwei Jahrzehnte gelebt hatte; Theodor Plievier, dessen dokumentarischer Roman *Stalingrad* in alle Kultursprachen – außer ins Russische – übersetzt wurde, flüchtete nach Westen, um die Bände *Moskau* und *Berlin* ohne ideologische Bevormundung schreiben zu können; in den Westen gingen der Romancier Hermann Kasack und der Lyriker Rudolf Hagelstange, schließlich der Philosoph Ernst Bloch und die Literaturtheoretiker Kantorowicz und Mayer.

Die zurückgebliebenen Schriftsteller gerieten in eine fatale Lage. Einige verstummten ganz; Brecht zum Beispiel zog sich auf seine Theaterarbeit zurück, Hermlin stürzte sich in die Betriebsamkeit der kulturpolitischen Organisationen. Andere wie Becher und Anna Seghers, fielen auf das Niveau primitiver Agitationsliteratur. Zweig und Renn flüchteten sich aus der Gegenwart in historische und exotische Themen. Keinem der einstigen Meister des Worts gelang noch ein Werk, das seinen früheren ebenbürtig gewesen wäre, und sie gerieten um so ärger ins Stammeln, je mehr sie sich thematisch der kommunistischen Gegenwart näherten.

Die neue kommunistische Literatur, die nach der Gründung der DDR entstand, setzte die Tradition der großen Alten nicht fort, sondern orientierte sich am Sozialistischen Realismus stalinistischer Prägung. Die Romane und Erzählungen spielten entweder in einem Industriebetrieb oder in der Landwirtschaft und waren sämtlich nach dem gleichen Schema gebaut. Stets ging es um den Gegensatz zwischen Arbeitern respektive Bauern mit entwickeltem politischem Bewußtsein, die sich mit Leib und Seele dem Aufbau der volkseigenen Wirtschaft verschrieben hatten, und den rückständigen Elementen, die sich vornehmlich um ihre Lohntüten sorgten. Auch Liebes- und Ehekonflikte, soweit Liebe in den neuen Büchern überhaupt vorkam, entzündeten sich an der unterschiedlichen Einstellung der Partner zum Aufbauwerk. Agenten aus dem Westen betrieben im Auftrag enteigneter Industriebarone und Gutsbesitzer politische Wühlarbeit in den Werkhallen und Bauernstuben, und überall gab es die positive Figur des Parteisekretärs, der mit Weisheit und Güte die Schwierigkeiten überwinden half. Diese Literatur, in großen Auflagen verbreitet, füllte die Regale der Betriebsbüchereien, wurde den Aktivisten als Prämie überreicht und hatte zur Folge, daß das Publikum in der DDR in nie dagewesenem Ausmaß seinen Lesehunger an den Werken der klassischen Literatur zu stillen begann.

Das Bild der ostdeutschen Literatur änderte sich mit einem Schlage nach dem XX. Parteitag 1956 in Moskau, auf dem Chruschtschow Stalin entthronte und die große Tauwetterwoge auslöste, die in kürzester Zeit den gesamten Ostblock überrollte. In der DDR zeigte sich die Reaktion auf die Moskauer Ereignisse in einer spontanen Bewegung junger Lyriker, die die kommunistische Zwangskunst über den Haufen rannten. »Macht Schluß mit den rosaroten Gemeinplätzen!« forderte einer der Tauwettermacher. »Laßt euch endlich Eigenes mit eigenen Worten einfallen!« Die SED, von den Enthüllungen überrumpelt und völlig desorientiert, ermunterte selber die jungen Künstler, statt Propaganda nunmehr echte Lyrik zu schaffen. Neue Werke schossen wie Pilze aus dem Boden, und Zeitungen und Zeitschriften stellten ganze Seiten zum Abdruck zur Verfügung.

Zur gleichen Zeit entstand, ebenfalls von jungen Autoren geschaffen, eine umfangreiche und zum Teil recht talentvolle Kriegsliteratur. Die Auseinandersetzung mit dem Kriegserlebnis war in der DDR so lange tabu gewesen. Im Januar 1956 jedoch, als die Nationale Volksarmee, die Wehrmacht der DDR, aufgestellt wurde, gab die SED selbst das Thema frei und forderte die Schriftsteller auf, Kriegsbücher zu produzieren. Sie zielte dabei auf eine Nachahmung des sowjetischen Rotarmisten-Mythos. Doch der XX. Parteitag in Moskau verdarb ihr das Konzept. Selbst die sowjetischen Kriegsbücher näherten sich jetzt dem Realismus, und die Kriegsliteratur im SED-Staat fiel ganz anders aus, als die Partei geplant hatte. Die Romane und Erzählungen waren durchweg Äußerungen der »verlorenen Generation«, wie sie nach den beiden Weltkriegen auch im Westen verbreitet waren. Junge Menschen, unter dem Schrecken des Krieges aufgewachsen, schrieben sich Empörung und Verzweiflung über das Erlebte vom Herzen.

Die Bedeutung jenes deutschen Tauwetters bestand weniger in der Freisetzung der Talente – große Dichtung entstand damals nicht –, sondern in dem künstlerischen Urerlebnis der ostdeutschen Schriftsteller, die zum ersten Mal die Wahrheit gestalten konnten. Das Glück der schöpferischen

Freiheit dauerte freilich nicht lange. Nach den revolutionären Ereignissen in Polen und Ungarn im Oktober 1956, bei denen Schriftsteller und Intellektuelle eine so entscheidende Rolle gespielt hatten, schien der SED jede weitere Toleranz auf künstlerischem Gebiet politischer Selbstmord. Mit Polizeimaßnahmen ging die Partei daran, die alte Ordnung wiederherzustellen. Die Tauwetterwerke wurden verboten und unterdrückt, ihre Autoren verfolgt, verleumdet, verhaftet. Der Kulturfunktionär Hans Rodenberg denunzierte in öffentlicher Rede die jungen Lyriker als Handlanger des Feindes. Den jungen Kriegsbuchautoren, die sich stilistisch an den amerikanischen Romanciers, an Hemingway, Mailer, Jones, orientiert hatten, drohte die Parteikritik: »Der Stil wird nicht verkauft ohne Zugabe der Ideologie.« Die Restalinisierung löste ein Fluchtwelle aus, die bis zum Bau der Berliner Mauer anhielt. Unter denen, die flüchteten, waren Talente wie Gerhard Zwerenz, Peter Jokostra, Manfred Gregor-Dellin, Christa Reinig, Heinar Kipphardt und Uwe Johnson, die heute zu den bekannten Autoren der Bundesrepublik gehören. Der Leiter des führenden DDR-Verlages, des Aufbau-Verlages in Ost-Berlin, Walter Janka, und die Schriftsteller Wolfgang Harich und Erich Loest wurden in den Revisionistenprozessen von 1957 und 1958 zu hohen Zuchthausstrafen verurteilt.

Im April 1959 dekretierte die SED eine neue Periode der Literaturpolitik. Auf einer Konferenz in Bitterfeld, zu der etwa achthundert Schriftsteller und Aktivisten aus »Sozialistischen Brigaden« geladen waren, verkündeten Parteifunktionäre die Losung »Greif zur Feder, Kumpel! Unsere sozialistische Nationalkultur braucht dich!« und riefen die Arbeiter auf, fortan die Produktion der Literatur in ihre Hände zu nehmen. Die professionellen Schriftsteller dagegen wurden aufgefordert, ihre Schreibtische zu verlassen, in die Arbeitsbrigaden der Betriebe und Landwirtschaftlichen Produktionsgenossenschaften (Kolchosen) einzutreten, mit »fortschrittlichen Werktätigen« ihre Buchpläne zu diskutieren und in Freizeitzirkeln die Arbeiter im Schreiben auszubilden.

Die Bewegung des »Schreibenden Arbeiters«, der die Volksarmee bald auch den »Schreibenden Soldaten« beisteuerte, zeitigte eine Flut dilettantischer Aufbau- und Wehrertüchtigungsliteratur, der selbst die wohlwollende SED-Kritik nicht viel abgewinnen konnte. Die wenigen lesbaren Bücher jener Periode entstanden außerhalb des Bitterfelder Weges; so der Roman *Nackt unter Wölfen* von Bruno Aplitz, der die Rettung eines ins Konzentrationslager verschlagenen Kindes durch kommunistische Häftlinge schildert, und der Roman *Die Abenteuer des Werner Holt* von Dieter Noll, der das Schicksal einer Gruppe Schuljungen vom Flakhelfereinsatz 1943 bis zum Inferno 1945 erzählt. Die Bitterfelder Produktionsliteratur aber wurde abgeschrieben beziehungsweise als politisch belanglose Freizeitbeschäftigung in die Kulturzirkel der Betriebe abgedrängt. Bücher, die niemand lesen will, eignen sich auch für die Partei nicht als Vehikel der Propaganda.

Alle diese Phasen können nicht als spezifische DDR-Literatur bezeichnet werden. Die großen Alten gehörten ihrem Habitus wie dem Schwerpunkt ihres Werkes nach der vorkommunistischen, bürgerlichen Epoche an. Die Produkte des Sozialistischen Realismus und der kommunistischen Arbeiterliteratur waren weder dem Inhalt noch der Form nach als dem deutsches Eigengewächs auszumachen. Wie die SED-Dichter schrieb seinerzeit auch in der Sowjetunion und in den übrigen Satellitenländern ein jeder, der die Zensur passieren wollte. Es gab nur eine gleichgeschaltete, monolithische Ostblockliteratur.

Ähnlich, wenn auch unter anderen Vorzeichen, war es um die Werke der Tauwetterjahre 1956/57 bestellt. Die Ereignisse des XX. Moskauer Parteitages rissen in der DDR wie in der Sowjetunion, in Polen wie in Ungarn die Schriftsteller gleichermaßen aus ihrer stalinistischen Trance. Der Schock der Chruschtschowschen Enthüllungen wurde für sie genauso zum Gemeinschaftserlebnis wie vorher der Druck der stalinistischen Kunstpolitik. So kam es, daß unbeschadet des nationalen Temperaments und des individuellen Maßes an Erschütterung die Tauwetterliteraturen im Ostblock einander glichen wie die Schmelzwasser der Donau und der Wolga.

Die ersten Anzeichen einer besonderen literarischen Entwicklung im SED-Staat zeigten sich 1959. Doch war dies keineswegs ein Resultat der offiziellen Kulturpolitik, sondern der gequälte Ausdruck einer besonderen historischen und geographischen Situation. Im Herbst 1959 erschien der Roman *Die Entscheidung* von Anna Seghers. Sein Thema, die deutsche Spaltung, war nie vorher mit solcher Intensität behandelt worden, und noch niemals hatte ein Autor der DDR seinen Lesern die Entscheidung für den kommunistischen Teil Deutschlands auf so widersinnige Weise abverlangt. Der Arbeiter-und-Bauern-Staat, wie ihn die Seghers abbildete, ist eine wahre Schlangengrube voller Mühsal, Mißtrauen und Mangel, keine Heimat für zukunftsfrohe Sozialisten, eher ein Fegefeuer für eine Gemeinde kommunistischer Gläubiger. Tatsächlich ist es auch nicht bessere Einsicht, sondern eine Art religiöser Drang, was die Romanhelden in diese Deutsche Demokratische Republik treibt oder dort festhält. Die bewohnbare Welt wird auf den SED-Staat reduziert, jegliche Diskussion um eine Alternative ein für allemal ausgeschlossen. Es war eine literarische Vorwegnahme der Mauer.

Daß die Mauer oder das, was sie symbolisiert, in der Tat das Zeichen ist, unter dem sich erstmals so etwas wie eine DDR-Literatur herausbilden konnte, haben die Jahre nach 1961 gezeigt. In einer kurzen Blütezeit, die schon Ende 1965 aus politischen Gründen zu Ende ging, erschienen die Werke ihrer Protagonisten: die Romane *Beschreibung eines Sommers* von Karl-Heinz Jakobs, *Spur der Steine* von Erik Neutsch, *Ole Bienkopp* von Erwin Strittmatter und *Die Aula* von Hermann Kant; die Erzählungen *Der geteilte Himmel* von Christa Wolf und *Die Geschwister* von Brigitte Reimann; die Gedichtbände *Provokation für mich* von Volker Braun und *Gespräch mit dem Saurier* von Rainer und Sarah Kirsch.

Bei den Autoren, vorwiegend der jüngeren Generation angehörend, handelt es sich ausnahmslos um Parteiintellektuelle, um Funktionäre, Journalisten, Literaten, Lehrer, Studenten, woran der Umstand nichts ändert, daß der eine oder andere aus Arbeiterkreisen stammt. Von den in Ungnade gefallenen oder ins Altenteil abgeschobenen Intellektuellen der Kampfzeit unterscheidet sich die junge Garde vornehmlich durch ihre Fixierung an die DDR. Sie verdankt diesem Staat ihre Karriere und ist daher mit Herz und Feder an ihn gebunden. Ihre künstlerische Dimension reicht wie ihre politische nicht weiter als bis zur Elbe im Westen und zur Oder/Neiße im Osten. Die Außenwelt erscheint allenfalls als exotisch-befremdende Folie, und moderne Stilmittel werden, wenn man sich ihrer bedient, nur oberflächlich, als Attitüde oder Eskamotage begriffen. Die neuen Intellektuellen spiegeln das Bewußtsein einer neuen Klasse, der inzwischen herangewachsenen, zahlenmäßig noch dünnen Oberschicht des SED-Staates. Ihr zentrales Problem ist die ideologische Frage, wie man angesichts der Mißlichkeiten des Parteiregimes seine kommunistische Gesinnung bewahren kann.

Der erste Bestseller der DDR-Literatur, *Beschreibung eines Sommers* (1961) von Karl-Heinz Jakobs (Jahrgang 1929) erzählt vom Einsatz junger Freiwilliger beim Bau eines Erdölkombinats (gemeint ist Schwedt an der Oder, Endstation der sowjetischen Pipeline). Jakobs' Erfolgstrick war, das Aufbauwerk mit einer Pionieratmosphäre zu umgeben, die eher an eine Goldgräbersiedlung am Klondike als an eine kommunistische Großbaustelle erinnert. Dazu kommt eine gänzlich unorthodoxe Fabel, die einen parteilosen Ingenieur, eine Jungkommunistin und deren SED-Ehemann in ein spannungsgeladenes Dreiecksverhältnis verstrickt. Zwar stellt am Ende die Parteigruppe des Kombinats die sozialistische Moral wieder her, aber Jakobs, dessen Sympathie den Liebenden gehört, schließt melancholisch mit einer Rückblende auf die Romanze jenes Sommers, als die Gefühle noch wichtiger waren als die Disziplin.

Erik Neutsch (geboren 1931) hat in *Spur der Steine* (1964) ein breites Panorama der ostdeutschen Arbeitswelt entworfen. Ort der Handlung ist das Chemieprojekt Schkona (gemeint ist Leuna II). Der Brigadier Hannes Balla, in schwarzer Zimmermannskluft, den Schlapphut verwegen über dem rechten Ohr und im linken eine goldgefaßte Perle von Erbsengröße, wird vom wilden Anarchisten zum braven Aktivisten umerzogen. Soweit ist es eine der gewöhnlichen Bekehrungsgeschichten – aber Neutsch benutzt sie, um das Chaos der Planwirtschaft, die Unfähigkeit der Funktionäre, die Vergeudung öffentlicher Gelder, die Ausbeutung der Arbeitskräfte mit schockierender Schärfe anzuprangern. Auch er empört sich über die Einmischung der Partei in das Liebesleben der Menschen. Zwar erscheint am Ende Ulbricht selber als Garant der Gerechtigkeit, aber vor allem appelliert Neutsch an die Verantwortung jedes einzelnen für den Sozialismus.

Kompromißloser und defaitistischer ist der heute fünfundfünfzigjährige Erwin Strittmatter in seinem Roman *Ole Bienkopp* (1963). Sein Titelheld, Dorfproletarier, Kommunist und Kolchosgründer, scheitert bei seinem Bemühen um ein sozialistisches Bauernglück an der Funktionärsbürokratie, deren Schreibtischadministration die Viehzucht ruiniert und alle Bemühungen um bessere Erträge vereitelt. In dem Wahn, seiner Genossenschaft einen verweigerten Bagger durch eigener Hände Arbeit ersetzen zu müssen, wühlt sich Ole Bienkopp mit einem armseligen Spaten ins Erdreich und stirbt im selbstgeschaufelten Grab einen melodramatischen Erschöpfungstod. Strittmatter, der einst selber als SED-Propagandist die Bauern in die Kolchosen trieb, verzichtet sogar darauf, am Ende den obligatorischen, alle Probleme lösenden guten Funktionär ins Spiel zu bringen.

Hermann Kant (geboren 1926) gelernter Elektriker, der über eine »Arbeiter-und-Bauern-Fakultät«, eine Einrichtung der kommunistischen Bildungsrevolution, in die kulturpolitische Oberschicht des SED-Staates aufstieg, konfrontiert in seinem Roman *Die Aula* (1965) die Hoffnungen jener frühen Jahre mit der Realität der etablierten kommunistischen Gesellschaft. Aus den begeisterten jungen Leuten von einst sind Bürokraten und Außenseiter, Gemaßregelte und Flüchtlinge geworden. Der düstere Hintergrund des Stalinismus schimmert überall durch, wenngleich Kant jede prinzipielle politische Auseinandersetzung vermeidet. Sein Gestaltungsmittel ist eine hintergründige, oft boshafte Ironie, in die sich eine heimliche, durch witzige Anekdoten verfremdete Melancholie mischt. Kant, sicherlich der intelligenteste und wendigste Autor der neuen Welle, balanciert auf einem schmalen Grat zwischen Loyalität und Opposition, der es Freund wie Feind unmöglich macht, ihn für sich in Anspruch zu nehmen. Besonders charakteristisch für die Mentalität der Neuen Klasse sind die Erzählungen *Der geteilte Himmel* (1963) von Christa Wolf (Jahrgang 1929) und *Die Geschwister* (1963) von Brigitte Reimann (Jahrgang 1933). Ihre Konflikte spielen sich weniger zwischen Menschen und Ämtern, sondern mehr in den Seelen der Helden ab. Beide Erzählungen sind von einem psychotischen Dunstschleier umwoben, der, so scheint es, geradenwegs aus der *Entscheidung* der Anna Seghers auf die Werke ihrer Nachfolgerinnen übergequollen ist. Beide behandeln das Problem der Republikflucht, beide haben die gleiche Fabel: Ein junger DDR-Bürger, vom Leben im SED-Staat enttäuscht, trägt sich mit Fluchtabsichten; die staatsbewußte Partnerin – bei Christa Wolf die Braut, bei Brigitte Reimann die Schwester des Helden – setzt alles daran, die Seele des Verirrten zu retten und die Flucht zu verhindern. Christa Wolfs Erzählung endet traurig: Das Liebesverhältnis zerbricht, der Held verläßt die DDR. Bei Brigitte Reimann geht die Sache gut aus: Der fluchtwillige Bruder läßt sich, nachdem ihn die Schwester denunziert hat, eines Besseren belehren. Wie die Autorin berichtet, hat ihr eigener Bruder Republikflucht begangen; sie hat also die Wirklichkeit auf dem Papier zu korrigieren gesucht.

Die Geschichten, aus der Perspektive der Heldinnen erzählt, bestehen aus Folgen subjektiver Erinnerungsbilder. Diese Gestaltungsweise nötigte die Autorinnen zu Übergriffen auf das Arsenal westlicher Stilmittel wie Zeitsprung, Blendentechnik, innerer Monolog. Kritische Stimmen in West wie in Ost meinten – teils erfreut, teils besorgt –, hieraus eine Annäherung an die moderne Literatur des Westens ableiten zu können. Doch das betrifft nur Äußerlichkeiten, sowohl *Der geteilte Himmel* wie *Die Geschwister* sind spezifische Gewächse der DDR. Die beiden Heldinnen reflektieren keine individuellen Empfindungen, sondern das kollektive Bewußtsein eines Clans, nämlich der ostdeutschen Funktionärselite. Das ist der Grund, warum ausgerechnet die im Parteisinne positiven Gestalten so wenig profiliert sind: sie sind heraldische Figuren. Andererseits erlaubt diese Darstellungsweise, das Wirklichkeitsgeschehen ideologisch zu filtern und alle seine Erscheinungen gleichsam kommunistisch zu präjudizieren. Aus dem politischen Konflikt wird ein Glaubensakt, der nur scheinbar im geteilten Land, der vielmehr in ideologischen Sphären, im geteilten Himmel, ausgetragen wird.

Nur am Rand braucht die Lyrik erwähnt zu werden, die im Gefolge der neuen Strömung erschien. Die 1965 edierten Gedichtbände *Provokation für mich* von Volker Braun (Jahrgang 1939) und *Gespräch mit dem Saurier* des Ehepaars Rainer und Sarah Kirsch (Jahrgang 1934 bzw. 1935) bringen Verse, die sich zwar in der Tonart, aber kaum in der Tendenz von der Agitpropreimerei früherer Zeiten unterscheiden. Der rüde Halbstarkenton Volker Brauns (»He Jungs, haut's euch nicht um . . .«), die epigonale Mixtur Brechtscher Didaktik und Majakowskischer Plakatverse und noch anderer modischer Zutaten bei Rainer Kirsch (»Wenig wird bleiben von den Lederabsätzen der Mädchen . . . Jazz me blues . . . Lernt Grammatik und Maschinen baun«), die ideologischen Kinderreime der Sarah Kirsch (»Der Saurier, das böse Tier . . .«) kommen am Ende auch nur auf Produktionspropaganda und politische Umerziehung hinaus, wenn auch zumindest Rainer hin und wieder aufbegehrt und Volker gelegentlich Tiefsinn einzuschmuggeln versucht. Diesen jungen Leuten fehlt vielleicht nicht die Begabung, wohl aber die lyrische Idee und die geistige Dimension; formale Extravaganz kaschiert einen banalen, linientreuen Inhalt.

Die ganze Reformliteratur von Christa Wolf bis Volker Braun ist mehr politpsychologisch als literarisch interessant, ein Wellengekräusel im inneren Betrieb der DDR. Sie kam, trotz vorübergehender Verblüffung und bereitwilliger Edition, im Westen nicht an, weil sie uns nichts zu sagen hat. Doch auch die SED wurde dieser Erscheinung nicht recht froh. Sie ließ ihr nur eine kurze Spanne der Entfaltung. An der Jahreswende 1965/66, als die Sowjets die liberale Wirtschaftler-Fraktion in der DDR desavouierten (Selbstmord des Plankommissars Apel) und die alten Stalinisten wieder an die Macht brachten, wurde, ungeachtet ihrer grundsätzlichen Staatstreue, auch die kritische Literatur à la Wolf, Neutsch, Kant abgewürgt.

Die vergleichsweise liberale Atmosphäre, die die junge DDR-Literatur während ihrer Blütezeit verbreitete, schaffte einen Freiheitsspielraum auch für solche Schriftsteller, die nicht systemimmanente Probleme ventilierten, sondern ihrem individuellen künstlerischen Impetus folgten. Es wäre leichtfertig, diese unabhängigen Autoren auf einen simplen Gegennenner festzulegen, auf Opposition oder gar westliche Ideologie. Die Dichter, von denen jetzt und vor allem zu sprechen ist, können höchstens als ein Strauß von Individualitäten gebündelt werden; ein jeder verkörpert, wenn auch von der gleichen Erfahrung geprägt, einen Kosmos für sich. Wenn die meisten von ihnen im Westen oder in liberalen Ostblockländern debütierten, die DDR nur zögernd nachzog oder sie bis heute ignorierte, ja verfemte, so spricht das nur für die Borniertheit der SED-Kulturpolitik, die das Beste, was in ihrem Herrschaftsbereich wuchs und zu dessen Ansehen hätte beitragen können, bis heute nicht verkraften konnte. Die literarische Selbstgenügsamkeit ist ein getreues Pendant zu der politischen Isolierung, die die DDR nicht nur von der westlichen Welt, sondern auch von der Haltung fast aller kommunistischen Bruderländer und Bruderparteien trennt.

Es waren vor allem Lyriker, die vom liberalen Strom ans Licht gespült wurden. Das ist kein Zufall. In einer totalitären Atmosphäre wird das Schreiben eines Romans zwangsläufig zu einem gesellschaftlichen Unternehmen. Schon Umfang und Dauer der Arbeit zwingen den Schriftsteller, sich mit den Institutionen, denen er dienst- oder rechenschaftspflichtig ist, zu arrangieren. Der Verlag oder die Redaktion, die ihm Arbeitsurlaub gewähren, der Schriftstellerverband, dem er angehört, der Produktionsbetrieb, mit dem er einen Freundschaftsvertrag hat – sie alle kümmern sich um ihn und reden ihm drein. Ist er keiner Institution verbunden, arbeitet er völlig frei, dann ist er sozial ungesichert und hat Schwierigkeiten mit den Verlagen. Ein Lyriker, der Eindrücke und Erkenntnisse mit weit geringerem Aufwand in künstlerische Gestaltung umsetzt, kann sich leichter der Kontrolle entziehen. Und selbst wenn die Zensurstelle des Kulturministeriums eine Buchausgabe nicht genehmigt, bleibt noch immer die Möglichkeit, das eine oder andere Gedicht in Zeitschriften zu publizieren. Der Romanautor hat diesen Ausweg nicht. Schließlich erlaubt die lyrische Form in stärkerem Maße, sich subjektiv zu äußern und Chiffren zu verwenden. Ein Roman, der das in ähnlichem Maß versucht, paßt nicht in das realistische Schema, das im Osten vorgeschrieben ist.

Auch in den Gedichten und wenigen Erzählungen, die wir dieser poetischen Gruppe zurechnen, hat sich das Erlebnis der Abriegelung niedergeschlagen, allerdings nicht im Sinne des Nachvollziehens und der Bestätigung, sondern als Empfindung, als – meist unausgesprochene – Erfahrung. Ein schmerzlicher Grundton ist charakteristisch für fast alle Werke, die auf die Mauer antworten, für die schon erwähnten parteilichen wie für die nicht parteigebundenen. Doch vergleicht man beide Richtungen, zeigt sich ein bemerkenswerter Unterschied. In den Büchern der Christa-Wolf-Gruppe äußert sich der Schmerz in seiner unverbindlichsten Form, nämlich als Sentimentalität. Die Bitternis wird versüßt. Aus den Werken der anderen Gruppe dagegen spricht jenes starke Gefühl, das Johannes R. Becher als wesentliches Element der Poesie bezeichnet hat: »O Urlaut des Gedichts: Melancholie!«

Peter Huchel (geboren 1903) gilt als einer der bedeutendsten Dichter ganz Deutschlands. Er ist gewachsen aus der Landschaft der Mark Brandenburg.

Die Verbundenheit mit der heimatlichen Landschaft und den einfachen Leuten, den Bauern, hat ihn, der nie Kommunist war, eine Zeitlang mit der kommunistischen Bodenreform sympathisieren lassen. Sein Poem über dieses Thema, *Das Gesetz* (1951), ist Fragment geblieben. Enttäuschungen und Erfahrungen haben ihn über Heimatdichtung und soziales Engagement hinausgeführt. Landschaft, Zeit und Reflektion werden durch strenge formale Zucht gebändigt und zu sprachlichen Kunstwerken überhöht. Als Chefredakteur hat er der Ost-Berliner Zeitschrift »Sinn und Form« als einzigem literarischem Organ der DDR auch im Westen Geltung verschafft. 1962 wurde er nach dreizehn Jahren seines Postens enthoben wegen der weltoffenen Haltung seiner Zeitschrift, die politische Grenzen und Schablonen ignorierte und allein auf Qualität bestand. Das Gedicht *Garten des Theophrast* (1962) setzte Huchel als Requiem in das letzte von ihm redigierte Heft:

Ein Ölbaum spaltet das mürbe Gemäuer
Und ist noch Stimme im heißen Staub.
Sie gaben Befehl, die Wurzel zu roden.
Es sinkt dein Licht, schutzloses Laub.

Johannes Bobrowski (1917–1965), Deutscher aus dem heute sowjetischen Teil Ostpreußens, veröffentlichte 1961 sein erstes Buch, den Gedichtband *Sarmatische Zeit*. Nachdem er sich im Westen durchgesetzt hatte, fand sich auch die SED mit ihm ab. Die Partei ordnete ihn, den Lektor eines christlichen Verlages, als »guten Heiden« außerhalb ihrer eigenen Kirche ein, so daß ihm die kommunistische Gehirnwäsche erspart blieb. Melancholisch besang er die östliche Heimat:

Über die Steppe
fahren Wölfe, der Jäger
fand ein gelbes Gestein,
aufbrannt' es im Mondlicht. –
Heiliges schwimmt,
ein Fisch,
durch die alten Täler, die waldigen
Täler noch, der Väter
Rede tönt noch herauf:
Heiß willkommen die Fremden.
Du wirst ein Fremder sein. Bald.

Über sein Sarmatien, worunter er das weite Land zwischen Ostsee und

Schwarzem Meer, Preußen und der Wolga verstand, die Vielvölker-Heimstatt von Deutschen und Polen, Russen, Balten und Juden, hat er auch Romane und Erzählungen geschrieben, die freilich Poesie in Prosa sind (*Levins Mühle*, 1946; *Boehlendorff und andere*, 1965; *Mäusefest*, 1965; *Litauische Claviere*, 1966). Charakteristisch für diese Geschichten ist, daß man sie zwar beschreiben, aber nicht wiedererzählen kann. Ohne eigentliche Fabel, ohne präzisen Anfang und präzisen Schluß, sind sie mehr assoziative Gedankenreihen als Tatsachenketten. Sie gleichen Träumen, die sich verflüchtigen, wenn der Erwachende sie zu schildern versucht. Das alte Sarmatien ist untergegangen: durch Hitlers brutalen Einbruch in den Osten und seine Judenvernichtung, durch Stalins Annexionen und Völkervertreibungen. Es lebt nur noch in Bobrowskis Werk weiter. Daß eine Landschaft gewonnen wird zu einer Zeit, da sie politisch-historisch verlorenging, scheint im ersten Augenblick paradox. In Wirklichkeit aber bestätigt Bobrowskis Dichtung eine Regel, die von früheren Literaturepochen aufgestellt wurde. Die Romantiker wandten sich der deutschen Landschaft zu, als das aufkommende Industriezeitalter diese Landschaft zu bedrohen begann. Es nimmt nicht wunder, daß der Erzähler Bobrowski, obwohl aus anderen Wurzeln gewachsen und in einem anderen Jahrhundert geformt, mit diesen seinen Vorgängern manches gemeinsam hat: den Spürsinn für die sagen- und legendenhaften Züge des Landschaftsgesichtes, den Blick für die typenbildenden Kleinigkeiten der Historie, das Ohr für die spezifische Sprachmelodie der Bewohner.
Sarmatien, das ist das Land, in dem Bobrowski als Kind geborgen war, das ihm gehörte, bevor er wußte, was gut und böse ist. Der geschichtliche Zufall wollte es, daß der Moment der Erkenntnis, der Verlust der Unschuld einherging mit dem Verlust der Heimat, und daß auch dies, und jetzt in genauem Wortsinn, zu tun hatte mit dem Verlust von Unschuld, also mit Schuld. Das erklärt, warum Bobrowskis Dichtung so eng verflochten ist mit dem Unheil, das seine Landsleute über Sarmatien brachten, und daß er zugleich eine ungebrochene Sehnsucht ausdrückt nach dem Land, aus dem er vertrieben wurde. Es ist die Sehnsucht nach dem »Verlorenen Paradies«, die der Dichter hier artikuliert hat, eine vom Gegenwärtigen geformte Variation eines uralten Menschheitsthemas.
Günter Kunert, geboren 1929, ist aus der Tauwetterlyrik der Jahre 1956/57 herausgewachsen. Damals ging er daran, die Beschaffenheit der Welt und seine eigene Position in ihr selbständig zu durchdenken. Man sieht in ihm allgemein einen Brechtschüler, und viele seiner Gedichte verraten auch Brechts Einfluß. Doch ebensosehr ist er Johannes R. Becher ver-

pflichtet, dessen gefühlsstärkere Art bei Kunert gerade in der letzten Zeit mehr und mehr hervortritt. Vor allem aber hat er, die Vorbilder verwertend, längst einen eigenen Stil gefunden. Neben einer fast mathematisch präzisen Nüchternheit gibt es auch balladeske Züge, zum Beispiel in dem Gedicht *Wie ich ein Fisch wurde* aus dem Band *Erinnerung an einen Planeten* (1963). Kunert berichtet darin von einer Sintflut, die die Erde überschwemmt, und vom Schicksal des letzten Erdenbewohners:

Kurz bevor die letzten Kräfte mich verließen,
Fiel mir ein, was man mich einst gelehrt:
Nur wer sich verändert, den wird nicht verdrießen
Die Veränderung, die seine Welt erfährt.

Leben heißt: sich ohne Ende wandeln.
Wer am Alten hängt, der wird nicht alt.
So entschloß ich mich, sofort zu handeln,
Und das Wasser schien mir nicht mehr kalt.

Meine Arme dehnten sich zu breiten Flossen,
Grüne Schuppen wuchsen auf mir ohne Hast;
Als das Wasser mir auch noch den Mund verschlossen,
War dem neuen Element ich angepaßt.

Lasse mich durch dunkle Tiefen träge gleiten,
Und ich spüre nichts von Wellen oder Wind,
Aber fürchte jetzt die Trockenheiten,
Und daß einst das Wasser wiederum verrinnt.

Denn aufs neue wieder Mensch zu werden,
Wenn man's lange Zeit nicht mehr gewesen ist,
Das ist schwer für unsereins auf Erden,
Weil das Menschsein sich zu leicht vergißt.

Karl Mickel, 1935 geboren, repräsentiert die skeptische Generation der DDR, die den SED-Staat nicht als sozialistisches Sanktuarium, sondern als gegebene Alltagswelt begreift. Das drückt sich schon im Stil aus, der durch absoluten Mangel an Pathos und eine lässige Schnoddrigkeit gekennzeichnet ist. Das Generalthema von Mickels Gedichten ist die Position des einzelnen in der Massengesellschaft, genauer gesagt: der Anspruch des Individuums, sich dem Druck des Kollektivs zu widersetzen und eigene Entscheidungen zu treffen. Die Ordnung, in der der Dichter lebt und die er als einzige genau kennt, hat ihm sicherlich das Modell abgegeben. Doch trifft seine Ablehnung der Moral- und Verhaltensstereotypen jede Massenkonvention. Auf vielerlei Weise, durch eigenwillige Interpretationen von Naturerlebnissen, in Liebesgedichten und mittels antiker Metaphern sagt Mickel immer das eine: Laßt mich in Ruhe der sein, der ich bin. In einem Hauptstück seines Bandes *Vita nova mea* (1966) bezieht er sich auf die Sage von Pelops, den sein Vater Tantalos tötete und den Göttern zum Mahl vorsetzte; doch die, mit Ausnahme der Demeter den Frevel erkennend, fügten den Zerstückelten wieder zusammen.

> *Nicht meine Schulter ists, die Demeter*
> *Abnagte aus Versehn, nicht auf mein Fleisch*
> *Bevor sie's kaute, tropften ihre Tränen.*
> *Mein Vater heißt nicht Tantalos, ich heiße*
> *Nicht Pelops folglich, unverkürzt*
> *An Arm, Bein, Kopf und Hoden bau ich*
> *Kartoffeln an und Lorbeer hier in Preußen.*
> *Ich warte nicht auf Götter zur Montage*
> *Normal wie üblich ist mein EKG*
> *Wenn ich ein Messer, scharf und schneidend, seh.*

Die erzählende Literatur der nicht parteigebundenen Gruppe ist nicht sehr umfangreich. Zu den nonkonformistischen Prosaisten gehört Rolf Schneider, Jahrgang 1932, von dem ein Band Erzählungen, *Brücken und Gitter* (1965), nur im Westen erschienen ist. Für sein Hörspiel *Zwielicht* erhielt der Autor den westdeutschen Hörspielpreis der Kriegsblinden. Schneider verfügt über eine Fülle von Einfällen, die er effektvoll zur Geltung zu bringen weiß. Die Atmosphäre, die über seinen Erzählungen liegt, zeigt, daß ihm von den Dichtern der Moderne Kafka den größten Eindruck gemacht hat. Das mag ein bißchen verspätet erscheinen; aber man darf nicht vergessen, daß Kafka in der DDR jahrlang verboten war, so daß die jüngere Generation, zu der Schneider gehört, zwar Kommentare zu Kafka, aber nicht ihn selber lesen konnte. Erst 1965 erschien in der DDR ein Auswahlband. (Auch Kunerts Gedicht vom Fisch ist ja ohne Kafka nicht denkbar.)

Am engsten der westlichen modernen Erzählkunst verbunden sind Manfred Bieler, geboren 1934, und Fritz Rudolf Fries, geboren 1935. Bielers Roman *Bonifaz oder der Matrose in der Flasche* (1963) ist in beiden Teilen Deutschlands erschienen, Fries' Roman *Der Weg nach Oobliadooh* (1966) nur im Westen. Der eine spielt in den letzten Tagen des Dritten Reiches, der andere in der DDR. Was sie beide gemeinsam haben, ist die Aussage:

daß nämlich in dieser verrückten Welt nur der Narr normal ist. Das ist dasselbe, was auch viele westliche Werke kennzeichnet, zum Beispiel Heinrich Bölls *Ansichten eines Clowns*, Günter Graß' *Blechtrommel* oder *Die Physiker* von Dürrenmatt.

Bielers Held ist ein Matrose der großdeutschen Marine, der aus der Kriegsgefangenschaft retourniert wurde mit der Auflage, nicht mehr an Kriegshandlungen teilzunehmen. So abenteuert er als »neutraler Matrose« durch die letzten Kriegstage und läßt den Leser raten, ob er übergeschnappt ist oder die anderen, die Kriegführenden.

Fries hat zwei Helden, zwei Jazzfans aus Leipzig, die gern in einem Land leben möchten, in dem man sich so wohl fühlt wie beim Abhören von Jazzmusik. Ihr Traumland heißt Oobliadooh, nach dem Silbengestammel, mit dem Jazz singbar gemacht wird. Sie verlassen die DDR und gehen nach Westen. Aber dort ist auch nicht Oobliadooh. So kehren sie zurück und landen schließlich im Irrenhaus als der einzigen Heimstätte, die ihnen gemäß ist.

In beiden Romanen ist die Realität nichts als ein Grund, die Flucht in die verschlossene Narrenwelt anzutreten. Die Handlungen laufen in der Alogik eines Traumes ab, die Sprache ist wie ein Netz aus Spinnweben, das die Narrenwelt nach außen abschirmt. Wir haben hier das vollkommene Modell einer inneren Emigration.

Die faszinierendste Gestalt der deutschen Dichtung in der DDR ist Wolf Biermann, geboren 1936, leidenschaftlicher, aber aus der Partei verbannter Kommunist, Sohn eines in Auschwitz umgekommenen Kommunisten und Juden. Der unerschrockene Protestsänger wurde zum Liebling des Publikums in Ost und West und zum Schrecken der SED-Führung, die ihn mit Beschimpfungen, Auftritts- und Publikationsverbot, Ausreisesperren belegte. Seine Gedichtbände, *Die Drahtharfe* (1965) und *Mit Marx- und Engelszungen* (1968), erschienen in West-Berlin.

In Biermann hat die Zerreißung Deutschlands, vor allem ihr furchtbares Symbol, die Berliner Mauer, den ersten großen Dichter gefunden. Biermann empfindet die Spaltung als einen Schmerz des ganzen Volkes, dem man weder durch Flucht noch Verdrängung entgegen kann. Im Jahr nach dem Bau der Mauer schrieb er:

> *Berlin, du deutsche deutsche Frau*
> *Ich bin dein Hochzeitsfreier*
> *Ach, deine Hände sind so rauh*
> *Von Kälte und von Feuer...*

Ich kann nicht weg mehr von dir gehn
Im Westen steht die Mauer
Im Osten meine Freunde stehn,
Der Nordwind ist ein rauher...

Biermann vertritt eine Tradition, die in Deutschland niemals recht hei-
misch war, die der politisch-satirischen Lyrik. Seine Vorbilder benennt er
selbst so:»mein großer Bruder Franz Villon« und »mein Cousin, der freche
Heinrich Heine«. Mit ihnen verbindet ihn die Mischung von Melancholie
und Frechheit, die betroffene Ironie angesichts einer verzweifelten Situation, die Musikalität der Verse. Die einzelnen Zeilen, in denen er scheinbar unbekümmert und leichthin Erfahrungen und Empfindungen durch-
einanderwirbelt, werden von einem genauen Rhythmus gebändigt und
fügen sich wie von selbst zu Liedstrophen. Es ist nichts weniger als eine
Attitüde, wenn Biermann seine Dichtung zur Gitarre singt; auch der Leser
ist versucht, die Verse tönen zu lassen, durch Nachsprechen das Melodische
der Wortkompositionen zu genießen. Das ausgesprochen Lyrische und
Musikalische ist Biermanns Mittel, die Ambivalenz von Gefühlen und
Tatsachen auszudrücken.

Musikalisch bedeutet aber nicht impressionistisch. Biermanns Lyrik begnügt sich niemals damit, ihren Gegenstand in subjektiven Stimmungen
zu reflektieren. Konkrete Wirklichkeit wird durch kühne Bilder verfrem-
det und akzentuiert. In der sechsteiligen Ballade vom großen Bruder Villon
wird der französische Poet mit der deutschen Misere konfrontiert:

Besucht mich abends mal Marie
Dann geht Villon solang
Spazieren auf der Mauer und
Macht dort die Posten bang
Die Kugeln gehen durch ihn durch
Doch aus den Löchern fließt
Bei Franz Villon nicht Blut heraus
Nur Rotwein sich ergießt
Dann spielt er auf dem Stacheldraht
Aus Jux die große Harfe
Die Grenzer schießen Rhythmus zu
Verschieden nach Bedarfe
Erst wenn Marie mich gegen früh
Fast ausgetrunken hat
Und steht Marie ganz leise auf

Zur Arbeit in die Stadt
Dann kommt Villon und hustet wild
Drei Pfund Patronenblei
Und flucht und spuckt und ist doch voll
Verständnis für uns zwei.

Es sind die visionären Elemente, die hier den Part der Vernunft vertreten, während die Realität ins Zwielicht des Absurden gerückt ist. Indem Biermann die Begegnung mit der Mauer an den Geist Villons delegiert und damit ins Phantastische überhöht, macht er das Unsagbare sagbar. Konsumierbar macht er es nicht. Biermann nennt die Dinge mit der gleichen rücksichtslosen Unbefangenheit beim Namen wie Andersens Märchenkind: »Der Kaiser ist nackt.« Er findet sich mit den Realitäten nicht ab, er ist unbequem, ein Stachel im Fleische nicht nur der Deutschen, sondern – wie seine Lieder zum Thema Krieg und Rassenverfolgung zeigen – aller Menschen, die Unrecht tun oder dulden. Wenn von der kritischen jungen Lyrik der DDR die Rede ist, so muß man an erster Stelle von Wolf Biermann sprechen.

Die Entwicklung des Hörspiels und Fernsehspiels in Deutschland seit dem Kriege

Heinz Schwitzke

I.

Das Hörspiel als genuine Kunstform des Rundfunks hat in Westdeutschland seit dem Krieg mit einem überraschenden Aufschwung die Gunst der Autoren und des literarischen Publikums gewonnen – weit mehr als je zu erwarten war und wohl auch weit mehr als in anderen Ländern. Das bedeutet nicht, daß die Gipfel der deutschen Entwicklung die großen Einzelleistungen des Auslands, vor allem Englands, auf diesem Gebiet überragen: etwa Becketts und Dylan Thomas' Rundfunktexte und (um hier auch einen deutschen Emigranten zu nennen) Brechts *Lukullus*-Hörspiel, das der Schweizer Rundfunk genau Anfang Mai 1940 uraufführte, und das in dem Augenblick, als Hitler in Frankreich einfiel, den Gewaltmenschen vor das Gericht der Schatten zitierte. Doch wenn man von diesen singulären Werken absieht, die unvergleichbar sind, so bleibt festzustellen, daß das Hörspiel nirgends literarisch so relevant wurde und zugleich mit so unübersehbarer Fülle, respektablem Niveau und geradezu stupender Breitenwirkung in Erscheinung trat wie bei uns. Dies und die Tatsache, daß dabei Werke von formbildender Bedeutung entstanden, hat bewirkt, daß die junge Kunstgattung in Deutschland fast gleichberechtigt neben die traditionellen Disziplinen der Lyrik, der Prosa und des Theaters trat.
Drei Gründe sind es, die diese Entwicklung verständlich machen, ja, sie geradezu als zwangsläufig erscheinen lassen:
Zuerst ein äußerlicher, aber nichtsdestoweniger sehr gewichtiger Grund: 1945 waren in Deutschland nahezu alle Theater, Filmateliers und Konzertsäle durch Bomben zerstört, die Bibliotheken vernichtet oder zerstreut, das Papier knapp, und die Druckereien von Büchern und Zeitungen auf einen Stand reduziert, der unendlich weit hinter den Bedürfnissen zurückblieb. Nur der Rundfunk war zur Stelle. In ihn investierte darum die deutsche Intelligenz alle ihre Energien, die länger als ein Jahrzehnt hatten brach liegen müssen. Und auch die Besatzungsmächte erkannten die Chance des Instruments und gaben ihm die notwendige Freiheit und bald auch ein so liberales Gesetz, daß die Deutschen es später da und dort sogar leider

wieder entliberalisierten. Was aber die Hörer betrifft, so waren sie lange genug von aller Welt abgeschnitten gewesen, und ihr geistiger Hunger war hoch aufgestaut. Kein Wunder, daß unter diesen Umständen das Medium, das zwischen 1945 und 1950 alle anderen Kommunikationsmittel an Macht und Reichweite um ein vielfaches übertraf, politisch und gesellschaftlich eine Bedeutung gewann wie nirgends sonst und wie auch bei uns – trotz gezielter totalitärer Anwendung – niemals zuvor.

Und dies ist der zweite Grund: die gezielte totalitäre Anwendung entfiel. Aus den Lautsprechern tönten plötzlich nicht mehr die kollektivistischen Parolen der doppelten Diktatur, unter die sich jeder zu ducken gelernt hatte, der Diktatur der Partei und der Diktatur der Bomberschwärme, Propagandareden und Luftwarnungen; sondern die Hörer wußten sich auf einmal als Einzelwesen angesprochen, die in Urteilen und Entscheidungen ganz auf sich gestellt waren. So geschah es, daß die aus einem Extrem ins andre geworfene Nation von gleichermaßen gutwilligen wie bösartigen Kindern nun im ersten Genuß der wiedergewonnenen Freiheit (wobei man sich noch sehr unsicher fühlte) am Rundfunk eine höchst willkommene Eigenschaft entdeckte: er vermochte ihnen in ihrer Schwäche zu helfen und sie zu stützen, er vermochte den nach totaler Gleichschaltung total Isolierten das Gefühl einer gewissen Solidarität zurückzugeben, der Solidarität der Einsamen. Und nun entstanden die vielgehörten, geistvollen Nachtprogramme, an deren Redaktion die gesamte Elite mitarbeitete, soweit sie sich ihr Selbstbewußtsein bewahrt hatte. Und für das Hörspiel entstand eine Gemeinde, die das ganze Volk umfaßte.

Der dritte Grund, weshalb das Hörspiel der Neigung der Deutschen so sehr entgegenkam, daß es geradezu als eine deutsche Kunstgattung bezeichnet werden kann, ist am schwersten zu verstehen. Hierzu bedarf es des Hinweises auf unsre Geschichte und auf unser Verhältnis zu Literatur und Theater, das erheblich anders ist, weit weniger glücklich, als das der Franzosen oder der Engländer.

Zwar sagt Jean Cocteau im Vorwort zu seinem Schauspiel *Doppeladler*, daß auch in Frankreich, ähnlich wie bei uns, ein gewisser Verfall des »aktiven« Theaters festzustellen sei: zugunsten eines »Theaters des Worts und der Inszenierung«, zugunsten einer Literarisierung der Bühne, zugunsten eines Understatements der Darstellung (die Cocteau allerdings, was mir zu einseitig und ein wenig zu oberflächlich erscheint, vor allem auf den Film und seine Darstellungsweise zurückführt). Dann aber bekennt sich der französische Poet leidenschaftlich als zu der einzig heilsamen Möglichkeit zum Barocktheater mit seinen »Monstres sacrés«, zu den »alten Oresten und Hermionen«, zu Racine, zur »alten Theatermaschinerie« und zur »großen Rolle«. Und er beschließt, das Theater »durch Vereinigung dieser beiden Kräfte, des Stücks und der Rolle«, also durch Rückkehr zu den Ursprüngen, zu retten.

Es gibt in Deutschland keine Theatertradition, die bis zum Barock zurückreicht, und an die wir anknüpfen könnten. Unsere literarische Existenz beginnt erst, wie schon Goethe anmerkt, in der friederizianischen Zeit, also über hundert Jahre später. Auch Shakespeare, der bei uns fast ein deutscher Dichter geworden ist, wurde nicht als Barock-, sondern als Sturm-und-Drang-Poet aufgenommen, also als Exponent der ersten vorromantischen Romantik und Subjektivität. Darum ist – meiner Meinung nach – trotz gegenwärtiger Anzeichen gesteigerten Interesses bei den Literaten (von denen jedoch niemand zu Cocteauscher Selbstkritik bereit ist) für das Theater in Deutschland immer nur wenig zu hoffen: es gibt – entgegen den Bemühungen der Weimarer Klassik – bei uns kein Nationaltheater und keinen eigenen Theaterstil. Die genialen Anstrengungen Kleists, Büchners und Grabbes kamen zu spät, um in der allgemeinen Auflösung noch eine Tradition zu schaffen.

Eben darum liegt aber den Deutschen das Hörspiel so sehr, diese Möglichkeit einer darstellenden Kunst, bei der die Not zur Tugend wird, weil sie schon ihrer Herkunft nach untheatralisch und literarisch ist: reines Wort und reiner Klang. Und überdies hilft die wundervolle Apparatur unsre nie gefundene geistige Gemeinschaft kompensieren; unser unglückliches, durch eigne und fremde Schuld bis heute aufgespaltenes, föderalisiertes Volk fand damit ein Ersatz-Theater, das ihm eine Art gemeinsamen Erlebens ohne Aufgabe der Subjektivität erlaubt.

So mußte die Wirkung des ersten Hörspiels, in dem mit poetischer Kraft das gemeinsame Schicksal angesprochen wurde, ungeheuerlich sein. Im Februar 1947 geschah dies – mit Wolfgang Borcherts *Draußen vor der Tür*, von dem der Dichter im Untertitel schrieb, »daß es kein Publikum sehen und kein Theater aufführen will«. Zwar hat das Werk dann ein halbes Jahr später doch seinen Weg über die deutschen Bühnen genommen. Aber es gibt genug Gründe inhaltlicher und formaler Art (außer dem Untertitel des Autors), denen zufolge es nichts anderes als ein Hörspiel ist. Imaginäre Figuren, der Tod, der Liebe Gott, die Elbe, der Andere, der nur als Echo des Ich gebraucht wird, sprechen darin zu einem imaginären Volk, d. h. zu lauter einzelnen, die an ihrer Zugehörigkeit zu diesem Volk ausschließlich leiden, weil ihre Opfer ihm nie Nutzen bringen, es nie zur wirklichen Nation erhöhen können. Am Schluß wird dann – in Hybris und Verzweiflung zugleich, wie sie bei diesem Volk zur Existenzform zu werden drohen, – Gott selbst herausfordernd apostrophiert.

Borcherts früher Tod kam, ebenso wie seine expressive Sprache, gewissen romantischen Vorstellungen entgegen, die man sich bei uns von jungen Dichtern zu machen pflegt. Er und sein in die Heimatlosigkeit heimkehrender Soldat Beckmann wurden eine Zeitlang sozusagen zum Denkmal unsres Jammers, an dem die höheren Lehranstalten pflichtgemäß ihre Kränze in Form von Schulaufsätzen niederlegten. Diese Feststellung besagt nichts gegen die große Begabung des jungen Autors, wohl aber zeigt der Vorgang einmal mehr, wie Subjektivität sich bei uns durchsetzt. Dafür war jedoch der zweite »Durchbruch«, der auf dem Gebiet des Hörspiels bei uns geschah, erheblich weniger volkstümlich. Er erfolgte, genau genommen, sogar gegen das Publikum. Denn er hatte nichts Emotionelles an sich, er war von geradezu erbitterter Redlichkeit. Und deshalb wirkt sein Schock bis heute, wahrscheinlich auch in Zukunft, in unserer Literatur fort.

Mit dem Hörspiel *Träume* begann 1951 nicht bloß die Serie der wichtigsten Arbeiten im Werk des bedeutendsten deutschen Hörspieldichters Günter Eich (der übrigens zugleich ein ebenso bedeutender Lyriker ist), sondern es begann auch jenes Jahrzehnt, in dem sich bei uns nahezu alle Poeten von Rang, die jüngeren wie die älteren, mit Hörspielen befaßten. Dürrenmatt und Max Frisch (um die deutschschreibenden Schweizer zuerst zu nennen), Wolfgang Hildesheimer und Heinrich Böll, Marie Luise Kaschnitz und Ilse Aichinger, Siegfried Lenz und Peter Hirche: die Mitarbeit aller dieser Autoren an der neuen Kunstform wurde zwischen 1951 und 1953 durch die Faszination des *Träume*-Auftaktes stimuliert. Aus der Vorkriegszeit waren an wichtigsten Hörspielschreibern noch Fred von Hoerschelmann, Josef Martin Bauer und Wolfgang Weyrauch übrig; vor und längere Zeit nach Eichs großem Auftritt stießen 1949 Erwin Wickert und 1955 Ingeborg Bachmann zur Gruppe derer, die den Kanon unsres Nachkriegshörspiels entwickelten. Dann folgte der Schwarm der Jungen, die die geprägte Form vorfanden, und sie bisher nahezu als selbstverständlich hinnahmen und erfüllten.

Doch kehren wir zu jenem Eich-Werk zurück, von dem mit Recht immer wieder gesagt wurde, es bezeichne die Geburtsstunde des deutschen Hörspiels. Es bezeichnet noch mehr: die literarische Minute, in der die Deutschen aus der krankhaften Selbstbezogenheit wieder zu ihrer humanen Mitverantwortung zurückfanden. Denn während bei Borchert noch Selbstmitleid und der Anspruch auf erlösende Hilfe mitschwingen, will uns Eich

an einfachen Symbolen die Forderungen zeigen, die die Schicksalsgemein-
schaft der ganzen Welt an uns hat. In allen fünf Kontinenten spielen die
Angstträume, die jeweils durch nüchtern formulierte Meldungen und
durch den Aufruf anspruchsvoller Verse miteinander verbunden sind: der
erste Traum in Deutschland, wo der zwangsweise Transport von Menschen
in verriegelten Güterwagen – wenn nicht erfunden, so doch am meisten
praktiziert und erlitten wurde, der letzte Traum in einer Hochhauswoh-
nung in den USA, deren harte Betonwände und deren ahnungslose Bewohner von Termiten innerlich zernagt und ausgehöhlt werden. Überall
wird offenbar, welche Deformationen am Menschen vor sich gehen, und
wie ohnmächtig der einzelne demgegenüber ist.

Die Schreckensbilder aber sind nur eine Komponente des Eichschen Hörspiels, die andre steht pardox und anscheinend ohne logische Verbindung
daneben; trotz der in den Träumen erfahrenen Machtlosigkeit werden wir
aufgerufen, Widerstand zu leisten:

Schlaft nicht, während die Ordner der Welt geschäftig sind!
Seid mißtrauisch gegen ihre Macht, die sie vorgeben für euch
erwerben zu müssen!
Wacht darüber, daß eure Herzen nicht leer sind, wenn mit der
Leere eurer Herzen gerechnet wird!
Tut das Unnütze, singt die Lieder, die man aus eurem Mund
nicht erwartet!
Seid unbequem, seid Sand, nicht das Öl im Getriebe der Welt!

II.

Unsre Zeit hat keinen bedrängenderen Widerspruch zu bieten als die
Ohnmacht gegenüber ihren Verhängnissen, die zugleich Mitverantwortung bedeutet. Dies wurde überall in der Welt zum Thema moderner
Poesie, durch Eich ganz besonders auch im deutschen Hörspiel. Mit den
»Liedern, die die Ordner nicht erwarten«, sucht man dort unter den Ohn-
mächtigen und Vereinzelten Bundesgenossen. Gemeinsam will man dann
die Wirklichkeit auf doppelte Weise definieren: indem man sie in poetischen Modellen festlegt, soll ihre Macht begrenzt werden. Glückt es, dazu
das Mittel der Sprache so zu differenzieren und zu präzisieren, daß die
vagabundierenden Partikel aus dem natürlichen Kraftfeld des Geistes her-
ausgeschossen werden können, kann vielleicht auch die rettende Be-

schwörung gelingen. Weil man die Aufgabe und ihre Wichtigkeit sieht, ist inzwischen die Sprache und die Dichtung selbst zum Gegenstand der Dichtung geworden; im Rundfunk handelt es sich um die Wiederentdeckung der lebendigen, der klingenden Sprache.

Seit Eichs *Träumen* hat man im Hörspiel eine Schwesterform der Lyrik erkannt. In wenig mehr als zehn Jahren entstand eine umfangreiche Literatur an Hörspielen und über Hörspiele; Eich selber, Hildesheimer, Hoerschelmann schrieben jeder mehr als ein Dutzend Stücke, mit denen sie die Form immer souveräner entwickelten; zwischen zwei- und dreihundert Hörspieltexte liegen heute gedruckt vor. Dabei wurde natürlich die bloß unterhaltende Funktion der jungen Kunstgattung – ohne daß man die Natur des Rundfunks als Masseninstrument ganz vergaß – stark zurückgedrängt. Alle Möglichkeiten wurden nach Innen entwickelt. Innerer Monolog, innere Handlung, imaginative, spirituelle Wirklichkeit: dies waren die Handwerksbegriffe, die am Anfang standen. Es gibt keine Kunstform, in der sich so widerstandslos das Wirkliche und das Individuelle im experimentellen Raum der Phantasie aufspalten läßt. Vor allem war das, was im Theater immer nur bedingt, von der Schwerkraft des Körperlichen behindert, gelingen kann: das freie Spiel mit der Kategorie der Zeit, im Wortkunstwerk aus bloßen Stimmen ganz selbstverständlich. Wenn Robert Musil es um 1918 in seinen Tagebüchern als Ziel des modernen Dramas bezeichnet hatte, »die Zeit außer Spiel zu lassen« und statt dessen »ein neues Ordnungsprinzip einzuführen«: in der darstellenden Kunst des Rundfunks, in der sich alles nur in fiktiven Welten aus Sprache und Klang vollzieht, wurde dieses Ziel mühelos erreicht.

Allerdings liegt in der schrankenlosen Freiheit auch die Gefahr ins Nur-Artifizielle, Verspielte abzustürzen. Aber dazu waren die Deutschen – namentlich damals – zu schwerblütig. Seltsam, daß ihnen angesichts der neuen Kunstgattung immer wieder alle Fehler zu Vorzügen werden! Sind übrigens Fehler und Vorzüge heute überhaupt noch eindeutig unterscheidbar? Kann nicht vielleicht sogar die Tatsache, daß wir in Deutschland keine gemeinsame Geschichte besitzen, kann nicht gerade der Mangel an Tradition in einer Zeit, in der Rückgriffe oft zu Aushilfen und Irrtümern werden, ein hoffnungsvoller Vorzug sein?

Es ist wohl anfangs, nach dem Krieg, in keinem Land der Welt so vorurteilslos gefragt und überlegt worden wie bei uns. Nach der niederschmetternden Erfahrung, wieviel Schuld ein Volk auf sich laden kann, ohne sich dessen wirklich bewußt zu sein, waren es vor allem Gewissensfragen, denen wir uns stellten: der innere Ort, an dem Hörspiele spielen, wurde uns

geradezu mit dem Gewissen identisch. Unsre Fragen aber waren nicht unverbindlich metaphysisch, sondern konkret politisch und historisch. In Claus Hubaleks Hörspiel *Die Festung* fährt der russische Parlamentär mit den deutschen Offizieren, die sich um der Opfer willen zur Kapitulation bereitfinden müssen, durch die Ruinen Königsbergs, und der Russe zitiert bewundernd Immanuel Kant – im nämlichen Augenblick, in dem Kants sittlicher Idealismus und alles, was ihm anderthalb Jahrhunderte lang folgte, beweiskräftig für die Deutschen zusammengebrochen war. Und in Eichs Hörspiel *Die gekaufte Prüfung*, das 1947, in der Zeit des großen Nachkriegselends spielt, erinnert der Studienrat, den sein Schüler vor der Prüfung mit Speck und Kaffee bestechen will, seine Ehefrau an die »Pflicht«; sie aber verweist ihn – überzeugender und humaner – auf eine weniger abstrakte Pflicht, auf die gegenüber seinen verhungernden Kindern. Neben den Handelnden und Leidenden steht auch hier wieder Kants Sittengesetz und widerlegt sich selbst, verlangt, den Hochmut fahrenzulassen und die kleine Schuld auf sich zu nehmen, um nicht größerer zu verfallen.
Die deutschen Nachkriegserfahrungen wirkten in beträchtliche Tiefen. Als Jean Marais in Paris den Prinzen von Homburg spielte und in dem Stück des Preußen Heinrich von Kleist etwas wie Racinesche Tragik entdeckte, hatten wir das Gefühl, daß diese sittlichen Problemstellungen niemals wieder mit unserer Wirklichkeit etwas zu tun haben könnten. Der Triumph des Marais-Gastspiels in Deutschland beruhte vielleicht gerade darauf, daß wir empfanden: wir hatten Kleist an Frankreich abgetreten, er hatte an uns keine Forderungen mehr.
Unmöglich, hier von der Fülle der Hörspiele zu berichten, in denen die Auseinandersetzungen mit unserer mißglückten Vergangenheit und unsrer prekären Gegenwart geschah. Wie lahm das Verhältnis unsrer deutschen Schriftsteller zum Theater war, erwies sich auch darin, daß unsre Bühnen kaum einen Bruchteil solcher aktuellen Klärungsarbeit leisteten. Was eigentlich nur einer der älteren Dramatiker, was Carl Zuckmayer mit konventionell-dramatischen Mitteln in *Des Teufels General* einmal zustande brachte (abgesehen natürlich von Brechts antifaschistischen Stücken aus der Emigration), das wurde von den Jungen mit Hörspielen weitaus intensiver und extensiver vollzogen. Eine ausgedehnte Sendereihe des Norddeutschen Rundfunks mit rund fünfundzwanzig für den Funk konzipierten Werken trug den Titel *Selbstporträt der Zeit*. Sie war ein Selbstporträt der Ratlosigkeit, in der die Deutschen damals sozusagen Avantgardisten waren; es scheint, daß die übrige Welt ihnen inzwischen in der Ratlosigkeit etwas nacheifert.

Jedenfalls machte die Auseinandersetzung nicht etwa beim Hitlerismus halt, sondern sie führte bis in die Fragwürdigkeiten der sittlich unterentwickelten modernen Wohlstandswelt. Max Gundermanns *Terminkalender* (einer der auch im Ausland erfolgreichsten deutschen Texte), Herbert Eisenreichs *Wovon wir leben und woran wir sterben* (für das der Autor den Prix Italia erhielt), Dürrenmatts *Panne* und Max Frischs *Biedermann und die Brandstifter* (das erst viel später zum Bühnenstück umgeschrieben wurde), – sie alle, neben vielen anderen, wollen uns mit anschaulicher Dialektik über die mörderische Gedankenlosigkeit eines falschen westlichen Freiheits- und Wirtschaftsopportunismus aufklären.

Doch sind Aufklärung und Polemik nur die negative Seite der Entwicklung, die simplere. Die Frage nach einer neuen Moral, die die zerbrochene ersetzen soll, kann weder durch arrogante Anti-Haltung noch mit der tragischen Draperie des Heroismus beantwortet werden. Der junge Hirche stellt in seinem Hörspiel *Nähe des Todes* fest, daß die Bereitschaft zum Martyrium allein nicht mehr ausreicht: »Fast möchte ich die Märtyrer als Verräter bezeichnen.« Und auch im *Nächtlichen Gespräch mit einem verachteten Menschen*, einem der acht Hörspiele Dürrenmatts, heißt es, daß es weder den »gesunden« noch den »imposanten Tod« mehr gibt, da »die Dinge einen Verlauf nehmen, als wäre man in eine Hackmaschine geraten.« Aus Dürrenmatts wie aus Eichs Hörspielen kann man lernen, daß nur noch aus den extremsten Positionen exemplarische Entscheidungen denkbar sind: aus Positionen, die sozusagen außerhalb der Welt liegen – wobei keineswegs an eine wahlfreie Transzendenz gedacht wird. Im *Unternehmen der Wega* zum Beispiel läßt uns Dürrenmatt mit einer Delegation der westlichen Weltmacht auf der Venus landen. Man will den Stern, da er sonst dem Osten anheimfallen könnte, für das westliche Bündnissystem gewinnen. Nun bedrohen die Unterhändler der christlich-abendländischen Zivilisation »notgedrungen« die Venusbewohner mit Wasserstoff-Kobalt-Bomben, falls sie sich nicht fügen. Andernfalls bleibt ihnen nur die Alternative, wieder auf die Erde heimzukehren und die kalten oder heißen Kriege dort mitzumachen. Wer aber sind die Venusmenschen, die trotz so kompakter Gefahr weiterhin, unangefochten von Machtkämpfen, in ihrer chaotischen Venuslandschaft aus Nebel und Meer, Orkanen und Ungeheuern zu leben wünschen? Die Venus wurde einst als Strafkolonie der ganzen Erde benutzt. Jahrelang wurden dort sowohl alle östlichen als auch alle westlichen Defätisten und Renegaten hinaufgeschossen. Nun bekennen sie sich zu dem Elend und der Todesnot auf ihrem Stern als zu dem kleineren Übel, als zu ihrer Form der Freiheit.

Auch Eich hat diesen Gedanken (freilich niemals so ironisch-feuilletonistisch wie Dürrenmatt im »Wega«-Beispiel) in seinem Gesamtwerk in mehreren Stücken entwickelt. Hier soll nur noch von der einstweilen letzten Position gesprochen werden, die er – in *Festianus Märtyrer* – erreicht hat. In diesem Hörspiel wird alles, was noch an vorgeblich »positiven« Kräften in der heutigen Welt existiert, ad absurdum geführt, jedes selbstsichere Wissen und Glauben, jedes Auserwählungsgefühl, jede Erlösung auf Kosten derer, die damit ausgeschlossen werden, kurz: alle Formen von wissenschaftlichem und dogmatischem Hochmut, jede weltliche und geistliche Ideologie. Festianus, der als Märtyrer schon in den Gefilden der Seligen war, begibt sich zu den Verlorenen in die Unterwelt und will dort bleiben – zuerst aus bloßer Barmherzigkeit, dann aus Überzeugung, weil er die Grenzen zwischen Himmel und Hölle endgültig aufheben will. Es ist eine ähnliche Erkenntnis, eine ähnliche Bereitschaft, wie sie während des Krieges die verehrungswürdige französische Jüdin Simone Weil bewährte, die gestand: sie zöge es vor, mit dem guten Schächer an der Seite des Gekreuzigten Todesqualen zu leiden, statt mit den Privilegierten zur Rechten des erhöhten Herrschers in der Seligkeit zu thronen.

III.

Das Hörspiel und die künstlerischen Möglichkeiten, die es bot, waren nach dem Krieg irgendwie der Glücksfall der deutschen Literatur. Waren? Das will gewiß nicht heißen, daß die Autoren dem Hörspiel untreu werden und sich dem lukrativeren Fernsehen zuwenden; dergleichen ist in Anbetracht des fortwährenden literarischen Interesses an der Kunstform des gesprochenen Worts weder in nennenswertem Umfang zu beobachten gewesen noch zu erwarten. Es will aber heißen, daß man gleichwohl das Gefühl hat, als komme sowohl stilistisch als auch durch das Abklingen eines großen und allgemeinen Impulses eine bedeutsame literarhistorische Periode zu einem gewissen Abschluß. 1927 forderte Bertolt Brecht im »Berliner Börsen-Courier« angesichts der damals eben vier Jahre bestehenden Rundfunksender eine systematische Pflege der Hörspielform durch die Redakteure der Funkhäuser; als Ziel der Bemühungen, »Arbeiten ausschließlich für das Radio zu gewinnen«, müßte man »mit der Zeit eine Art Repertoire schaffen«, d. h. Stücke, die man »in bestimmten Intervallen aufführen« kann. Heute existieren solche Hörspiele, existiert ein solches Repertoire längst, und Zahl und Niveau sind beachtlich. Die vielfach gewünschten Wiederholungen aber sind ein Zeichen dafür, daß manche dieser Stücke durchaus schon ins literarische Bewußtsein unsres Volks eingegangen sind. Sogar in den Schulen werden sie gelesen.

Die Entstehung von heute noch gültigen Repertoire-Hörspielen begann 1929, im sechsten Jahr der Einführung des Rundfunks: das ist bemerkenswert. Von der Fruchtbarkeit, Intensität und Schnelligkeit, mit der seitdem – vor allem in den Jahren zwischen 1951 und 1958 – bedeutende radiophonische Texte entstanden, kann man sich heute kaum mehr bei den Hörfunkredaktionen eine Vorstellung machen, geschweige denn im Fernsehen, wo man – nach mehr als anderthalb Fernsehjahrzehnten! – weder die Repertoireforderung Brechts zu erheben noch auch nur die Bemühung um ein formeigenes Fernsehspiel zu proklamieren wagt.

Übrigens begann in Deutschland das Fernsehen infolge des verlorenen Krieges später als in vielen andern Ländern. Nach vorausgegangenen Ansätzen in der Nazizeit und seit 1950 in einem Hamburg-Berliner Versuchsprogramm wurde erst 1952 der offizielle Programmbetrieb eröffnet. Dennoch besitzen heute schon rund zwei Drittel aller Hörfunkteilnehmer auch ihr Fernsehgerät. Die Bedeutung des Instruments im Alltag der breiten Öffentlichkeit ist kaum zu überschätzen – ebenso wenig wie der ungeheure industrielle und intellektuelle Fleiß, den die fast ins Unvorstellbare gewachsene Produktion erfordert.

Die Schwerpunkte dieser Produktion liegen allerdings auf anderen Gebieten als auf literarisch-künstlerischen. Vor allem die Unterhaltungssendungen, selbst die mäßig anspruchsvollen, verlangen einen Aufwand an Mitteln und Perfektion, der weit über das hinausgeht, was beim Hörfunk für diese Sparte nötig war. In den allgemeinen Sog zu perfekter Unterhaltung wird dann ein nicht geringer Teil anderer Sendesparten mit hineingezogen. Mehr als je beim Hörspiel entsteht auch, was an dramatischen Sendungen im Fernsehen geboten wird, unter diesem Gesichtspunkt.

Das Besondere und wirklich Bemerkenswerte des neuen Instruments liegt aber auf einem andern Gebiet, das hier nicht unerwähnt bleiben darf, obwohl es ursprünglich mit dem Fernsehspiel nicht zu tun hat. Gemeint ist die Fülle politisch-weltanschaulicher Konfrontation vor allem mit Dokumentarsendungen und Filmfeatures jeder Art. Es ist ein Segen, daß die Erfindung des Films nicht von vorgestern, sondern erst von gestern ist, so daß er mit seinen Dokumenten nie in die Gefahr unfruchtbaren Historisierens geraten kann, sondern immer in Zeiträumen bleibt, für die wir auch heute noch irgendwie Rechenschaft zu geben haben. Mehrere ausgezeichnete Produktionsgruppen in Deutschland haben sich das zunutze gemacht, am Anfang stand wohl die Stuttgarter mit Heinz Huber und Arthur Müller. Sie ließ uns im Zauberkasten Bilder seltsam fremdartiger Menschen aus nächster Vergangenheit oder gar aus der Gegenwart sehen und machte uns dabei klar, daß es unsere Bilder sind. Solche Begegnungen können im eigenen Land, in näherer oder weiterer Nachbarschaft oder, wie von der Gruppe Peter von Zahn mit Vorliebe praktiziert, in globalen Entfernungen bei unterentwickelten Völkern stattfinden: wichtig ist, daß es überall auf die alte Brahman-Erfahrung des »tat tvam asi« hinausläuft.

Angesichts der Wirkung solcher Sendungen wird sehr oft die Frage aufgeworfen, warum vergleichbar Eindrucksvolles im Fernsehspiel (und wohl nicht nur im deutschen) bisher noch nicht geschehen ist, und ob es überhaupt geschehen kann. Vermutlich steht dem das eigentümliche Wirklichkeitsverhältnis des photographierten Bildes entgegen. In ihm vermag Kulisse, d. h. gestellte oder eigens aufgebaute Wirklichkeit, immer nur ihre eigne Vordergründigkeit auszudrücken, gelangt darum stilistisch, obwohl aufs Wort angewiesen, mit der vielschichtigen Phantasiewirklichkeit des schöpferischen Worts und der Sprache nie recht zu künstlerischer Einheit. So lebt das Fernsehspiel als Kunstform in doppeltem Schatten: dem des Theaters, das der schweifenden Phantasie weit größere Freiheit gewährt, und dem des Films, der gegenüber dem groben Raster des Bildschirms photographisch ein weit genaueres Bloßlegen von trivialer Wirklichkeit gestattet.

Eine Zeitlang hat es bei uns eine Produktionsgruppe gegeben, die das Dilemma dadurch zu vermeiden suchte, daß sie sich programmatisch vom Film möglichst weit distanzierte, um vor allem der Sprache und dem dramatischen Dialog Raum zu schaffen. Das Fernsehspiel wäre dann, so wurde argumentiert, eine gegenüber dem Fernseh*film* gesonderte Gattung und läge ungefähr in der Tradition des Kammerspieleinakters. Sein Wesen wäre wie beim Kammertheater das Ringen um die Synthese zwischen dem Wort und der körperlichen Verwirklichung des Worts durch den Darsteller; er soll den Bildschirm mit seiner Intensität, der Intensität der manifesten Idee, nach Kräften ausfüllen. Eben dabei kämen ihm dann auch die neuen technischen Mittel entgegen: im Vergleich mit dem Theater das vollständige Verschwinden der Rampendistanz und die Großaufnahme, und im Vergleich mit dem Film die allseitige, enge Einkreisung des Akteurs durch die Batterie der immer auf ihn gerichteten Kameras. Auf diese Weise sei der Akteur nicht mehr nur Objekt des einen Objektivs und nicht mehr nur in *eine* Richtung gestellt, sondern das Kamerateam gebe ihm, indem es stets rings um ihn präsent ist und ihn unablässig verfolgt, die volle Spielfreiheit zurück.

Trotz interessanter Ansätze und trotz der Zusammenarbeit mit so namhaften Autoren wie Wolfgang Hildesheimer, Claus Hubalek, Joachim Maass oder Walter Jens waren die etwa zweijährigen Bemühungen um diese literarisch-dramatische Form des Fernsehspiels bei uns leider nicht auch nur annähernd so erfolgreich wie in den USA, wo ja immerhin als hervorragendes Beispiel der Gattung *Die zwölf Geschworenen* entstanden. Dabei haben sich auch bedeutende Regisseure, z. B. (bei uns wie im dänischen Fernsehen) der Däne Sam Besekow, in dieser Art bemüht. Dennoch hat sich schließlich überwiegend die resignierende Meinung durchgesetzt, das Fernsehen ließe infolge des notwendigerweise so schnellen und teuren Produktionsausstoßes einfach zu wenig Zeit für Experimente, und man müsse sich mit der Mischform zwischen Film und photographiertem Theater ein für allemal abfinden. Daß die Verantwortlichen mit einer solchen Haltung von vornherein darauf verzichten, ähnlich wie beim Hörspiel eine eigene Form zu finden, und daß ferner die formale Beliebigkeit zwar Regisseure und Autoren von hurtiger Virtuosität, nicht aber solche von bewußter künstlerischer Leidenschaftlichkeit erzieht, steht außer Zweifel. Auch in unsrer Programmpraxis tut sich leider diese Beliebigkeit kund. Rund neunzig Prozent dessen, was unter dem Namen Fernsehspiel läuft und lief, sind Theatertexte, gelegentlich auch Hörspieltexte. Sogar Spielfilme, die man sendet, wirken dagegen oft formal ungezwungener und dem Instrument angemessener. Doch ist in beiden Fällen das Fernsehen (im Unterschied zum Rundfunk beim Hörspiel) genau genommen nur ein Transportmittel für Fremdgewachsenes, nicht das Produktionsmittel einer eigenen, instrumental entwickelten Form.

Das schließt freilich nicht aus, daß es eine Reihe hervorragender Fernsehspielproduktionen in Deutschland gibt, von denen manche durchaus mit dem gleichen künstlerischen Anspruch auftreten können, den unsre besten Bühnen erheben. Zuerst war es wohl wiederum der Südfunk Stuttgart, der einen einleuchtenden Stil für die Darstellung von Bühnenwerken im Fernsehen entwickelte. Außer einer Inszenierung von Anhouils *Lerche* war vor allem eine Sendung von Brechts *Kaukasischem Kreidekreis* – mit der ersten Anwendung des gewölbten Bühnenbodens im Fernsehen durch den Ausstatter Gerd Richter und der Entwicklung eines eigenen Sprech- und Bewegungsstils durch den Regisseur Joseph Wirth – wegweisend. Inzwischen sind die Väter der verantwortlichen Produktionsgruppe, Helmut Jedele und Hans Gottschalk, leider Unternehmer geworden, Leiter einer

sich ständig vergrößernden, eigenen Produktionsfirma, so daß sie nun über
den bedrängenden Problemen ihres umfangreichen Betriebs kaum mehr zu
künstlerisch originären Fragen kommen. Immerhin haben sie es verstanden, das Vertrauen der Sendeanstalten und den Respekt der Kritik zu
gewinnen, und eine Anzahl der besten Regisseure an sich zu binden – etwa
Ludwig Cremer und Rudolf Nolte, denen bei anderen Produktionsgruppen Namen wie Oswald Döpke und Peter Lilienthal an die Seite zu stellen
wären. Durch sie kamen immer wieder denkwürdige Fernsehinszenierun-
gen zustande: etwa Cremers Interpretation von Max Frischs *Chinesischer
Mauer* oder (trotz technisch mißglückter Filmaufzeichnung) Noeltes Inszenierung von Dürrenmatts Zweipersonenszene *Abendstunde im Spätherbst*,
die ursprünglich Hörspiel war, und vieles andere mehr.
Gegen so vollendete Wiedergaben erprobter und bewährter Texte können
sich die relativ wenigen Versuche mit eigens für den Bildschirm verfaßten
Texten noch bei weitem nicht behaupten. Dennoch ist die Bescheidung, die
zu einer gewissen Vollkommenheit führt, wohl weniger interessant und
wichtig als die besorgten, wenngleich unvollkommenen Bemühungen um
einen eigenen Materialstil des Fernsehens. Doch auch dabei sollten wir
unsre Aufmerksamkeit nicht zuerst auf diejenigen Werke lenken, die
eindrucksvolle Lösungen aufgrund von Kompromissen erbringen (einer
der Meisterautoren, die hier zu nennen sind, ist Dieter Meichsner, der
immer wieder, zuletzt in *Preis der Freiheit*, unser gegenwärtiges deutsches
Schicksal zu gestalten versucht, – sondern auch hier müssen vorerst noch
Konsequenz und Entschiedenheit höher bewertet werden als das Gelingen.
Die meisten dieser Versuche gehen zur Zeit nicht vom Literarischen und
Dramatischen aus, sondern, entsprechend den erwähnten Erfahrungen des
Instruments, vom Filmisch-Dokumentarischen, das man zu künstlerischer
Geschlossenheit emporzustilisieren versucht. Wie weit solche Geschlossenheit gelingt und wie weit man dennoch eng am Dokumentarischen zu blei-
ben vermag, scheint dabei den Ausschlag zu geben. Der Arbeitsbegriff
»semidokumentarisch« ist bezeichnend. Egon Monk hat mit relativ bescheidenen Mitteln gemeinsam mit Christian Geißler den Alltag einer jungen, kleinbürgerlichen Arbeiterfrau – vollständig wortlos übrigens – darzustellen versucht *(Wilhelmsburger Freitag)*, darauf mit ungewöhnlichem
Aufwand an Kosten und Bauten zusammen mit dem Autor Günter R. Lys
den Tag eines Konzentrationslagers *(Ein Tag)*. Der mutige, weil mit den
Mitteln des »Dramatisierens« nicht anzupackende Vorwurf war noch immer zu sehr *gestelltes* Dokument; die Wiedergabe von Menschen im dramatischen Erleiden verbrecherischer Gewalt geriet demgegenüber sehr

viel spannender, konnte aber natürlich den Anspruch, wirklich dokumentarisch zu sein, noch weniger erfüllen. Echter Dokumentation näher – etwa im Sinne von Richard Leacocks Cinéma Vérité – sind Arbeiten wie etwa die Claus Wildenhahns oder Eberhard Fechners (*Porträt des Jazzpianisten Jimmi Smith* oder die authentische Darstellung eines groteskdreisten Warenhauseinbruchs *Selbstbedienung* oder *Bayreuther Proben* usf.). Freilich erhebt sich bei diesem ganzen Genre die Frage, ob nicht – mindestens gegenüber dem Film – die starke Anleihe, die bei der Dokumentation aufgenommen werden muß, den Anspruch widerlegt, hier gehe genuines Fernsehspiel in eingewachsener Form vonstatten.

Gibt es eigentlich ein Kennzeichen, an dem sich das deutsche Fernsehspiel von den anderer großer Fernsehländer des Westens, vor allem von dem der USA und Englands wesentlich unterscheidet? Wohl nicht - es sei denn durch jenen bei uns so beliebten Hang zu manipulierbarer künstlerischer Perfektion, der oft mit so schwachem Mut zum freien Experimentieren verschwistert ist, und der sich deshalb so leicht mit dem Erprobten und Konventionellen begnügt. Man kennt das schon vom deutschen Film. Dagegen kann nur mit verwegener Experimentierlust angegangen werden, die, wo sie vorhanden ist, unter den obwaltenden Umständen nicht laut genug gepriesen werden kann. Leider ist sie nur in bescheidenen Mengen vorhanden; das Experiment geht in der Masse guten Mittelmaßes unter. Ähnlich wie in unsrer deutschen Politik ist auch bei Form und Inhalt unsrer Fernsehprogramme Erstarrung in allzu voreilig festgelegten Denkkategorien das entscheidende Übel. Beklommen fixieren die Verantwortlichen das monströse und kostspielige Instrument und die große Zahl derer, die mit der unerschütterlichen Unbefangenheit kleiner Leute von ihm ihre durchschnittliche tägliche Befriedigung verlangen, und fühlen sich unfrei. Leistungen aber erwachsen nur aus dem Mut zur Freiheit und Unabhängigkeit.

Wahrscheinlich müssen wir irgendwie durch die Periode der Angst hindurch, die die politischen und künstlerischen Betreuer unsrer Fernsehprogramme heute noch vor ihrer überdimensionalen Aufgabe haben. Aber wird der unerläßliche Durchbruch gelingen? In einem Augenblick, da neue Investitionen und Sensationen im Farbfernsehen gemanagt werden müssen, die künstlerisch nicht annähernd gleich große »Fortschritte« versprechen, ist die Aussicht keineswegs rosig. Unser Fernsehen, so scheint es, müßte erst einmal technisch, publizistisch und politisch wieder uninteressanter werden, wenn es künstlerisch interessanter werden soll.

Das Theater

Christian Ferber

Das Theater in der Bundesrepublik Deutschland und Westberlin beeindruckt ausländische Beobachter mit einer Eigenschaft, die mit Bühnenkunst
noch nicht unbedingt etwas zu tun hat, wohl aber dieser Kunst unter halbwegs glücklichen Umständen förderlich sein kann: Mimus gedeiht nicht
nur in den großen, sondern auch in nahezu allen kleineren Städten; ein
engmaschiges Netz ist geknüpft mit Knoten im ganzen Lande – das zudem
beinahe überall von Geldgebern der öffentlichen Hand abgesichert wird.
Diese Menge, wenn auch nicht immer Vielfalt der Bühnen ist nicht neue
Errungenschaft, sondern Tradition.

Nicht viel Erfreuliches haben wir aus den Tagen der deutschen Klein-
staaterei geerbt, doch immerhin viele mehr oder minder fürstlich dotierte
Hoftheater: seit etwa zwei Jahrhunderten wird Thalia planmäßig auch in
Städten und Städtchen der Provinz genährt. Vor fünfzig Jahren lösten dann
die Kommunen als seufzende Mäzene ihre Fürsten ab, die Metropole Berlin reifte als Hauptstadt auch der Bühnenkunst heran, das Netz aber blieb
bestehen: mit zahllosen guten Provinzbühnen, und mit gut zehn Provinztheatern ersten Ranges.

Auch im Jahrzwölft der Gewaltherrschaft wurde an diesem System nichts
geändert. Wohl powerte die kleinbürgerliche Diktatur das deutsche Theater
aus; das deutsche Judentum wich Hitlers Austreibern und Mördern auch
aus den Bühnenhäusern, ein Aderlaß, von dem sich unsere Bühne in
diesem Jahrhundert nicht mehr erholen wird – aber die Bühnen funktio-
nierten weiter: einfach, weil die Gewaltherrscher sie aus ungezählten Gründen brauchten.

Das System der Bühnen in Stadt und Städtchen war auch unter den Ruinen
der Katastrophe intakt geblieben. Mehr noch: ein Großteil der deutschen
Theaterleute war zum mindesten nach den Maßstäben der Besatzungsmächte »unbelastet« – stand also sogleich für die freie Ausübung einer
Kunst zur Verfügung, die elastische und wandlungsfähige Naturen nicht
nur toleriert, sondern geradezu verlangt. Die Folgen jener Bewußtseins-
spaltung, die in Deutschland manchem hervorragenden Vertreter der
Intelligenz auf dem Weg aus der Gewaltherrschaft in die Demokratie so

viel zu schaffen gemacht haben, sie waren im Bereich des Theaters kaum zu spüren. Zudem: etwa die Hälfte aller Aufführungen in Hitlers Deutschland hatte ohnehin nicht den verschwommenen Primitiv-Maximen entsprochen, die Hitlers Funktionäre dem Theater setzen wollten: weder Kunst noch Unterhaltung kann aus den Wünschen beleidigter Kleinbürger entspringen. Die andere, die schlechtere Hälfte, vom dümmlichen Weihespiel eines Mannes namens Möller bis zur pompösen Verzerrung eines mißverstandenen Grabbe – sie wurde auch von Goebbels-Verehrern nur als Pflichtaufgabe erledigt. Kurzum, wenn das deutsche Theater auch an manchen Stellen während des braunen Jahrzwölfts gewiß herzlich schlecht geworden ist – seine Betreuer identifizierten sich mit den Fabrikaten nicht so innig, wie es etwa Hitlers Pinseler mit ihren Kitsch-gefüllten Leinwänden taten.

So war es denn nach der deutschen Niederlage beim Theater wesentlich einfacher als bei anderen Künsten, wieder zu beginnen. Wo die Bühnenhäuser zerschlagen waren, fand sich eine Turnhalle oder ein Hotelsaal. Wie alle Künstler sind auch Theaterleute dazu verdammt, ihre Finger nicht von ihrer Arbeit lassen zu können – selbst dann, wenn sie sehr hungrig sind. Hinzu kam natürlich, daß auch die neue Obrigkeit am Theater interessiert war. Alle vier Besatzungsmächte kargten nicht mit Lizenzen für zuverlässige Direktoren, und sie importierten die Stücke ihrer Länder schneller als jedes andere geistige Gut. Dieser rasche Import, Brot für ein auch geistig ausgehungertes und zwölf Jahre lang von der Welt abgeschlossenes Volk, er hat ohne Zweifel nicht nur dazu beigetragen, das Theater schnell zu beleben – er hat auch durch die Fülle der Exempel in manch verwirrtem deutschen Kopf ein wenig Ordnung geschaffen.

So ging denn allenthalben die Gardine hoch, für Sartre und Wilder, für Claudel und O'Neill, für Tschechow und Anouilh. Daß sich dabei bisweilen neue Interpretationen ergaben, wird niemanden verwundern. Sartres *Fliegen* etwa, 1940 geschrieben wider die Resignation, wurde von einem deutschen Publikum zu Recht aufgefaßt als eine große Parabel von Schuld und Verantwortung.

Es blühte also die Kultur auf, während die Mägen knurrten – und als die Währungsreform im Jahre 1948 verkündet wurde, hatte sich das deutsche Theater schon beinahe in den Formen stabilisiert, in denen wir es heute kennen.

Auf den ersten Blick schien das System nicht wesentlich verändert worden zu sein. Stadttheater allenthalben, stark unterstützt aus dem Budget der Kommunen, dazu ähnlich finanzierte Staatstheater in den Hauptstädten der Länder. In Großstädten dazu einige Privattheater – von denen sich der eine Teil der Pflege leichter Unterhaltung, der andere (vor allem sogenannte Zimmer-Theater) vorwiegend der internationalen Avantgarde widmet. Häufig wird in den Stadttheatern neben dem Schauspiel auch Oper, Operette und etwas Ballett gepflegt; Zentren des Musiktheaters sind die von den Ländern geförderten staatlichen Opern. Neben der staatlichen Subvention und dem Abonnementssytem sorgen Besucher-Organisationen dafür, daß die Theater halbwegs gesicherte Einnahmen haben.

Daß diese Verteilung der Aufgaben nicht völlig befriedigt, zeigte sich erst in den letzten Fünfzigerjahren. Die seriösen Privatbühnen mit kleiner oder gar keiner Unterstützung konnten sich dem Experiment mit modernen Stücken nicht so widmen, wie es erwünscht war. Taten sie es dennoch, vergrämten sie die Zuschauer moderner Dramen durch unzureichende Aufführungen. Die großen und finanziell gepolsterten Häuser wagten sich ebenfalls nur ungern an schwierige Werke der modernen Dramatik heran; solche Werke sind einem Massenpublikum nicht immer zuzumuten – und außerdem ziehen die in der Weimarer Republik recht wagemutigen Besucherorganisationen heute eine risikofreie Berieselung ihrer Mitglieder vor. Solcher Zwiespalt hat dazu geführt, daß sich einige große Theater kleine Bühnen für das Experiment zusätzlich eingerichtet haben. Der Platz reicht gerade für den unmittelbar interessierten Zuschauerkreis, der Schutz des großen Hauses schirmt nicht nur das wirtschaftliche Risiko ab, die schwierigen Texte werden auch endlich von jenen Schauspielern gesprochen, die gut genug für sie sind.

Diese Lösung scheint auch darum günstig, weil die große Zeit der kleinen seriösen Privatbühnen nicht nur aus wirtschaftlichen Gründen zu Ende zu gehen scheint. Die Theaterchen der Avantgarde waren durchweg nur lebensfähig durch die starke Persönlichkeit eines einzelnen. Dieser einzelne ist mittlerweile – wie beispielsweise in Hamburg der unvergessene Helmuth Gmelin – gestorben, oder er wanderte ab: zum Fernsehen etwa, in ein großes Theater. Die sogenannten »tapferen« Kleinstbühnen in Privathand werden in deutschen Landen heute nirgends mehr von Theaterleuten der ersten Garnitur oder auch nur von solchen mit großer Zukunft geführt.

An diesem Punkt läßt sich erkennen, daß sich im deutschen Theater von heute, verglichen mit dem der Zwanzigerjahre, eben doch mancherlei verändert hat. Die kleine Bühne, privat finanziert, die etwa in Paris ein Zentrum des explosiven Experiments ist: das deutsche Theater kann sie sich nicht leisten, weil ihm eine dem Platz Paris vergleichbare Zentrale fehlt. Obwohl auch in den Zwanzigerjahren die Systeme in Frankreich und Deutschland sehr verschieden waren, ließen sich damals doch die Bühnenzentralen Paris und Berlin vergleichen. An beiden Orten strömten die Besten zusammen. Im Deutschland von heute aber haben mächtige Provinzzentralen viele Kräfte an sich gebunden, die früher in die eine Kapitale gegangen wären. Wohl sind die Berliner Bühnen auch heute noch die ersten des Landes (und das Berliner Publikum ist in Deutschland nach wie vor von keinem anderen zu übertreffen), aber eine Konzentration der Kräfte wie einst in Berlin und wie heute noch in Paris, von London ganz zu schweigen: wir haben sie nicht mehr. Damit fehlt dem deutschen Theater denn auch das überwältigende Exempel.

Nirgends in deutschen Landen gibt es mehr jene entscheidende Instanz, die das Berliner Theater bis zum Jahre 1933 gewesen ist. Die Theater der deutschen Provinzen brodeln im eigenen Saft. Berlin, Hamburg, München, Düsseldorf, Frankfurt, Köln, Stuttgart: das sind Bühnen mehr oder minder gleichen Ranges. Sie tauschen gelegentlich ihre Protagonisten aus, sie können einander kaum etwas vormachen. Die Qualität ist gut – aber für den Griff nach den Sternen fehlt jene zentrale Plattform, die fast alle anderen großen Theaterländer dieser Erde besitzen.

Die Sehnsucht nach einer solchen Plattform ist groß: eine Serie von Festspielen in jedem Sommer und in jeder besseren Ruine beweist das. In Berlin wurde der Versuch gemacht, alljährlich eine Leistungsschau der besten Aufführungen aus der Bundesrepublik zu zeigen – ein interessanter Rundblick ist das Ergebnis, mehr aber nicht. Auseinandersetzungen sind kaum möglich, wenn Fertiges vorgeführt wird – auf den Wert der Anregung ist zu hoffen. Ähnlich steht es um die von den Gewerkschaften betreuten Festspiele zu Recklinghausen – entstanden aus dem Gedanken, den Arbeitern des Reviers gutes Theater vor die Tür zu bringen. Auch hier entwickelt sich im besten Fall eine imponierende Schau von Leistungen aus den Provinzzentralen – sehr oft übrigens dank des Austauschs, den die beteiligten Bühnen mit ihren besten Schauspielern vornehmen.

Denn dies ist ein Hauptkennzeichen für das veränderte deutsche Theater in der Zeit nach dem zweiten Weltkrieg: die festgefügten Spielgemeinschaften von einst sind aufgesplittert. Manch einem Protagonisten sind Flugpläne so wichtig wie Spielpläne. Der Gast, ehedem selten und geehrt, der Gast gehört zum Theateralltag.

Oskar Fritz Schuh, von 1963 bis 1968 Hamburger Intendant, hat sich einmal ausführlich mit der Frage beschäftigt, wie es in unseren Tagen mit dem Begriff des Ensembles stünde. Er kam zu dem Ergebnis, daß es durch die Massenanforderungen der anderen Tummelplätze für Schauspieler ein Ensemble im alten Sinne nicht mehr geben könnte – und meinte, das eigentliche Ensemble sei heute der Stab aus Regisseuren, Bühnenbildnern und allenfalls Dramaturgen.

Das trifft gewiß für alle größeren Theater zu. Der deutsche Schauspieler unserer Tage, auch jener ersten Ranges, ist nach 1945 ein Mehrzweckartist geworden. Er muß mehr beherrschen als sein Bühnenhandwerk – und ist ständig in der Gefahr, eben dank seiner Vielseitigkeit sein Bühnenhandwerk nicht mehr vollkommen zu beherrschen. Der Film, dessen Anforderungen ja ohnehin nicht allzuviel mit Schauspielkunst zu tun haben, bedroht ihn nur durch Verschleiß seiner körperlichen Kräfte. Der Rundfunk zwingt ihm aber bereits einen bestimmten Sprechstil auf, und die Elektronen-Kamera-Herde im Fernsehatelier einen bestimmten Stil für Leib, Seele und deren Ausdruck.

Um es zu wiederholen: der Film schadet heute weder dem Theater noch nützt er ihm; die Auftritte von Filmdarstellern auf Lustspieltheaterbrettern sind im Guten wie im Bösen ohne Bedeutung. Rundfunk und Fernsehen aber sind mit dem Theater seit 1945 nahe verbunden – absonderliche Kinder, die der Magna Mater nicht nur immer nährende Milch, sondern bisweilen auch wichtige Lebensstoffe entziehen. Ein drahtloses Massentheater ist neben nahezu jeder bedeutenden Bühne errichtet worden. Das wirkt sich zwar nicht auf den Bühnenspielplan, wohl aber auf das Bild des Bühnenschauspielers aus. Der Darstellungsbeamte, zurückgedrängt in die kleinen Städte, ist in den Provinzzentralen dem Mehrzweckartisten gewichen – und sage keiner, neun von zehn Aufführungen, auch von den guten, würden nicht anders aussehen, wenn der bekannte und beliebte Mime in seinem Terminkalender nicht neben den Bühnenpflichten auch Hörspieltage und Fernsehwochen eingetragen hätte. Noch niemals in der Theatergeschichte hatte der Schauspieler in einer Nacht zwei Höchstleistungen zu liefern. Heute ist das aber ein- oder zweimal in der Woche die Regel: um elf Uhr tritt Malvolio von der Bühne ab, und eine Stunde nach Mitternacht verströmt er Bedeutung und Leistung ins Mikrophon.

Daher ist die Qualität der Bühnen in den Provinzzentralen heute kein kleineres Wunder als die Qualität von Stahl oder Gummi. Schauspieler verpulvern ihre Energien nicht minder leidenschaftlich als Ingenieure. Mit Schauspielkunst, mit richtiger Schauspielkunst wird heute außerhalb des Theaters bei den neuen Publikationsmitteln Geld verdient.

Dabei traf es sich natürlich gut, daß der Darstellungsstil nach 1945 sich allgemein jener kühlen Diskretion näherte, die auch die Dirigenten der technischen Kunst-Transportmittel als zweckmäßig empfinden. Die große Garde der deutschen Bühnenmagier, deren Namen in den Zwanziger-jahren ebenso funkelten wie noch in den Fünfzigerjahren – aber wenige von ihnen lebten noch nach dem Jahre Sechzig –, sie tat natürlich leicht den Schritt von Reinhardts und Jessners Bühnen, hinweg über Goebbels' Popanzschau in den Neurosengarten des Nachkriegs. Wo Krauss oder Ponto auf der Bühne standen, hatten sie ihr eigenes Maß. Aber die breite Mittelschicht, komödiantisch angepaßt den Bilderbogen und Deklama-tionen – sie mußte sich schon sehr gründlich stilwandeln oder abtreten: das deutsche Theater der Fünfzigerjahre war bei aller Mittelmäßigkeit mit einigen Spitzenleistungen unvergleichlich anders als jenes der Drei-ßigerjahre.

So vielfältig, wie es sich darbietet: die Intensität, die Kälte der Zurück-haltung bei aller Leidenschaft, die Fülle der gebrochenen Charaktere – das ist eine so konsequente Umkehrung der Verhältnisse, wie sie selten in so kurzer Zeit bei den darstellenden Künsten zu beobachten war. Das hat natürlich auch seine Nachteile. Mit dem Schwinden der Beliebtheit herz-haft eindeutiger Schauspieler-Typen sind auch Möglichkeiten des gehobe-nen vitalen Theaters eingeengt worden. Die Fülle guter und vielseitiger Chargenspieler, unerläßlich für ein großes Haus, findet sich heute nur noch an zwei oder drei großen Bühnen der Provinzzentralen. Selbst eine der kultiviertesten Sprechbühnen, das Hamburger Deutsche Schauspiel-haus, kann sich einen allzu vielfältigen Spielplan kaum leisten: es fehlt nicht an großen Großen, wohl aber an großen Kleinen.

Ob es mit daran liegt, daß es zwar sehr viele Bühnen, aber sozusagen nur einen Spielplan gibt? Nicht nur die Zusammensetzung der Programme zwischen Flensburg und Konstanz ähnelt einander – man kann auch damit rechnen, daß die größeren Theater in jeder Stadt verhältnismäßig gleich-förmig das meiste übernehmen, was in London, Paris oder New York kurz vorher seine Bewährungsprobe bestanden hat. Das gilt auch für mehr oder minder schockierende Experimente: Jonesco beispielsweise, einmal mit mehreren Aufführungen in Darmstadt durchgesetzt, war bald danach in Frankfurt ebenso zu sehen wie in München, Hamburg oder Köln.

Was aber einmal für ihn galt, das ist für die Briten, Amerikaner und Franzo-sen längst die Regel geworden. Ob sie Saunders heißen oder Cocteau, Anouilh oder Shehadée, Albee oder Williams, Gatti oder Stoppard, Claudel oder Bernanos, von Sartre ganz zu schweigen: ihre Arbeiten sind allenthalben zu sehen. Gewiß, bisweilen würde sich der Theaterbesucher aus dem Aus-land bei diesen Aufführungen doch ein wenig wundern – sei es nun, weil manche Stücke allzu reichlich mit dem bepackt werden, was man »Atmosphäre« nennt, sei es, weil mancherlei ironische Versuche allzu massiv mit Bedeutung und Symbol ausgestattet werden. Aber der Standard deutscher Aufführungen von ausländischen Stücken ist insgesamt so übel nicht. Der neue Stil des deutschen Theaters, unterkühlt und mehr dem Intellekt als dem Gefühl verpflichtet, begünstigt eine vernünftige Aufführung von importierten Stücken.

Sie stehen im Spielplan zwischen den Klassikern und Bert Brecht, zwischen den neuerdings wieder sehr beliebten deutschen und skandinavischen Expressionisten. Sie halten die Balance mit dem Informationstheater, man könnte es auch Bildungstheater nennen, das der deutsche Zuschauer verlangt und bekommt. Und sie füllen vorerst noch jene Lücke, die durch den Mangel an modernen Dramatikern deutscher Zunge entstanden ist.

Diese Dramatiker nämlich kommen immer noch sehr selten vor. Das liegt nicht daran, wie mancher deutsche Autor meinen mag, daß das eigene Erzeugnis zugunsten des ausländischen benachteiligt wird – es kommt einfach daher, daß nach dem Bruch der Hitlerjahre die neuen deutschen Autoren von einigem Rang sich allgemein zunächst der Prosa oder allenfalls der ortlosen Bühne des Rundfunks zugewendet haben. Natürlich gibt es eine ganze Reihe von Versuchen – aber, um ein Beispiel zu nennen, Hochhuths *Stellvertreter* verdankte seinen starken Erfolg vorwiegend dem Stoff. Bühnenausflüge von bekannten Epikern wie Böll oder Walser blieben interessante Notbehelfe. Günter Grass, der nach amüsanten absurden Versuchen die Plebejer den Aufstand proben ließ, lieferte mehr einen echten Grass denn ein echtes Stück. Siegfried Lenz, einst mit der *Zeit der Schuldlosen* recht erfolgreich – wiederum des Stoffes wegen – scheiterte bei einem zweiten theatralischen Versuch knapp in Ehren.

Es blühen dann auch noch die sich unpopulär gebenden Populärschockerlein wie jene des jungen Peter Handke, und es gibt solide Stückeschreiber wie Tankred Dorst. Der einzige zu Recht international bekannte Bühnenpoet deutscher Zunge aus diesen Jahren, der einzige, der das Theater ebenso bewegt wie die Literatur: es ist der in Stockholm lebende Emigrant Peter Weiß.

Im eigenen Land, in der Bundesrepublik wie jenseits der Demarkationslinie, leben tüchtige Talente. Einen schreibenden Fürsten der Szene gibt es nicht. Das große neue Stück und das solide neue Gebrauchsstück: sie fehlen beide. Die deutsche Bühnenliteratur ist noch an einem Ort, an dem sich alle Literaturen von Zeit zu Zeit befinden: im Wellental.

Sage aber keiner, daß etwa Rundfunk und Fernsehen mit ihrem Massenbedarf kommende Dramatiker allzufrüh ausgenutzt und verdorben hätten. Starke Talente lassen sich davon nicht behindern. Und die alte Magie von Kulisse, Vorhang, Rampe und Parkett – sie wirkt in Mitteleuropa noch so mächtig wie eh und je.

Die neue Konzertmusik
in der Bundesrepublik Deutschland nach 1945

Alphons Silbermann

I.

In ihrem Buch *De l'Allemagne* prägte Madame de Staël das Wort von den Deutschen als dem Volk der Dichter und Denker. Eigentlich hätte sie hinzufügen müssen, daß sich die Deutschen auch gerne als ein Volk der Musiker bezeichnet sehen. Schließlich macht ihre Musik, die eines Bachs, eines Beethovens, eines Schumanns oder eines Brahms nach wie vor den größten Teil des internationalen Konzertrepertoires aus. Ein solcher Nationalstolz ist verständlich und nicht nur der deutschen Mentalität zu eigen. Der Ruf nach Förderung und Unterstützung bodenständiger Musik erklingt in jedem Lande und führt manchmal gar so weit, das Mittelmäßige zum Genialen zu erheben. So wurden in England Komponisten wie Arthur Bliss, John Ireland oder Frank Bridge zu Koryphäen, es wurden in Frankreich Komponisten wie Henri Duparc, Edouard Lalo oder Florent Schmitt zu verehrungswürdigen Großen, ohne daß ihre Namen, geschweige denn ihre Musiken, in anderen Ländern, außer bei einigen Eingeweihten, auch nur einen Erinnerungsschimmer erwecken könnten. Hier versagt die oft besungene Internationalität der Musik. Und sollte schon einmal Gabriel Faurés *Requiem* in einer deutschen Konzerthalle erklingen oder jemand auf die Idee kommen, Anton Bruckners *Te Deum* im Pariser Salle Pleyel aufzuführen, dann reichen sich beim Publikum zurückhaltende Befremdung und unwillige Höflichkeit die Hände.

Das mag erstaunen. Denn es gibt nicht nur eine Anzahl finanziell wohl versorgter, internationaler Organisationen, die den internationalen kulturellen Austausch fördern, obendrein verfügt jedes Land über Kommunikationsmittel (Schallplatte, Rundfunk und Fernsehen), die in der Lage sind, nationale Grenzen sozusagen zollfrei zu überqueren. Hinzu kommt noch, daß gerade die Massenmedien in die verstecktesten Schubladen greifen müssen, um Partituren zu finden, die ihren ungeheuerlichen Verbrauch an Musik einigermaßen befriedigen können.

Es wäre also beispielsweise für den französischen Rundfunk durchaus möglich, wochenlang Musiksendungen mit dem Oeuvre von Gustav

Mahler anzufüllen, oder für den deutschen, seine Hörerschaft mit der großen Zahl von Werken bekannt zu machen, die César Franck hinterlassen hat. Das aber geschieht nicht. Lieber plaudert man zum hundertsten Mal über Beethoven und spielt jede Note (die guten wie die schlechten), die er aufs Papier gesetzt hat, als daß man einem Elgar, einem Saint-Saëns oder einem Roussel auch nur die Chance gäbe, alle drei Jahre einmal gehört zu werden. Ein absurder Zustand. Beim öffentlichen Konzertleben kann man ihn noch verstehen. Denn dort herrscht entweder das Diktat der Konzertkasse oder das der Abonnenten. Die Massenmedien haben diese Rücksichten nicht zu nehmen. Im Gegenteil. Gerade ihnen als soziokulturelle Institutionen ist es gegeben, Tradition mit Gegenwart zu verbinden, Bewahrer des Herkömmlichen und Förderer des Neuen, Zukünftigen zu sein.

Zweifellos vernachlässigt so manche Rundfunkorganisation diese ihre geradezu mäzenartige Funktion und begnügt sich damit, Musiken durch den Äther zu pusten, von denen sie mit Sicherheit annehmen kann, daß sie niemanden die Ohren läutern oder verstopfen werden. Erzkonservatismus ist ihr Motto und jeder Appell an sie, sie mögen doch nicht nur ihren eigenen zeitgenössischen Komponisten Gehör verschaffen, sondern auch denen anderer Länder, verschwindet sang- und klanglos. So läßt es uns unsere eigene Erfahrung wissen, daß z. B. in Australien, einem Land aufgeschlossener Pioniere, das Musikrepertoire des Rundfunks und der von ihm veranstalteten öffentlichen Konzerte nur selten die durch Richard Strauß und Maurice Ravel errichteten Stilgrenzen überschreitet. Die Zeitgenossen, ob lokaler, britischer oder außerbritischer Provenienz, existieren so gut wie gar nicht.

Nun möchte man meinen, daß ein Land wie Deutschland, das ob seines Konservatismus schon oft genug in Verruf geraten ist und überdies auf eine Schar weltweit anerkannter Komponisten zurückblicken kann, sich auch mehr oder weniger reaktionär gebärden würde. Aber dem ist keineswegs so. Verglichen mit anderen Ländern, wird dem Publikum in der Bundesrepublik Deutschland eine Fülle von zeitgenössischer Musik angeboten. Bevor wir uns ihr zuwenden, gilt es zu fragen, woher denn diese »Aufgeschlossenheit« rührt; wie es gekommen ist, daß in der Bundesrepublik dem zeitgenössischen Musiker so viel Platz eingeräumt wird; daß er gefördert, materiell unterstützt, ja geradezu verhätschelt wird.

Es begann mit einem Vakuum. Die materiellen und geistigen Güter waren zerstört. Übriggeblieben war ein von Naziregime und Weltkrieg hinterlassener Trümmerhaufen und eine durch böse Jahre autoritär dirigierte

Kultur hervorgerufene seelische Belastung. Die Wohn- und Lehrstätten lagen ebenso brach wie das Wissen um Menschlichkeit und Freiheit des Ausdrucks. Tyrannei und der damit unlöslich verbundene Abschluß nach außen hatten ein Stigma der Unwissenheit hinterlassen, das nach wie vor glauben ließ, nur die vom Regime geduldete »offizielle« Musik sei die wahre Musik. Die Folgen einer Musik- bzw. Musikdiktatur, die jedwede Neuerung als »volksfremd«, als »unerwünscht« oder als »entartet« gebrandmarkt hatte, machten sich bemerkbar: Die zum Leben einer jeden Kunstform notwendige Evolution war von 1933 bis 1945 blockiert worden. Nur langsam und schüchtern erhoben sich die Köpfe derer, die durch innere oder äußere Emigration der Vernichtung durch die Diktatoren entgangen waren. Sie begannen, die musikalische Jugend Deutschlands aufzuklären, ließen sie wissen, daß es nicht nur Bach, Beethoven und Brahms, nicht nur Mozart und Wagner sind, die die Größe des deutschen musikalischen Namens ausmachen, sondern daß es das stete Suchen nach neuen Formen, neuen Harmonien, neuen Rhythmen und Idiomen war, für das die Welt dem deutschen Komponisten verpflichtet gewesen war. Sie ließen sie wissen, daß es weder das teutonische Marschlied mit seinen haßerfüllten Texten, noch jene seichten Dur- und Moll-Fabrikate zur Verherrlichung eines autoritären Regimes waren, von denen man mit Hochachtung in der musikalischen Welt zu sprechen pflegte.
Wie seltene Schätze zogen sie aus dunklen Ecken ein paar heimlich verborgene Partiturseiten von Hindemith, Strawinsky, Bartók, Schönberg, Berg oder Webern hervor und wiesen die jugendlichen Adepten darauf hin, daß es diese und andere Schöpfer waren, von denen man zu sprechen wußte, mit denen man sich auseinandersetzte, als sich in Deutschland der Terror auch der Musik bemächtigte. Es ist erstaunlich, daß sich eine Jugend, die doch nicht nur ideologisch, sondern auch dem Gehör nach verseucht war, so schnell und mit solch intensiver Begeisterung Klängen und Konzeptionen zuwandte, die ihnen wie böhmische Dörfer erscheinen mußten. War diese Haltung nur dem jugendlichen Elan oder nur dem sogenannten Nachholbedürfnis zuzuschreiben? Ich glaube nicht.
Zwar wird in der deutschen Nachkriegsliteratur mit dem Nachholbedürfnis viel herumargumentiert – aber weder läßt es sich tatsächlich fassen, noch entspricht es jugendlicher Mentalität. »Nachholbedürfnis« ist eine von Älteren, meist gar von schuldigen Älteren geprägte Phrase. Neugierde, Wissensdurst, Auflehnung gegen das Vergangene und Tatendrang sind die rechten Begriffe.
Wenn es der jungen Komponistengeneration überhaupt gelang, nicht

nur durch Fleiß und Beflissenheit den Anschluß an eine neue musikalische
Sprache zu finden und im Laufe ihrer Entwicklung zur Weitererschließung
beizutragen, dann aus einem Grunde, der dort zu suchen ist, wo selbst eine
»tausendjährige« Unterbrechung nicht in der Lage war, ein langes und
traditionsgebundenes musikalisches Erbe zu unterdrücken. Das Gegen-
argument zeigt es uns, wenn wir an alle jene Länder denken, die von
revolutionären Umstürzen und Kriegen relativ unbehelligt geblieben sind,
aber nichts Nennenswertes hervorgebracht haben. Dort fehlte jenes
kulturelle Erbe, welches den Saft jeder künstlerischen Leistung ausmacht.
Der tiefere Ursprung des schöpferischen Bedürfnisses sollte nicht mit
seinen Oberflächenerscheinungen verwechselt werden.

II.

Mit Beendigung des zweiten Weltkrieges waren die Zeiten vorbei, zu denen
man sagen konnte: Was Paris für Frankreich, London für England, ist
Berlin für Deutschland. Es fehlte das Kulturzentrum, von dem alles aus-
und zu dem alles hinströmte. Der kulturellen Zersplitterung waren Tür
und Tor geöffnet. Mit dieser Erkenntnis machten sich bald schon weit-
sichtige Männer ans Werk, um Überbleibsel zu retten und das Wenige zu
organisieren. Trotz beträchtlicher materieller Schwierigkeiten bildete sich
1945 in West-Berlin im »Haus am Waldsee« ein vorläufiges Zentrum für
neue Kammermusik, während es in Ost-Berlin dem »Kulturbund« gelang –
wenn auch nur vorübergehend –, sich für die neue Musik einzusetzen.
Noch mehrere solcher Bemühungen ließen sich aufzählen. Es würde sich
indessen kaum der Mühe lohnen, da sie alle mehr oder weniger lokal beschränkt blieben. Ein dünn gesäter Samen ohne Humus.
Um so berechtigter ist die Frage, wie es dennoch dazu gekommen ist, daß
in kürzester Zeit die zeitgenössische Musik in Deutschland ihren Einzug
halten konnte. Waren es Staat, Land, Stadt, Gemeinde oder gar die alliierten Besatzungsmächte, die sie förderten? Wo wurde sie aufgeführt?
Wer interpretierte sie?
Zweifellos, die Besatzungsmächte tolerierten das Moderne und Zeitgenössische und entsandten sogar Kulturattachés, die dabei behilflich waren,
das Orchesterwesen wieder aufzubauen. Aber der Staat und seine Organe
hatten zunächst anderes zu tun, als sich um eine Schar von Musikhungrigen
zu kümmern. Erst mußte der Wirtschaft auf die Beine geholfen werden:
Menschen mußten mit Arbeitsstätten versorgt, Äcker bebaut, Verkehrs-

linien hergerichtet, Wohnhäuser und Fabrikgebäude errichtet, der Versorgung mit materiellen Gütern mußte der unabdingbare Vorzug gegeben werden, wollte die Bevölkerung nicht in schauderhaftem Elend dahinsiechen.

Dennoch begannen schon bald Länder, Gemeinden und Städte, sich auch dem Wiederaufbau von Konzertsälen und Operhäusern zu widmen, selbst wenn diese Anstrengungen nur daraus bestanden, eine zeitweilige Unterkunft für das Musikleben herzurichten. Auch hier stand im Hintergrund der dynamische Druck des kulturellen Erbes, ebenso wie bei der Neuorganisation der Orchester, der Chorvereinigungen und der Kammermusikensembles, die schneller, als man es erwarten konnte, ihre Arbeiten wieder aufnahmen. Das Ausland stand dieser Entwicklung verständnislos gegenüber, zumal es im eigenen Lande zu dieser Zeit stets hieß: erst Wohnungen, dann Konzerthallen und Musik. Nicht so im zerstörten Deutschland. Es ist uns keineswegs darum getan, ein heroisches Loblied zu singen, sondern nur, ein weiteres Moment von Verhaltungsmustern darzutun, die allesamt jenes Syndrom hergestellt haben, welches als kulturelles Erbe Ausgangspunkt und als Traditionsübertragung Ziel eines sprungartig schnellen Wiederaufbaus war. Von diesem Aufbau zu sagen, er sei nur dem Fleiß und den organisatorischen Fähigkeiten der Deutschen zuzuschreiben, ist eine grobe Verkennung der sozialen Wirklichkeit.

Was nun die moderne und zeitgenössische Musik betrifft, so konnte sie trotz des Wiederauflebens zu dieser Zeit noch nicht aus dem Vollen schöpfen. Fehlte es hierzu auf der einen Seite an finanziellen Mitteln, so andererseits auch an Mut. Man wagte es einfach nicht, das musikhungrige deutsche Ohr nach einer Periode monotoner Einlinigkeit sofort mit Klängen zu »belästigen«, die es ohne Zweifel schockieren mußten. Wo sollte man überdies die Musiker hernehmen, die der Interpretation der Moderne gewachsen waren? Schließlich erinnerten sich noch einige Mitglieder der älteren Generation jener Zeiten, zu denen Arnold Schönbergs *Variationen für Orchester* aus den Jahren 1926–1928 oder Anton Webers *Symphonie op. 21* aus dem Jahre 1928 für unspielbar erklärt wurden.

Diese mannigfaltigen Schwierigkeiten überwunden zu haben, war im Nachkriegsdeutschland offenbar das Verdienst der Rundfunkanstalten und einiger ihrer inspirierten Leiter. Bereits 1945 gründete der Komponist Karl Amadeus Hartmann einen öffentlichen Konzertzyklus des Bayerischen Rundfunks in Verbindung mit der Bayerischen Staatsoper München, der, »Musica Viva« benannt, für Veranstaltungen dieser Art in ganz Europa vorbildlich geworden ist. Die Konzerte bringen ausschließlich moderne und zeitgenössische Musik, sie sind öffentlich und finden heute im allgemeinen in einem Auditorium von ungefähr 2000 Sitzen statt. Zu Beginn ihrer Aktivität konnte die »Musica Viva« nur ungefähr 400 Besucher aufweisen. Geschickt und modern gestaltete, frühzeitig versandte Programme sowie Karten, die um die Angabe von interessierten Höreradressen baten, sowie eine Programmgestaltung, die das Interesse des Pro und Contra erwecken konnte, haben dazu geführt, daß dieses kleine Unternehmen dem Bayerischen Rundfunk unerhörtes Prestige eingetragen hat und der zeitgenössischen Musik einen weiten Einflußkreis.

Schon kurz nach der Gründung der »Musica Viva« errichtete im Jahre 1946 auch der Hessische Rundfunk sein Protektorat über die zeitgenössische Musik. Heinz Schröter, damals Leiter der Musikabteilung der Frankfurter Rundfunkanstalt, später Direktor der Staatlichen Hochschule für Musik in Köln, begründete die »Woche für neue Musik«, die jetzt noch regelmäßig unter dem Titel »Tage für neue Musik« das musikalisch Neue und Neueste propagiert.

Die anderen Rundfunkorganisationen folgten dem guten Beispiel. Der Norddeutsche Rundfunk Hamburg veranstaltet in jeder Konzertsaison einen Konzertzyklus mit dem Namen »Das neue Werk«. Der Sender Freies Berlin zeichnet verantwortlich für einen öffentlichen Konzertzyklus mit dem Namen »Musik der Gegenwart«. »Musik unserer Zeit« heißt die entsprechende Veranstaltung des Süddeutschen Rundfunks in Stuttgart und »musica viva« diejenigen desselben Funkhauses in Heidelberg. In seinem Studio Karlsruhe führt der Süddeutsche Rundfunk öffentliche Konzerte durch unter dem Motto »Jugend hört Neue Musik«. Der Südwestfunk Baden-Baden betreut die bereits 1921 gegründeten, nach 1933 allerdings verbotenen »Donaueschinger Musiktage für zeitgenössische Tonkunst«, die manchem jungen Komponisten Anerkennung verschafft haben, und der Westdeutsche Rundfunk in Köln schließlich wird seinen Verpflichtungen der neuen Musik gegenüber mit der Konzertserie »Musik der Zeit« gerecht.

Diesem Trend, das Zeitgenössische zu fördern, und zwar nicht, indem man im öffentlichen Konzert mal von Zeit zu Zeit ein neues Werk zwischen die alten Kriegspferde des Repertoires klemmt, sondern indem man der Moderne ihr eigenes Forum bietet, diesem Trend folgen auch eine große Anzahl städtischer Orchester. Sonderkonzerte »musica viva« in Aachen; Sonderkonzerte »Neue Musik« in Berlin; »Studiokonzerte« in Bochum; »Zykluskonzerte« mit Werkeinführung in Hagen; »Matineen zeitgenössischer Musik« in Münster; Konzerte »musica viva« in Oldenburg,

Osnabrück und Remscheid; »Das neue Meisterwerk« in Wuppertal – das sind einige Beispiele, die für viele mehr stehen sollen, um aufzuzeigen, wie viel Interesse und Förderung der neuen Musik in Deutschland entgegengebracht wird. Wie in anderen Ländern, grassiert natürlich auch in der Bundesrepublik heute eine Festspiel- und Musikfestinflation, die nicht länger ohne die zeitgenössischen Musiken auskommen kann.

Wie schon aus der hier keineswegs vollständigen Aufzählung ersichtlich werden dürfte, erfährt die neue Musik von seiten der Veranstalter einen enormen Zuspruch. Dabei haben wir nicht einmal erwähnt, daß auch über die Antennen, in den Rundfunk- und Fernsehprogrammen zeitgenössische Komponisten regelmäßig zu Gehör kommen; daß alljährlich zahllose Preise von Städten, Ländern und Gemeinden an junge Komponisten vergeben werden, daß die »Deutsche Sektion der Internationalen Gesellschaft für neue Musik«, die 1933 verboten, im Jahre 1948 wiedergegründet wurde, sich aktiv betätigt; daß die Grammophongesellschaften Plattenserien neuer Musik herausgeben; die Musikhochschulen für ihre Studenten spezielle Konzerte mit zeitgenössischer Musik veranstalten; daß eine monatlich erscheinende Zeitschrift (»Melos«) ausschließlich der Moderne gewidmet ist; daß hier und dort elektronische Studios eingerichtet wurden; daß fast jede Hochschule eine Klasse für zeitgenössische Kompositionslehre aufweisen kann; und daß, soweit wir es übersehen können, nirgends in der Welt so viel über neue Musik diskutiert, polemisiert und veröffentlicht wird – in Zeitungen und Zeitschriften, bei Rundtischgesprächen oder Kongressen, in Vorträgen oder Buchform – wie in der Bundesrepublik.

Angesichts dieser beeindruckenden Fülle von Aktivitäten darf man wohl mit dem italienischen Komponisten Goffredo Petrassi ausrufen: »Mehr als in anderen Ländern interessiert man sich in Deutschland für die zeitgenössische Musik«. Und dennoch wird nach wie vor viel darüber gejammert, daß »die Kluft zwischen dem Stand der Kompositionstechnik und dem Behagensanspruch breiter Hörerkreise nicht kleiner geworden ist« (H. H. Stuckenschmidt). Mit einer Unzahl solcher und ähnlicher Zitate ließe sich belegen, daß für die einen in Deutschland ein goldenes Zeitalter der neuen Musik angebrochen ist, während sich für die anderen die neue Musik in einem Zustand der Krise, der Nivellierung, des Alterns oder der intellektuellen Isolation befindet. Welcher dieser extremen Ansichten mehr Berechtigung zuzuschreiben ist, dem kann im Rahmen dieser Übersichtsstudie nicht nachgegangen werden, zumal hierbei rein wirtschaftliche Momente und deren bedeutsame Rolle bei der Produktion und Konsumption von Kulturgütern zu erwägen wären.

Wohl haben uns in diesem Zusammenhang die Produktionsquellen zu interessieren. Denn wer in der Bundesrepublik jene musikalischen Idiome, von denen man schlechthin als neue bzw. zeitgenössische Musik spricht, fördert und verbreitet, haben wir gesehen. Wer aber hat die kreativen Fundamente gelegt? Wer hat nach dem völligen Abbruch der musikalischen Entwicklungslinie in Deutschland das Neue aufgegriffen und gelehrt?

Das Verdienst hierfür muß zweifellos all denjenigen Persönlichkeiten zugeschrieben werden, die hier oder dort begabte junge Leute unter ihre Fittiche nahmen, um sie einer musikalischen Sprache zuzuführen, die unter dem Naziregime als staatsfeindlich galt. Diesen Persönlichkeiten war es in erster Linie zu verdanken, daß eine schadhafte, wenn auch nur zeitweilige Musikpolitik umgestoßen und ein verpöntes Kulturgut der heranwachsenden Generation zugänglich gemacht werden konnte. Was diese Generation dann später hiermit anzufangen wußte, steht auf einem anderen Notenpapier geschrieben. Zunächst ging es darum, sowohl die Brücke zwischen Vergangenheit und Gegenwart zu schlagen als auch diejenige zwischen Deutschland und dem Ausland: denn schnell hatte man begriffen, daß eine national in sich abgekapselte Musik in sich selbst ersticken muß.

Natürlich war es keinem einzelnen gegeben, diesen Brückenschlag zu vollziehen. Die Situation verlangte nach Organisation, nach Leitung und Konzentration. Dies erkennend, begründete im Jahre 1946 der Musikwissenschaftler Wolfgang Steinecke im Schloß Kranichstein bei Darmstadt die »Internationalen Ferienkurse für Neue Musik«, die seither alljährlich stattfinden. Der Ruf dieser Kurse ist heute wahrlich international, und kein Zweifel kann darüber bestehen, daß hier junge Komponisten aller Länder, zunächst aber die jungen deutschen Komponisten, entscheidende Impulse erhalten haben. Dort lehrten in den ersten Nachkriegsjahren: Wolfgang Fortner, Hermann Heiß, Hermann Scherchen, Heinrich Strobel, H. H. Stuckenschmidt, René Leibowitz u. a. m. Dort hörte man in diesen Jahren von jungen Komponisten wie Günter Bialas, Hans Ulrich Engelmann, Hans Werner Henze, Hans Zehden, Henri Dutilleux, Humphrey Searle, Bruno Maderna, Giselher Klebe, Bernd-Alois Zimmermann, Serge Nigg, Camillo Togni, Luigi Nono u. a. m. Zu Recht schrieb der Komponist Wolfgang Fortner zurückblickend: »Kranichstein war gleich nach dem großen Krieg ein erster Orientierungsplatz über die Situation des musikalischen Schaffens in der Welt. In diesem »Haus der Begegnung« trafen sich junge Deutsche und Ausländer mit ihren Lehrern und machten eine Art Bestandsaufnahme über das, was in den Jahren des Getrenntseins, die ja für Deutschland nicht erst mit dem Krieg begonnen hatten, geschehen war.« Ein weiteres Ausstrahlungszentrum zeitgenössischen Musikschaffens hat sich nach dem Krieg in Köln gebildet, nachdem der Westdeutsche Rundfunk ein Studio für elektronische Musik unter der Leitung von Herbert Eimert einrichtete, das 1951/52 mit seinen Arbeiten begann. Das erste öffentliche Konzert mit elektronischer Musik fand am 19. Oktober 1954 statt. Ist Darmstadt/Kranichstein »zu einem Zentrum kompositorischer Erneuerung geworden, zu einem internationalen Zentrum, dessen Studenten und Lehrer aus Ländern diesseits und jenseits des Atlantiks kommen« (H. H. Stuckenschmidt), so begann bzw. konsolidierte sich in Köln die »zweite Entwicklungsphase der Neuen Musik« (Herbert Eimert).

Auch die Musikhochschulen, Musikakademien und Konservatorien dürfen im Rahmen der Entwicklung des zeitgenössischen musikalischen Denkens in der Bundesrepublik nicht übersehen werden. Zwar zeichnen sie sich primär durch ein Beharren auf konservativer Herkömmlichkeit aus (was übrigens überall das Merkmal der Musikpädagogik zu sein scheint), dennoch mußte auch hier die neue Musik ihren Einzug halten. Nicht etwa weil die Lehrerkollegien und die Mehrzahl der Studierenden es so aus voller Überzeugung wollten, sondern weil es erstens quasi zum guten Ton gehörte, die Verbohrtheit der Vergangenheit durch momentane und demonstrative Aufgeschlossenheit auszugleichen und es zweitens zeitgenössischen deutschen Komponisten eine finanzielle Annehmlichkeit bedeutete, dort als Lehrende Fuß zu fassen, wo man sie eigentlich gar nicht so liebend umwarb. Immerhin zeigt eine statistische Erhebung aus dem Jahre 1960/61, daß Komposition von 1,3 % der Studierenden als Hauptfach gewählt wird, worunter sich auch einige befinden dürften, die sich für die neue Sprache der Musik interessieren.

Blieben als letztes noch die Universitäten zu erwähnen, die mit ihren großen Musikabteilungen, ihren reichhaltigen Bibliotheken und ihrer verhältnismäßig stattlichen Dozentenschaft als Einfluß auf das musikalische Schaffen nicht übersehen werden sollten. Zwar geht man hier nicht gänzlich an der zeitgenössischen Musik vorüber, sie wird jedoch höchstfalls einmal in musikologische Betrachtungen miteinbezogen. Selbstverständlich gibt man vor, sich für das Neue zu interessieren, beharrt aber in der Praxis lieber bei Ansatzpunkten, die vom Mittelalter bis an den Rand der Neuzeit führen. Zu sagen, daß die deutsche Musikwissenschaft zu einem integralen Bestandteil des Musiklebens in der Bundesrepublik geworden ist (so wie es beispielsweise in den USA der Fall ist), wäre eine Übertreibung. Nach wie vor zeichnet sich die deutsche Musikwissenschaft durch eine Wirklichkeitsfremdheit aus, die sie bei ihren Erwägungen bis heute noch nicht einmal dazu bringen konnte, dem Musikpublikum, im musiksoziologischen Sinne gesprochen, auch nur die geringste Aufmerksamkeit zu schenken.

III.

Nunmehr wäre es an der Zeit, vom Strukturellen zum Funktionellen der Konzertmusik in der Bundesrepublik nach 1945 vorzuschreiten, um Aspekte herauszuarbeiten, die dem Leser Einsicht geben in die Diktion der neuen Musik. Doch bevor dies geschehen kann, sind erst einige der Namen zu nennen, die nach innen wie nach außen hin als maßgebliche Vertreter der Nachkriegsmusik angesehen werden. Dies ist für den Kulturbeobachter ein recht gefährliches Unterfangen. Ganz abgesehen davon, daß man ihm vorwerfen wird, bei der Auswahl der Namen recht arbiträr vorgegangen zu sein und womöglich auch noch persönliche Präferenzen mit ins Spiel gebracht zu haben, wurde zu jeder Zeit und auch heute noch in Deutschland ebenso viel komponiert wie in Frankreich geschrieben wird. Alle Aktivität zu kennen, ist noch niemandem gelungen, und daher sind der Unachtsamkeit viele und durchaus peinliche Möglichkeiten gegeben. Wer informativ sein will, kann nur so informativ sein wie er informiert ist, und dabei ist es immer noch das beste gewesen, aus der unübersichtlichen Menge dasjenige herauszugreifen, was, wie man zu sagen pflegt, im Gespräch ist.

Überhaupt stößt bei einer solchen Verlegenheit, wie sie allein schon durch die dargestellte Vielfalt der Aktivitäten auf dem musikalischen Gebiet entstehen muß, der Versuch, die Genealogie der neuen Musik in Deutschland nach 1945 darzutun und ihre Hauptvertreter nach bestimmten Kategorien zu gruppieren, auf erhebliche Schwierigkeiten. Erstens, weil diese Kategorisierungsunternehmen jedwedem morphologischen und evolutionären Prinzip widersprechen, woraus zweitens folgt, daß – mit dem Tenor der Anerkennung gesprochen – sich viele der Jüngeren einem häufigen Stilwechsel unterworfen haben. Die einen, weil sie und ihre Musik aus sich selbst und aus dem sozialen Kontext heraus, innerhalb dessen sie schaffen, gewandelt haben; die anderen aus Angst, sie könnten irgendwo den Anschluß verpassen. Hinzu kommt noch jenes törichte

Diktum von der Zukunft, die uns erweisen soll, wer als »anerkannt großer Komponist« in die Annalen eingehen wird, von dem wir uns ebenfalls mit Widerwillen abwenden wollen.

Diese Einschränkungen im Sinne, können wir uns mit etwas ruhigerem Gewissen unserer Aufgabe zuwenden. Dabei kommt uns noch die Tatsache zugute, daß uns heute bei der Einschätzung der Stellung des Komponisten in der musikalischen Welt die Komponisten selbst eine gewisse Hilfestellung anbieten. Früher, zu Zeiten Monteverdis, Frescobaldis, Händels oder Chopins war dies noch nicht der Fall. War es nicht so, daß zu einer Komposition (4 Minuten lang oder eine Stunde) jeder Komponist bzw. ein autorisierter Kommentator gedruckte oder gesprochene Erläuterungen ablieferte? Die Nutzbarmachung dieser Erläuterungssucht erlaubt es uns, sozusagen »authentisch« zu erfahren, was mit dieser oder jener Note, mit dieser oder jener rhythmischen Variation, mit dieser oder jener Klangfarbenkombination, mit diesem oder jenem Parameter bewerkstelligt oder ausgesagt werden soll. Wenn ich mir all diese Auslegungen, Anmerkungen, Erläuterungen und Glossen ansehe, dann kann ich nur von einer Seuche der Selbstbeweihräucherung sprechen. Sind doch die meisten so artifiziell, um nicht zu sagen so verlogen, daß man den Musikhistoriker nur bedauern kann, der später einmal hieraus einen Überblick gewinnen soll. Verwertbare Hilfestellung wird uns eigentlich nur dort gegeben, wo Komponisten sich mehr oder weniger selbst einreihen, und zwar nicht nach den philosophischen Prinzipien, die sie zu vertreten vorgeben, sondern nach der dynamisch-evolutionären Intensität, die sie ihrer Musik zuschreiben.

Ohne im einzelnen auf musikalische Stilformen einzugehen, stets ihren eigenen Aussagen nach zu urteilen, wären dann charakteristisch für eine konservativ ausgerichtete Gruppe Komponisten wie Cesar Bresgen (geb. 1913), Johann Nepomuk David (geb. 1895), Harald Genzmer (geb. 1909), Wilhelm Maler (geb. 1902), Carl Orff (geb. 1895), u.a.m.

Eine andere Gruppe von Komponisten möchte ich als die Undogmatischen bezeichnen; denn sie verleugnen weder ihre musikalische Vergangenheit noch sind sie von charismatischem Fanatismus getrieben. Sie schreiben Musiken wie sie ihnen dem Vorwurf, den sie sich gegeben haben, angepaßt erscheinen und blicken dabei weder nach links noch nach rechts. Zu ihnen darf man unter anderem zählen: Werner Egk (geb. 1901), Wolfgang Fortner (geb. 1907), Karl Amadeus Hartmann (geb. 1905), Hans Werner Henze (geb. 1926), u.a.m.

Schließlich die Gruppe der Avantgarde, die als solche zu bezeichnen ist, nicht weil sie sich der seriellen, der postseriellen oder der elektronischen

Musik verschrieben hat, sondern weil es ihr Bemühen ist, einerseits als Erneuerer des Klangmaterials und der Kompositionstechnik zu dienen und andererseits der musikalischen Gesellschaft die neuen Wege – und zwar die ihren – als die einzig gültigen für das musikalische Denken unserer Tage und der Zukunft nachzuweisen. Zu ihnen dürfen gezählt werden: Boris Blacher (geb. 1903), Herbert Eimert (geb. 1897), Heimo Erbse (geb. 1924), Giselher Klebe (geb. 1925), Karheinz Stockhausen (geb. 1928), Bernd-Alois Zimmermann (geb. 1918), u.a.m.

Nochmals sei betont, daß es bei dieser Aufzählung nur darum geht, einige mehr oder weniger typische Beispiele zu geben. Von Vollständigkeit kann keine Rede sein; denn eine ganze Anzahl von Namen, die zur Zeit das deutsche zeitgenössische Musikleben bereichern, wurden weder erwähnt noch stilistisch eingereiht, so unter anderen: Konrad Boehmer, Thomas G. Fritsch, Rudolf Kelterborn, Wilhelm Killmayer, Aribert Reimann – um nur noch einige unserer Liste hinzuzufügen. Auch blieb in diesem Zusammenhang ein Phänomen unerwähnt, welches zweifelsohne der Beachtung wert ist: Der dynamische Einfluß der deutschen zeitgenössischen Musikaktivitäten, der das bundesrepublikanische Musikpodium in einem solchen Maße zum Promoter vieler ausländischer Komponisten hat werden lassen, daß einige der Zeitgenossen bereits sozusagen »eingedeutscht« wurden, als Aufgeführte, als Interpreten oder als Lehrende. Indem wir aus dieser Gruppe die Namen von: Pierre Boulez, Earle Brown, Mauricio Kagel, György Ligeti, Witold Lutoslawski, Bruno Maderna, Luigi Nono, Krzysztof Penderecki, Jannis Xenakis – erwähnen, sei gleichzeitig auf eine gewisse Reziprozität in der Beeinflussung des deutschen zeitgenössischen Musikstils durch die aufgeführten Komponisten hingewiesen.

Die angeführten charakteristischen Vertreter von Gruppen, die auf die eine oder andere inhaltliche und musiko-technische Weise vom Gedanken einer Erneuerung und dem der Austiefung des Musikerlebnisses getragen sind, sollen diejenigen nicht verdecken, die sich im gleichen Sinne ausgesprochenen Spezialgebieten widmen. Wir finden da z. B. auf dem Gebiet der Kirchenmusik auf protestantischer Seite Komponisten wie Ernst Pepping (geb. 1901) und Kurt Thomas (geb. 1904), auf der katholischen Seite Männer wie Heinrich Lemacher (geb. 1891) und Hermann Schröder (geb. 1904), die mit Fleiß und Einfallsreichtum daran arbeiten, damit auch die musica sacra unserer Zeit angepaßt werde. Ja selbst das oft verschriene »Musikantentum«, jene Musik, die, aus jugendbewegten Zeiten stammend, sich so willfährig in den Dienst des Faschismus gestellt hatte, selbst diese Gattung mit ihren Wanderliedern, ihrem Blockflötenrepertoire und ihren

Gitarrenmelodeien hat sich dem Druck des Neuen nicht verschließen können. Auch hier ist vielfach schon, wenngleich in recht gemäßigter Form, neues musikalisches Denken eingezogen.

Trotz all dieser Aktivitäten wäre es falsch, zu unterstellen, die neue Sprache der Musik beherrsche das Konzertleben Deutschlands. Nach wie vor hat sie ebenso schwere Kämpfe zu bestehen wie jede Neuerung, die in den diversen Epochen der Musikhistorie versuchte, aus dem Dickicht des Herkömmlichen herauszutreten. Nur eines hat sich geändert, nämlich, daß die neue Musik die bereitwillige Unterstützung von Institutionen, wie beispielsweise der Rundfunkanstalten gefunden hat, die Mittel zur Verfügung stellen, von denen man früher nur träumen konnte. Verschimmelten einstmals allzu viele Partituren im stillen Kämmerlein des Komponisten, so reißt man sich heute um jedes neue Opus von einiger Qualität, auch wenn es nur zu einer einzigen Aufführung kommen sollte.

Dieser Zustand der Neuerungssucht hat gewiß seine Vorteile; denn zumindest bleiben einige der mit kreativer Gabe gesegneten Komponisten regelmäßig beschäftigt. Er hat aber auch recht bedenkliche Nachteile, die sich bereits deutlich am Horizont des deutschen Konzertlebens abzuzeichnen beginnen. Sie bestehen daraus, daß die Möglichkeiten für eine notwendige Festigung des Neuerrungenen sowohl auf seiten der Produzenten als auch auf der Seite der Konsumenten nicht länger gegeben sind. Denn kaum ist in dieser oder jener der zeitgenössischen Musik gewidmeten Konzertserie ein neues Werk uraufgeführt worden, schon ist es auch wieder in der Versenkung verschwunden. Nicht daß es der Komponist so wünschte, aber über ihm schweben mit Allgewalt die Organisatoren solcher Konzerte, die nur von dem Gedanken getragen sind, mit ihrem Wettrennen von Uraufführung zu Uraufführung, von Kompositionsauftrag zu Kompositionsauftrag die Veranstalter ähnlicher Konzerte zu überflügeln. Womit eigentlich? Die Antwort muß leider lauten: Mit der Sucht nach Originalität um jeden Preis. Bringt die eine Konzertreihe die Uraufführung eines Werkes für zwölf Oboen, Sprecher, Chor und drei Schlagzeuge auf Texte aus der Upanischad, dann wird von einer anderen Organisation schnellstens ein Kompositionsauftrag vergeben für eine Kantate für vier Soli, sieben Fagotts, zehn Triangeln und großen gemischten Chor nach Worten aus dem Kamasutra. Ergebnis: Komponisten neigen zu Oberflächlichkeit oder zur repetitiven Verwertung einstens mit Begeisterung empfangener Einfälle, und das Publikum muß einem Gewöhnungs- bzw. Erziehungsprozeß entsagen, der eine conditio sine qua non für jede Neuerung ist. Daß es bei diesem Prozeß zu unangebrachten Extravaganzen kommt, versteht sich von selbst.

Eifer und Ehrgeiz ersticken die Knospen bevor sie zur Blüte gelangen können.

Es ist dieser Konzertbetrieb, bei dem übrigens die Musikverleger nicht ganz unschuldig sind, der in der Bundesrepublik wie eine Last auf der neuen Musik liegt. Eine weitere wird ihr an die Füße gekettet durch eine Gruppe von kritischen Theoretikern, deren Bedeutung im deutschen Musikleben viel größer ist als in anderen Ländern. Reiten die einen auf der Welle, mit der von offiziellen und halboffiziellen Stellen Gelder für das Neue – was immer dies sein mag – spendiert werden, so befleißigen sich die anderen, alles Neue mit dem Stempel der Dekadenz zu versehen. Dabei ist es beiden im Grunde genommen völlig gleichgültig, ob die Bemühungen der Komponisten sich um »totale Rationalisierung, Nivellierung und Neutralisierung des Materials« (Th. W. Adorno) scharen, um »konstruktive Formung« (M. Gräter), um den Wandel von der Zwölftönigkeit zum elektronisch erzeugten Klang und Geräusch als konsequente Weiterentwicklung nach Anton Webern, um die entscheidende Rolle des Modus gegenüber Melodik, Harmonik und Rhythmus, oder um die Erreichung einer »total determinierten Musik« (E. Krenek). Es geht nur um Verteidigungen oder Anklagen, wobei sich ein Mangel an Toleranz bemerkbar macht, der manchmal geradezu erschreckend wirkt.

Nun macht sich aber das mangelnde Empfinden für Toleranz nicht nur bei den Propheten und Anklägern der neuen Musik bemerkbar. Angestachelt durch die einen und gereizt durch die anderen, geben sich insbesondere alle diejenigen, die zur Avantgarde gerechnet zu werden wünschen, in ihren zahlreichen mündlichen oder schriftlichen Äußerungen und in ihrem Verhalten gegenüber Andersdenkenden so dogmatisch und radikal, daß man geneigt ist zu glauben, ihre Provokationen und ihre Arroganz seien ihnen nichts anderes als willkommene Publizitätsmittel. Mit Sottisen wie »Die Musik beginnt mit mir« und ähnlichen Überheblichkeiten werfen sie um sich, nur um ihrer Dogmatik zum Erfolg zu verhelfen. Dabei behaupten die Radikalsten unter ihnen, auf Publikum und Anerkennung zu pfeifen, sind aber jederzeit bereit, sich mit ihrer bereits sagenumwobenen Arroganz auf Tagungen vorführen zu lassen, Hand zu legen auf mit Mühe errichtete Musikzentren und, last not least, öffentliche Gelder entgegenzunehmen für ihre Experimente.

Eine Presse, die jubelnd avantgardistische Werke als »Sturmsignale aus dem elfenbeinernen Turm gegen die tödliche Intoleranz eines sich restaurierenden Musiklebens« (E. Thomas) kommentiert, unterstützt noch diesen Hang zur antisozialen Haltung gewisser Komponistencliquen, der weder in seinem Ausmaß noch in seinen Folgerungen unterschätzt werden darf. Führt doch schon der nächste Schritt zur Festigung einer Elitekultur und von dort zu autoritären Gelüsten, denen nicht etwa die von dieser Gruppe geschaffene Musik (sei diese nun gut oder schlecht) als Grundlage dient, sondern der philosophische Zuckerguß, mit dem sie umgeben wird. Man greift auf diesen oder jenen Philosophen zurück, beruft sich auf Taoismus und die Zen-Lehre – alles nur, um eine Gedankenschwere aufzuweisen, die darauf ausgeht, ernst genommen zu werden.

Hang zur Dogmatisierung und gedankenschweres Sich-Ernst-Nehmen liegt nun einmal den Deutschen, sollte aber nicht zur Bedingung des zeitgenössischen Komponierens werden. Ansonsten ist von hier aus kein weiter Schritt zum musikalischen Haßgesang und damit zu jener Sterilität, die sich bereits anzukündigen scheint, wenn sie auch zunächst noch mit eleganter Allüre als »Das Altern der Neuen Musik« (Th. W. Adorno) bezeichnet wird. Hier liegt fürwahr ein entscheidender Punkt für Zustand und Zukunft der zeitgenössischen Konzertmusik in der Bundesrepublik. Denn nichts ist an ihr universal als die Tatsache, daß sie neu ist, daß sie einer ästhetischen und technischen Neuorientierung des Komponisten entspricht. Daher dürfte es wohl auch rühren, daß man entgegen allen grammatischen Regeln in Deutschland die neue Musik mit einem großen N zu schreiben pflegt.

Allgemein darf gesagt werden, daß sich das Leben der neuen Musik in der Bundesrepublik frei entfalten kann und daß genügend Kommunikationsmöglichkeiten bestehen, die es dem Komponisten erlauben, aus der Isolation herauszutreten und sich den Hörern anzupassen. Diese Anpassung (womit wir keineswegs ein Geschmacksdiktat meinen) wird notwendig sein, um Kulturkonflikte zu vermeiden, die der sozio-kulturellen Entwicklung auf seiten der Produzenten wie auf seiten der Konsumenten, aber auch in bezug auf ihre Wechselbeziehungen zueinander nur hemmend im Wege stehen können. Wer heute davon spricht, daß die Musik in ihre »dritte Epoche« eingetreten sei, und zwar in eine Epoche, in der sie sich weniger durch die menschliche Stimme oder das Musikinstrument realisiert, sondern in zunehmendem Maße auf mechanischem oder elektronischem Wege, der muß sich auch darüber Rechenschaft ablegen, daß der Übergang von einer »Behagensästhetik« zu einer »Pioniersästhetik« in mehr begründet liegt als nur im musikalischen Material.

Man hat gut reden über »gegängelte Musik« (Th. W. Adorno) oder über »Die unbedeutende Minderheit« (H. H. Stuckenschmidt), und internationale Organisationen mögen tagelang über »Neue Musik und ihr Publikum«

geistreiche Reden schwingen lassen, damit ist man im Sinne einer Maxime von La Rochefoucauld höchstens klüger als ein anderer, niemals aber klüger als alle anderen. Diese »alle anderen« sind das Musikpublikum, ohne dessen materielle und immaterielle Unterstützung keine Musik, weder die alte noch die neue, leben kann. Daran wird sich auch die neue Musik in Deutschland erinnern müssen; denn sie soll ja in ihrer Existenz und in ihrem zukünftigen Schaffen auch dann noch lebendig sein, wenn ihren Förderern nicht länger die Mittel zur Verfügung stehen, das sicherlich jederzeit willkommene und notwendige musikalische Experiment zum genialen Musikwerk zu erheben.

Westdeutschlands Oper nach 1945

Antoine Golèa

Seit dem Jahre 1945 sind in Westdeutschland ungefähr 45 neue Opern aufgeführt worden. Ihre Komponisten waren zu einem Teil schon vor dem Krieg bekannt, zum anderen Teil traten sie erst nach Kriegsende an die Öffentlichkeit. Hinzugerechnet seien noch etwa 15 neue Ballettaufführungen. Mit einer einzigen Ausnahme sind alle diese Opern auf einer oder mehreren Bühnen der Bundesrepublik vorgestellt worden. Einige haben die Grenzen des Landes überschritten. Vier oder fünf von ihnen sind zu großem internationalen Ruf gelangt, sie wurden in Venedig, London oder Paris aufgeführt, um nur die wichtigsten Städte zu nennen. Mindestens zehn dieser Opern und Ballette gehören inzwischen zum Repertoire einiger der bedeutendsten westdeutschen Opernhäuser, wie Werke des neunzehnten Jahrhunderts, wie Werke von Strauß oder Bergs *Wozzeck*. Die Bundesrepublik ist in Europa das einzige Land, das auf dem Gebiet der Oper eine schöpferische Tätigkeit solchen Ausmaßes vorzuweisen hat. Selbstverständlich wurden nach 1945 auch in Italien, in England und Frankreich und in der Schweiz neue Opern komponiert. Aber das sind Ausnahmen, die man an den Fingern abzählen kann. Außerdem muß man sagen, daß nicht eine dieser Opern – abgesehen von den Werken Brittens und einer Oper von Gordon Bennett – ins Repertoire aufgenommen wurde. Man kann die günstige Situation der Oper in Westdeutschland zweifellos zurückführen auf die traditionelle, aus der Zeit des zerstückelten Deutschland und der zahlreichen Hoftheater stammende Dezentralisierung, die den älteren und jüngeren Komponisten heute wie früher viele Chancen bietet, zu Wort zu kommen. Aber auch in Frankreich gibt es, besonders seit dem Krieg, in Italien von jeher, eine Art Dezentralisierung, wenn auch geringeren Ausmaßes; und die ohnehin seltenen Opernaufführungen, die man seit zwanzig Jahren in Frankreich verzeichnen kann, haben mit wenigen Ausnahmen in der Provinz stattgefunden. In Paris hat man in all den Jahren höchstens einige Ballett-Uraufführungen sehen können. Günstig für die Situation der Oper in Westdeutschland wirkt sich noch immer das System der Abonnements aus, das zum größten Teil von riesigen Organisationen wie der »Volksbühne« und den »Theatergemeinden« getragen wird. Abonnements und Theatergemeinden sichern den neuen Werken ein unschätzbares Publikum. Das System des Abonnements hat jedoch keineswegs automatischen Charakter; die Abonnenten können – in bestimmten Grenzen – selber wählen; sie haben das Recht, Aufführungen neuer Werke abzulehnen und einzutauschen gegen die klassischen Werke. Und in der Tat gibt es Abonnenten, die von dem Recht Gebrauch machen. Aber ihre Zahl ist nicht groß. Rechnet man die Karten hinzu, die im freien Verkauf erworben werden, dann darf man sagen, daß die neuen Opernwerke eine durchschnittliche Besucherzahl erreichen, die an diejenige der klassischen Opern heranreicht.

Noch wichtiger aber ist es, auf den Mut und die Entdeckerfreude vieler westdeutscher Opernintendanten hinzuweisen, die nach neuen Werken fahnden und ihnen zum Leben verhelfen. So erklärt sich die erstaunliche Tatsache, daß die meisten neuen, in der Bundesrepublik komponierten Opern Auftragsarbeiten der größeren Bühnen sind. Und das bedeutet: Deutsche Bühnen schießen den Komponisten ein Honorar vor, das es ihnen erlaubt, für eine gewisse Zeit sorgenfrei zu arbeiten. Auch die großen Verlagshäuser haben inzwischen eine ähnliche Mäzenaten-Tätigkeit übernommen. Selbstverständlich hat Geld allein die Talente nicht wecken können, die im Nachkriegsdeutschland hervorgetreten sind, die ein Publikum gefunden haben, das ihren Arbeiten, dem neuen Stil, der neuen Ästhetik und den modernen Tendenzen zumindest Interesse entgegenbringt, wenngleich es nicht immer spontan zustimmt. Erfahrungsgemäß lehnt aber das westdeutsche Publikum ein neues Werk nicht schon deswegen ab, weil es neu ist. Vor mehreren Jahren inszenierte der tüchtige Direktor und Regisseur einer der größten französischen Provinzopern Hindemiths *Mathis der Maler*, ein in Westdeutschland klassisch gewordenes Werk. Er wußte im voraus, daß er den *Mathis* nicht mehr als zweimal würde aufführen und in einer späteren Saison auch nicht wiederaufnehmen könne. So groß ist das Desinteresse französischer Opernbesucher. Diesem katastrophalen Zustand versuchen die größten französischen Provinztheater seit einigen Jahren dadurch abzuhelfen, daß sie die »modernen« Inszenierungen eines Hauses in derselben Besetzung anschließend in die anderen großen Theater schicken. Auf diesem Wege konnte beispielsweise der 1966 in Lyon in französischer Sprache erstaufgeführte *Prinz von Homburg* von Henze in der französischen Provinz – Paris machte dabei nicht mit – zwölf bis fünfzehn Aufführungen erleben.

Selbst für die traditionelle Oper wird es in Frankreich immer schwieriger, ein Publikum zu finden, während es in Deutschland genau so zahlreich ins Theater geht wie vor dreißig oder vierzig Jahren. Vor allem wird das deutsche Opern-Publikum immer wieder durch die Jugend aufgefrischt; die französische Jugend strebt anderen künstlerischen Ausdrucksformen zu, in ihrer großen Mehrheit empfindet sie die Oper überhaupt als lächerlich; viele Jugendliche begnügen sich in Frankreich mit der Konserven-Oper, mit der Schallplatte nämlich. Die Oper auf der Bühne kommt jungen Franzosen unrettbar veraltet vor. Die Konsequenz aus dieser Haltung des französischen Publikums ist selbstverständlich, daß nichts oder nur sehr wenig geschieht, um die Oper gründlich zu erneuern. In Frankreichs Operntheatern sind Inszenierungen und Bühnenbilder nichts ungewöhnliches, die schon seit dreißig Jahren stehen. Und ein Festival, das sich selbst als »international« klassifiziert wie das in Aix-en-Provence ist im Begriff, ebenso zu versteinern: Die 1967 in Aix-en-Provence wieder einmal gezeigte Inszenierung vom *Don Giovanni* ist bereits neunzehn Jahre alt. Das wäre in Westdeutschland einfach undenkbar, wo man bestrebt ist, ein Werk nicht nur wieder aufzunehmen, sondern es ganz neu, den jeweiligen Zeit- und Stilgegebenheiten angepaßt zu inszenieren.

Aber auch die Kehrseite sollte nicht vergessen werden. Opernvorstellungen und Konzerte ziehen in Westdeutschland ein großes Publikum an, aber die Schallplattenindustrie erreicht bei weitem nicht den Stand, den sie in Frankreich, Italien und England einnimmt. Zudem erlebt die Kunst des Films in diesen Ländern einen unvergleichlichen Aufschwung. Der Film ist in Frankreich, Italien und England die Form des »Theaters«, die die Jugend an- und von der Oper wegzieht. In Deutschland war eine zeitlang schon der künstlerisch anständig gemachte Film die Ausnahme. Es versteht sich, daß Kitsch- und Heimatfilme in Westdeutschland nicht dasselbe Publikum anziehen wie die klassischen und modernen Opern, zumindest überschneiden sich die Publikumsschichten nur in geringem Maße, während in Frankreich gerade der gute Film die Mehrheit des kultivierten Publikums jeden Alters anlockt und von der Oper entfernt.

Die Opernkomponisten, die schon 1945 bekannt oder gar berühmt waren, haben auch danach neue Werke komponiert, abgesehen von Richard Strauss, der damals 81 Jahre alt war. Der älteste unter ihnen, der inzwischen ebenfalls verstorbene Paul Hindemith, hatte während des Krieges die amerikanische Staatsbürgerschaft angenommen. 1947 kehrte er nach Europa zurück, ließ sich allerdings in der Schweiz nieder, ohne den Kontakt zu seinem wiedergefundenen Vaterland zu verlieren.

Hindemith war außerordentlich fruchtbar, und er hat sich nie festgelegt auf eine besondere musikalische Form oder Gattung. Er hat sich in allen Bereichen der Musik versucht. Als Opernkomponist hat er schon vor dem Krieg mit zwei Werken seinen Ruf begründet: *Cardillac* und vor allem *Mathis der Maler* (1936). Diese darf als eine der bedeutendsten Opern des zwanzigsten Jahrhunderts angesehen werden. Hindemith verkörpert in der Hauptfigur, dem Maler Mathias Grünewald, den tragischen Konflikt einer Künstlerseele, die in den Sog der Zeit gerät. Auch die Oper *Harmonie der Welt*, 1957 in München uraufgeführt, beschäftigt sich mit diesem Thema. Die Hauptfigur ist der Astronom Kepler. Die dramatische wie musikalische Form dieses Werkes ist derjenigen des *Mathis* verwandt: auf großartigem, vielfach bewegtem historischem Hintergrund zeichnen sich die Figuren der Handlung in ihrem eigensten, intimsten Schicksal kraftvoll und leuchtend ab. Wie beim *Mathis* spielt auch in der *Harmonie* die symbolische Bedeutung der Geschehnisse eine große Rolle. Das Werk gipfelt in einer Vision Keplers, der im Sterben die Welt so erblickt, wie seine innere, unmittelbare Schau und seine Berechnungen sie erfaßt hatten.

Für die klassizistische Entwicklung Hindemiths ist dieses Werk geradezu typisch. Aber es sind auch eine bestimmte Anzahl von permanenten Aspekten auffindbar, die sich in den Opern anderer, auch jüngerer feststellen lassen, sogar bei Komponisten, die sich der Reihentechnik ergeben haben. Das bezieht sich vor allem auf die Form der Oper und auf ihre Struktur, wenn sie sich überhaupt bestimmen lassen in einer Zeit, in der man mit mehr oder weniger Glück versucht, eine Synthese zu finden zwischen Strömungen, die vordem gegeneinander liefen. Obwohl nicht wenige Komponisten des zwanzigsten Jahrhunderts und besonders der letzten 25 Jahre auf ihr Antiwagnertum Wert gelegt haben, muß man doch sehen, daß heute niemand mehr eine Oper schreiben kann, ohne bestimmten Umgestaltungen Rechnung zu tragen, die Wagner der Grundstruktur der Oper hat angedeihen lassen. Diese Tatsache ist ebenso von Debussy, seinen Schriften und Erklärungen nach Wagners entschiedener Gegner, wie von Strauss und Berg bestätigt worden. Und seit 1945 wird der Beweis dafür von allen jungen Opernkomponisten erbracht, selbst und vor allem von denjenigen, die zu Verdi oder Mozart oder Bizet »zurückkehren«. Man komponiert wieder »Nummernopern«, Opern, die Arien, Duette, in sich geschlossene Ensembles enthalten. Allerdings ist eine genaue Analyse der Partituren erforderlich, um die »Nummern«, Arien, Duette und Ensembles zu erkennen. Denn trotz der »Nummern« fließt es unentwegt weiter, wobei zahlreiche freie Rezitative gebraucht werden. Der ununterbrochene musikalische Fluß ist zu einer Regel geworden, die ausnahmslos in der jungen westdeutschen Oper angewendet wird, obwohl man die Stücke mit Formen unterbaut, die aus früheren Zeiten stammen. Durchweg auch gibt man in der jungen Oper der Orchestersprache einen wichtigen Rang. Allerdings ist das Orchester nicht mehr die »Riesengitarre« Verdis, es begnügt sich auch nicht mehr damit, die Hauptmomente der Handlung mehr oder weniger wuchtig zu unterstreichen, wie es in den Spätwerken Verdis und seiner Nachfolger der Fall war. Das heutige Orchester ist ausgesprochen symphonisch gehalten. Alle Möglichkeiten aller seiner Klanggruppen tragen autonom dazu bei, den Lauf der Handlung und die psychologische Haltung der Personen zu erläutern. Das heutige Opernorchester hat das unmittelbare Erbe des wagnerischen Orchesters angetreten, von Strauss und Berg gar nicht erst zu reden. Selbstverständlich sind Unterschiede und Nuancen festzustellen. Man muß jedoch sagen, daß die jungen westdeutschen Komponisten den Orchesterpart nicht überlasten; denn sie geben dem Gesang den Vorrang. Keineswegs aber stellen sie sich damit gegen Wagner. Von einigen wenigen Krisenpunkten abgesehen – beispielsweise im zweiten Akt des »Tristan« – arbeitet Wagner mit seinem Orchester sehr zurückhaltend. Stimme und Text bleiben immer hörbar, wenn der Dirigent die dynamischen Angaben der Partitur korrekt befolgt. Die junge Generation setzt sich vielmehr im Gegensatz zu Strauss und Pfitzner und den fast vergessenen Neuromantikern Schreker oder Korngold, die das wagnersche Beispiel falsch verstanden, seine raffinierte Art der instrumentalen Aussage mit einer massiven Ausbeutung des symphonischen Apparats verwechselt hatten.

Schließlich braucht nur eben erwähnt zu werden, daß die Libretti der jungen deutschen Oper weniger primitiv sind, weniger romanhaft überspannt, weniger unwahrscheinlich als die meisten Libretti der italienischen Opern des neunzehnten Jahrhunderts. Aber auch die Sorgfalt bei Ausarbeitung der Texte und bei der psychologischen Charakterisierung der Personen, selbst wenn es sich um Grenzfälle handelt, geht auf das wagnersche Erbe zurück. Viele Komponisten schreiben ihre Libretti selbst, sprachlich und dichterisch oft besser als Wagner es tat. Andere benutzen bereits existierende, berühmte dramatische Dichtungen. Wenige komponieren eigens für sie mit Sorgfalt erarbeitete Libretti, Bearbeitungen von Romanen, Erzählungen oder Dramen oder gar von originalen Ideen. Zu ihnen gehört einer der bedeutendsten, Hans Werner Henze. Zweifellos wurden sie darin von Verdi beeinflußt, jedoch vom Verdi des *Othello* und des *Falstaff*, der inzwischen viel über Wagners Beispiele nachgedacht hatte.

Hindemith hat das Libretto zu *Harmonie der Welt* selbst verfaßt. Vier Jahre später, 1961, bat er den amerikanischen Bühnendichter Thornton Wilder, sein Stück *Das lange Weihnachtsmahl* den Forderungen der Oper anzupassen. 1961 in Mannheim uraufgeführt, stellt das Werk in konzentrierten Abrissen das Schicksal einer amerikanischen Familie durch hundert Jahre hindurch dar, bei immer wiederkehrenden, sich identisch bleibenden Weihnachtsmahlen wechselnder Generationen. Die musikalische Schrift ist von erstaunlicher Meisterschaft, sowohl was den thematischen Reichtum angeht wie auch die Vollkommenheit der formalen und dramatischen Gliederung.

Unter den Komponisten der Vorkriegszeit sind so verschiedene Persönlichkeiten wie Werner Egk, Boris Blacher, Carl Orff und Wolfgang Fortner nach 1945 durch viele neue Werke zu großem Ruhm gelangt. Carl Orff ist unter ihnen sicherlich die eigenständigste Erscheinung. Sein Charakteristikum besteht wohl darin, daß er die Oper im traditionellen Sinne, aber auch die Musik, die bis dahin ihre Hauptkomponente war, zerstört. Orff hat sich von der griechischen Tragödie beeinflussen lassen. Aber die Idee, die er von ihr hat, kann nur auf Vermutungen beruhen, die mit einer starken Phantasie angereichert wurden. In Orffs Opern hat das Wort absoluten Vorrang, die Musik soll dem Wort vor allem rhythmische Stütze sein. Von solchen Grundgedanken ausgehend, hat Orff seine zwei »Tragödien« *Antigonae* und *Oedipus der Tyrann* komponiert. Die Libretti stellen die genialen Nachdichtungen der sophokleischen Tragödien durch Hölderlin. Orff's jüngste Oper, *Prometheus* (nach Sophokles) wurde im Herbst 1968 in der Münchner Staatsoper uraufgeführt. Der Text wird rhythmisch deklamiert, meistens auf bestimmten Tonhöhen. Von Rhythmus, von der Deklamation, von den Klängen soll ein magisches Besessensein ausgehen, dessen Hauptmotor jene Eintönigkeit zu sein scheint, die den Hörer sehr rasch ergreifen und nicht wieder loslassen soll. Bei manchen Zuhörern wird das Ziel tatsächlich erreicht. Bei anderen aber rufen die Orffschen Mittel nur Zorn und Erbitterung hervor, schließlich sogar Abscheu vor dieser Kunstform. Daraus ist die Heftigkeit zu erklären, mit der man seit Uraufführung der *Antigonae* 1949 in Salzburg für und wider Orff streitet. Für die einen ist er das Bühnengenie unserer Zeit, für die anderen der Totengräber der Oper und der Musik überhaupt. Angegriffen wird er des kindischen Primitivismus' wegen, den er bewußt anwendet. Dieser Primitivismus hat jedoch mit irgendeiner Form authentischer primitiver Musik nichts zu tun, denn dem Orffschen »Primitivismus« sind die melodische Subtilität ebenso fremd wie die rhythmische Raffiniertheit der wirklichen primitiven musikalischen Kulturen.

Außerdem komponierte Orff ein »theatralisches Triptychon«, genannt *Trionfi*. Der erste Teil, *Carmina burana* stammt von 1937, der zweite, *Catulli carmina* von 1942; der dritte Teil, *Trionfi di Afrodite* wurde 1951 geschrieben. Die Untertitel lauten jeweils: *Cantiones profanae, Ludi scaenici* und *Concerto scenico*. Das Ganze wurde nach lateinischen, griechischen, altdeutschen und altfranzösischen Texten komponiert, die Orff selber ausgesucht hat. Es stellt ein groß angelegtes Ballett-Oratorium dar. In der Hauptidee wird die fleischliche Liebe verherrlicht, die »heidnische Liebe«, in der Orff die Quelle allen Lebens sieht, des geistigen Lebens inbegriffen. Rhythmische und deklamatorische Eintönigkeit feiern ihre größten Triumphe.

Von den genannten Komponisten ist Werner Egk auf dem Gebiete der Oper der Fruchtbarste. Was die musikalische Sprache angeht, gehört Egk zu den zeitgenössischen Komponisten der gemäßigten Richtung, so daß ihm der Teil des Publikums, der avantgardistischen Ideen und Werken huldigt, nichts als Verachtung entgegenbringt. Diese Verachtung ist nicht gerechtfertigt, denn Egk ist ein immer interessanter, lebendiger Musiker, voller Ideen, reich an theatralischen und musikalischen Einfällen, und von absoluter Ehrlichkeit. Er komponiert nur, was ihm Spaß macht, und das scheint mir besser, als ästhetische Richtungen nachzuäffen, die sicherlich legitim sind, deren inneres Aufblühen und eigenste Lebensnotwendigkeit der Komponist aber nicht spürt. Zudem beweist das Werk Werner Egks mit besonderer Klarheit, daß die Gattung Oper Gesetzen gehorcht, die einigermaßen außerhalb der rein musikalischen Entwicklung einer Epoche zu suchen sind; Gesetzen, die quer durch die Entwicklung des Opernstils von Monteverdi bis in unsere Zeit im wesentlichen unverändert geblieben sind. Sie besagen, daß eine Oper vor allem ein Theaterstück ist, das in der Musik sein bestes Ausdrucksmittel findet, daß ihre musikalische Sprache zu jeder Zeit jenen idealen Gleichgewichts- oder Schwebezustand erreichen muß, der es ihr ermöglicht, das Wesen des Dramas mitzuteilen, das auszudrücken sie beauftragt ist. Musikalisch fortschrittlichere Werke wie die Opern Fortners oder Henzes belegen die Kraft dieser Gesetze. Die Wirkung auf Gehör und Empfinden des gutwilligen Allerweltshörers ist bei diesen Opern trotz der Verschiedenheit ihrer musikalischen Schrift vergleichbar.

Schon vor dem Krieg hatte sich Egk mit *Die Zaubergeige*, *Peer Gynt* und *Columbus* einen Namen gemacht. Fünfzehn Jahre lang schrieb er dann keine Opern mehr, wandte sich vielmehr und mit großem Erfolg dem Ballett zu. 1940 entstand *Joan von Zarissa*, 1948 *Abraxas*, ein Faustballett in fünf großen Bildern, uraufgeführt in München, weitere Aufführungen wurden durch den bayerischen Kultusminister verboten. Aber das schadete dem Werk nicht, es erlangte im Gegenteil gerade dadurch einen um so größeren Ruf. Das dritte Bild, *Pandemonium*, eine Darstellung des höllischen, vom Satan selbst geleiteten Liebesreigens, hatte dem Minister anscheinend den Schlaf geraubt, so daß er für die Tugend der seiner Obhut anvertrauten Bevölkerung das Schlimmste befürchtete. Aber das Werk hätte dieser kostenlosen Reklame gar nicht bedurft, um sich durchzusetzen. Egk versteht, für das Ballett zu komponieren. Unter den westdeutschen Komponisten ist er derjenige, der am meisten zur Neugeburt des klassischen Balletts in Westdeutschland beigetragen hat. 1953 bestätigte *Die chinesische Nachtigall* in München Egks Begabung, nachdem seine Rameau-artige *Suite française* 1952 mit Erfolg in Hamburg aufgeführt worden war. Selbstverständlich ist die Neugeburt der westdeutschen Balletts nicht allein auf Egk und vielleicht noch Henze zurückzuführen.

Nach den Greueln des Krieges fühlte sich das Publikum unwiderstehlich von einer Traumwelt der absoluten Schönheit des klassischen Tanzes angezogen, was mutige Intendanten – Georg Hartmann in München, Dr. Schäfer in Stuttgart, Heinz Tietjen in Berlin, später Rolf Liebermann in Hamburg – bewog, großen Tanzgruppen intensive künstlerische und finanzielle Unterstützung angedeihen zu lassen, bedeutende ausländische Stars und Choreographen zu berufen, die es verstanden, dem westdeutschen klassischen Tanz neues Blut zuzuführen, was er dringend nötig hatte. Die Arbeit Tatjana Gsovskys in Berlin, Victor Gsovskys und Irene Skoriks in München, die zahlreichen Gastpiele Yvette Chauvirés in Berlin, die Heranbildung vieler junger deutscher Tänzer ausgezeichneten Niveaus – Gert Reinholm, Heino Hallhuber, Gisela Dege, Natascha Trofimova, Maria Fris, vor allem Peter van Dijk, der außerdem ein bedeutender Choreograph ist – haben viele Komponisten ermutigt, sich im Lande Wagners, der diese Art des Theaters tief mißachtet hatte, auch dem Ballett zu widmen.

Zwei Opern begründeten nach dem Krieg den internationalen Ruf Werner Egks: *Irische Legende* und *Der Revisor*. *Irische Legende* wurde 1955 in Salzburg uraufgeführt. Das von Egk selbst verfaßte Libretto geht aus von einer Dichtung William Yeats. Die Symbolik einer alten irischen Legende, in der der Teufel selbst im Spiel ist, liefert das Grundthema: die Situation des Künstlers, des Menschen allgemein, der gezwungen ist, unter einer verabscheuungswürdigen Herrschaft zu leben, sich abzufinden, sich sogar mit ihr zu arrangieren, um seinen Landsleuten helfen zu können. Gräfin Cathleen verkauft ihre Seele dem Teufel, um ihre Untertanen vor dem Hungertod zu retten. Gott erkennt im richtigen Augenblick die Reinheit ihrer Absichten und rettet sie vor der ewigen Verdammnis. Egk selbst hatte sich unter der Naziherrschaft bemüht, Hunderte von Unschuldigen vor den Gaskammern zu retten. Die *Irische Legende* ist sicherlich eine Reaktion auf diese Erlebnisse.

1957 wurde *Der Revisor* vom Ensemble der Stuttgarter Oper in Schwetzingen uraufgeführt, eine Buffo-Oper, für die Egk selbst das berühmte Lustspiel Gogols als Libretto eingerichtet hat. Das Werk zeigt den Theaterinstinkt Egks auf höchstem Niveau. Es gelangte zu großem Erfolg in Westdeutschland, Italien, Frankreich und England.

Wie Werner Egk hat auch Boris Blacher nach 1945 den Spielplan der Opertheater durch mehrere Ballette und Opern von hohem Interesse bereichert, die sich bei einem verhältnismäßig breiten Publikum einer positiven Aufnahme erfreuten. Das trifft vor allem zu auf die groß angelegten Ballette *Hamlet* und *Der Mohr von Venedig*, beide Male Shakespeareschen Stoffen entnommen. *Hamlet* wurde von Tatjana Gsovsky, *Der Mohr* von Erika Hanka eingerichtet. *Hamlet* erlebte seine Uraufführung 1949 unter der Regie von Tatjana Gsovsky, *Der Mohr* 1955 unter der Regie von Erika Hanka. Blacher komponiert unbekümmerter und spontaner. Er hat es verstanden, den zwei Balletten eine Musik zu erfinden, die mit großer psychologischer Einfühlung den notwendigen Gegebenheiten einer ausdrucksmäßig vertieften Choreographie Rechnung trägt, ohne die dramatischen Knotenpunkte der Handlung zu vernachlässigen. Mit dem *Preußischen Märchen* hat sich Blacher, 1949, in die problematische Ballettoper vorgewagt. Das von Heinz von Cramer, dem späteren Mitarbeiter Henzes, gedichtete Libretto greift auf die berühmte Geschichte des falschen Hauptmann von Köpenick zurück, jenes kleinen Beamten einer Berliner Vorstadt, der sich eine Offiziersuniform anzog und so die gesamte Obrigkeit des Ortes unter Respekt zu halten verstand, der den Bürgermeister ins Gefängnis setzte und sich die Kasse aushändigen ließ. Zur Satire auf das kaiserliche Deutschland hat Blacher eine satirische Musik geschrieben; die Effekte sind bisweilen überladen, immer aber den gesungenen und getanzten Episoden der unglaubwürdigen Geschichte souverän angepaßt.

1953 überraschte Blacher mit einem äußerst originellen Werk, dessen Libretto von Werner Egk stammt, der auch als erster die Idee dazu hatte. Das Libretto läßt keine Handlung und kein einziges verständliches Wort zu, daher der Titel *Abstrakte Oper Nr. 1*. Sie besteht aus einer Folge äußerst lebendiger und farbiger Sequenzen, die mittels unartikulierter Naturlaute und einer an den Expressionismus anknüpfenden Musik einige psychologische Grundsituationen des menschlichen Wesens suggerieren.

Da ziehen »die Angst«, »die Liebe«, »der Schrecken«, »der Schmerz« an den Zuschauern vorbei. Der Versuch eines »absoluten« Gesangtheaters, wobei die »Nr. 1« nicht darüber hinwegtäuschen darf, daß es sich um ein Experiment handelt, das sich sehr schwer wiederholen läßt. Es sind die Grenzsituationen des Menschen, die Blacher immer wieder beschäftigen. Charakteristisch dafür ist, daß er für Gottfried von Einem das Libretto zum *Prozeß* nach Kafka geschrieben hat; ebenso, daß seine bisher beste Oper *Rosamunde Floris*, nach dem gleichnamigen Stück von Georg Kaiser, eine Frau zur Hauptfigur hat, die zur dreifachen Mörderin wird, um die Reinheit einer Jugendliebe nicht aufgeben zu müssen. *Rosamunde Floris* wurde 1960 in Berlin uraufgeführt. Musikalisch zeichnet es sich durch eine außerordentliche Sparsamkeit der orchestralen Mittel aus, die nur selten die Monodie einer rhythmischen Punktierung überschreiten, deren sehr raffinierte und differenzierte Strukturen allerdings weit über den verwandten Verfahren von Orff stehen. Das Wort und die melodischen Rezitative beherrschen das Feld, wobei den Rezitativen eine die Personen kennzeichnende Kraft innewohnt, was vor allem der geheimnisvollen und fürchterlichen Zentralfigur zugute kommt. Daß sich die musikalische Sprache der Reihentechnik nähert, ist nicht erstaunlich, wenn man sich der rhythmischen Forschungen und Versuche Blachers erinnert, die ihn in die Nähe Messiaens führten. Wie anders könnte man, ohne dem Schwulst romantischer Konventionen zu verfallen, die Figur der geheimnisvollen Verbrecherin kennzeichnen, als durch Reihenorganisation der Intervallen, die für den unbefangenen Hörer genauso geheimnisvoll ist.

Die Reihenorganisation beherrscht auch die Grundstruktur der Oper *Bluthochzeit* (»Bodas de Sangre«) die Wolfgang Fortner nach der gleichnamigen Tragödie von Federico Garcia Lorca komponiert hat. Vor dem Krieg stand der junge Fortner unter dem zwiefachen Einfluß von Hindemith und Strawinsky. Um 1950 beginnt er, sich für die Reihenmusik zu begeistern, die unter den Nazis verpönt war. Spontan erkennt er in der Reihentechnik ein Mittel, das am stärksten und wirkungsvollsten die dämonische Welt auszudrücken vermag, in der die Menschheit zu leben gezwungen ist. 1950 schrieb Fortner das Ballett *Die weiße Rose* noch im bewußten Gegensatz zur dämonischen Welt. Mit seinen Reihenwerken taucht er tief in diese Welt hinein, nach Schönberg und Berg, aber um einiges konsequenter als sein eigener Schüler Henze beweisend, daß die Ausdruckskraft der Reihenmusik, die ihre Wurzeln im Expressionismus hat, der Ausdruckskraft der tonalen Musik im späten neunzehnten Jahrhundert keineswegs nachsteht. Mit der Oper *Bluthochzeit* ist es Fortner 1957 gelungen, einen der ersten Plätze in der zeitgenössischen Musik einzunehmen. Und alle seine späteren Werke haben ihn auf diesem Platz bestätigt. Dabei stellt gerade die *Bluthochzeit* eine Synthese dar zwischen der Reihenmethode und einer – selbstverständlich im Sinne der Reihe geführten – modalen Technik, die hier durch die zum Teil notwendige spanische Stimmung bedingt wurde. Bei Fortner ist unter »Reihentechnik« außerdem jene Organisation der Tonhöhen zu verstehen, wie sie von Schönberg und Berg angewendet wurde, nicht jedoch die »totale« Reihung eines Boulez und seiner Schüler. Fortner ist ein leidenschaftlicher Musiker, er braucht die freie Handhabung der Tondauer, der Klangfarben und Tonstärken. *Bluthochzeit* wurde 1957 in Stuttgart uraufgeführt und ist seitdem über viele deutsche und ausländische Bühnen gegangen und immer mit großem Erfolg. In Frankreich, das sich der zeitgenössischen Oper gegenüber träge verhält, wird die *Bluthochzeit* 1968 in französischer Sprache erstaufgeführt, und zwar in Bordeaux. Die deutsche Fassung fußt auf der Übersetzung des Lorcaschen Dramas von Henrique Beck. In stetigem Wechsel wird der Dialog frei gesprochen, rhythmisch vorgetragen, gemurmelt, geschrien oder gesungen. Aber die Musik behält den Vorrang, denn in den Dialog-Szenen drückt – von wenigen Ausnahmen abgesehen – die Orchestermusik all das aus, was hinter den Worten in Herz und Seele der Figuren geschieht.

Fünf Jahre nach der *Bluthochzeit* schrieb Fortner, wiederum nach Lorca, die Kammeroper *In seinem Garten liebt Don Perlimplin Belisa* und bewies erneut die Feinheit und intensive Ausdruckskraft seiner Kunst. An Reinheit und Einheitlichkeit der musikalischen Schrift übertrifft dieses tragische Kabinettstück alles bis dahin von Fortner Komponierte, es sei denn, man zieht *Chant de naissance* in diese Betrachtung hinein, ein Werk, das wie die rein symphonischen Meisterwerke Fortners, dieses vielseitigen, nicht nur der Oper verschriebenen Musikers, nicht in den Rahmen dieses Aufsatzes gehört. Dennoch muß es erwähnt werden, handelt es sich doch um eine Kantate für Solosopran, Solovioline, Chor und Orchester: eine Opernbesetzung also, ein Oratorium, komponiert nach Gedichten von Saint John Perse, das nur eine Viertelstunde dauert und in seinem strengen Zwölftonsatz alle dramatischen und lyrischen Gegensätze der Gattung Oper heranzieht.

Zwischen den Generationen der Älteren, die 1930, und der Jüngeren, die 1945 zu komponieren begannen, stehen zwei Musikerpersönlichkeiten, die, verschieden nach Stil, Temperament und Technik, je auf ihre Weise die zeitgenössische westdeutsche Oper bereichert haben: Der Österreicher Gottfried von Einem und der Schweizer Rolf Liebermann.

Beide begannen ihre Arbeit während der düsteren Kriegszeit. Das erste Werk Gottfried von Einems, das Ballett *Turandot*, nach einem Libretto von Gian Francesco Malipiero, stammt aus dem Jahre 1944. International bekannt wurde von Einem 1947, als seine Oper *Dantons Tod* bei den Salzburger Festspielen uraufgeführt wurde. Als Libretto benutzte von Einem eine freie Bearbeitung des Büchnerischen Dramas. An der Berliner Oper und in Bayreuth hatte der Komponist theatralische Erfahrungen gesammelt. Seine Musik ist eminent theaterwirksam. Sie hängt unmittelbar von den szenischen Begebenheiten ab; ihre Form und ihr Stil haben nichts zu tun mit der sogenannten absoluten Musik.

Eine formenfreie Musik wie die von Einem, die allein aus den Forderungen des dramatischen Ablaufs hervorgeht, läuft Gefahr, selbst dem auszudrückenden Drama gegenüber oberflächlich zu bleiben; denn Ausdruckskraft entfaltet sich ja gerade durch den Druck der formalen Bindungen und die Strenge organischer Strukturen. Mit *Dantons Tod* und der nach Kafkas *Prozeß* komponierten Oper, die ebenfalls in Salzburg, 1952, uraufgeführt wurde, entging von Einem der musikalischen Zersplitterung durch den Ernst und die Tiefe des Stoffes und durch den symbolischen und allgemein menschlichen Sinn, den er seinen Werken verlieh. Vielleicht haben die beiden Dramen, tiefenpsychologisch betrachtet, autobiographische Züge, wie Egks *Irische Legende*. Die verhängnisvolle Verkettung der blutigen Ereignisse während der französischen Revolution in *Dantons Tod* und das unverständliche Schicksal des Menschen, der im *Prozeß* unerkennbaren und überlegenen Mächten ausgeliefert ist, darf man wahrscheinlich als Spiegelungen jener Erlebnisse auffassen, die von Einem zwischen 1938 und 1943 in Berlin gehabt hat, als er inmitten des Stroms von Blut und Elend, den die wahnwitzigen und verbrecherischen Machthaber heraufbeschworen, seinem bescheidenen Theaterberuf nachging. Schon 1944 berichtete seine *Turandot* von der Herrschaft eines unbedingten Machtwillens über den Rest der Menschheit.

Das Oeuvre Gottfried von Einems weist auf die große Bedeutung der menschlich-dramatischen Themen für die Existenz der Oper hin. Darauf hat auch Rolf Liebermann in Schriften und öffentlichen Erklärungen wiederholt aufmerksam gemacht. Er vertritt die Auffassung, daß die Zukunft der modernen Oper abhänge von der Anziehungskraft der Themen, die in unmittelbarer Verbindung mit den brennenden Fragen und Problemen stehen müßten, die den heutigen Menschen beschäftigen. Liebermann wendet sich noch direkter als von Einem den aktuellen Problemen zu. Er sucht nicht in historischen oder metaphysischen Stoffen Symbole für die gegenwärtigen Konflikte, er spiegelt vielmehr in aktuellen, sehr einfach gehaltenen Situationen ewige Probleme. Liebermann hat in Heinrich Strobel einen Mitarbeiter gefunden, der ein Dichter im Sinne des Wortes ist; sein Mittel zur Erschaffung menschlicher Typen ist eine Ironie, die vom Herzen her mit Zärtlichkeit gespeist wird. Strobel schrieb für Liebermann *Leonore 40/50*, die Geschichte einer Liebe zwischen einem französischen Mädchen und einem deutschen Soldaten. Die Oper wurde 1951 uraufgeführt. 1954 folgte in Salzburg *Penelope*, eine »opera semi-seria«, die tragische Rückkehr eines Kriegsgefangenen, der feststellen muß, daß sein Platz am Herd und in seiner Ehe inzwischen von einem anderen eingenommen wurde. Herzenszärtlichkeit und Ironie sind nicht nur Strobels, sondern auch Liebermanns bevorzugte Mittel. Oberflächlich gesehen schreibt er eine leichte Musik; Chansons und Kantilenen von ausgesprochen italienischem Pathos wechseln sich ab. Dennoch ist sie streng gesetzt in einem Zwölftontanz wie bei Fortner und vielfach auch bei Henze. Ein Zwölftonsatz jedoch, dem es gelingt, frei zu bleiben, die primitive Satztechnik auszubauen zu einer reinen und spontan erfundenen Musik.

Man könnte Liebermann einen Alban Berg nennen, der sich mit dem französischen Boulevard-Stil vertraut gemacht hat. Das bewies seine dritte Oper, *Die Schule der Frauen*, von Strobel nach dem Molièreschen Stück geschrieben, nach einer amerikanischen Uraufführung 1957 in Salzburg für Europa erstaufgeführt. Ich habe den Begriff »Boulevard-Stil« nicht in einem abwertenden Sinne gebraucht; ich bezeichne damit das in unseren Tagen fast verschwundene Vermögen, auch die ernsten Probleme mit leichter Hand und einem Geschmack zu behandeln, der souverän ausgleicht, ohne sich des Ernstes und der Tiefen zu begeben.

In gewissem Sinne besteht darin auch das Talent Hans Werner Henzes. Der Schöpfer von *Boulevard Solitude* ist wohl der bekannteste der heutigen deutschen Opernkomponisten, der gesamten westlichen Welt. Man spricht von ihm wie von einem neuen Richard Strauss, was selbstverständlich ein zweischneidiges Lob bedeutet. Immerhin aber gehören die Opern Henzes zum Spielplan der wesentlichen Theater in Westdeutschland. Auch in Italien und England sind seine Opern vorgestellt worden. In Frankreich wurden sie zunächst in deutscher Originalbesetzung im Pariser Théâtre des Nations gespielt, bis sie von bedeutenden Provinztheatern in französischer Übersetzung mehrfach ins Repertoire aufgenommen wurden, beispielsweise *Elegie für junge Liebende* in Nizza und Marseille, *Der junge Lord* in Straßburg, *Der Prinz von Homburg* in Lyon, Marseille, Nizza und Straßburg.

Henzes Opern beweisen erneut, worauf in diesem Aufsatz schon hingewiesen wurde, daß die Oper eine bestimmte Anzahl von Grundgesetzen
nicht übersehen darf, wenn sie sich ein Publikum sichern will, das für
Zugeständnisse nicht zu haben ist. Man muß nicht wie Menotti komponieren, um ein Publikum zu finden. Andererseits ist es unsinnig, mit einem
breiten Publikum zu rechnen, wenn man musikalisch esoterische Opern
komponiert und sich, in Wirklichkeit oder nur dem Anschein nach, bestimmten Gesetzen der Gattung entgegenstellt. Dieses schwierige Balance-
Spiel ist Henze in souveräner Weise gelungen, auf dem Gebiet der Oper
wie auf dem des Balletts.

Neben Egk und Blacher hat Henze am wirksamsten zur Wiedergeburt des
klassischen Balletts in Westdeutschland beigetragen. 1951 ist der erst
Fünfundzwanzigjährige künstlerische Leiter des Wiesbadener Balletts. In
Wiesbaden läßt er, in der Choreographie von Peter van Dijk, seine *Anru-
fung Apolls* aufführen. Die Musik dazu bildet später seine dritte Symphonie. Das allein beweist schon, welche Bedeutung Henze der Musik bei-
mißt, die trotzdem eine außerordentlich wirksame Grundlage für den
Tanz und seine poetische Ausdruckswelt schafft. 1957 erlebten die Besucher
der Berliner Festspiele die Uraufführung des Balletts *Maratona di danze*,
getanzt von Jean Babilée. Das Libretto stammt von Lucchino Visconti.
Henze verbindet Jazzelemente mit einem modernen, kunstvoll durchdachten Satz, ohne die Grundgesetze des Tanzrhythmus zu vergessen.

1958 wird Henzes Ballett *Undine*, nach dem gleichnamigen Märchen von
Friedrich de la Motte-Fouqué, in London uraufgeführt. Ein Jahr später
geht es in München über die Bühne. *Undine* ist ein Werk, in dem Henze
am entschiedensten zur großen klassischen Kunstform zurückkehrt, ohne
die Erkenntnisse seiner nun zehn Jahre zurückliegenden Lehrzeit im
»Reihen-Schmelztiegel« der Darmstädter Ferienkurse zu verleugnen. 1952
war diesem Schmelztiegel *Boulevard Solitude* entsprungen, der erste große,
internationale Erfolg Henzes im Bereich der Oper. Eine Zwölftonoper, bei
der sich aber die Neigung des Komponisten zur Synthese bereits abzeichnet: die Paritur enthält ein Lied in C-moll, Spuren von Jazz und sogar eine
exakt angeführte Stelle aus Jules Massenets *Manon*. Der Versuch einer
Synthese wird mit *König Hirsch* 1955 fortgesetzt. Inzwischen hatte sich
Henze in Italien niedergelassen. Im *König Hirsch*, das Libretto schrieb
Heinz von Cramer nach Gozzis Märchenspiel, lebt das reine, altneapoli-
tanische Volkslied mit einer sehr freien Zwölftonmusik, wie Henze sie sich
persönlich erarbeitet und zurechtgelegt hat, in bester Eintracht zusammen.
Je weiter Henze in die Tiefen seiner Kunst eindrang, um so mehr ergrün-

dete er die dramatischen und poetischen Elemente seines Stils. *König Hirsch* hatte noch Längen, die Henze in einer neuen Fassung beseitigte, die unter dem Titel *Il re cervo* in Kassel erstaufgeführt wurde. Der *Prinz von Homburg* jedoch, 1959 in Hamburg uraufgeführt, das Libretto schrieb Ingeborg Bachmann nach dem Kleistschen Drama, stellt eine bemerkenswerte Einheit von dichterischer Sprache, surrealistischen Aspekten und musikalischer Neuschöpfung dar. Henze bedient sich verschiedener sprachlicher und technischer Mittel der weitauseinandergehenden Tendenzen in der heutigen Musik und verfällt trotzdem nicht der Nachahmung. Er findet eine neue Einheit und unterscheidet sich damit souverän von jeder epigonalen Richtung der letzten dreißig, vierzig Jahre.

Die spannende, dramatische Handlung, von der die Zukunft der Oper abhängt, wies in Henzes ersten Arbeiten noch Fehler auf, im *Prinzen von Homburg* wurde sie jedoch schon wirksam, erreichte dann aber Vollkommenheit in der 1962 durch das Stuttgarter Ensemble in Schwetzingen uraufgeführten *Elegie für junge Liebende*. Den Weg dieser Oper muß man wie den des *Prinzen von Homburg* triumphal nennen. Das Libretto stammt von Auden und Kallman, den Dichtern des Strawinskyschen *Rake's Progress*. Der Held des Dramas ist ein Dichter, der seine Umwelt den Gesetzen seines eigenen Schaffens unterwirft und dabei auch vor einem Verbrechen nicht zurückschreckt, um seine persönliche Rache zu befriedigen, ein Gemisch aus Größe und Niedertracht, aus dichterischer Echtheit, individueller und gesellschaftlicher Pose, prädestiniert wie einige Figuren bei Strauß zum Typus. Und in der Tat ist die *Elegie* eine Oper, die nicht nur durch ihre dichterische Atmosphäre, durch ihre Handlung und ihre Personen, sondern auch durch die außerordentliche musikalische Virtuosität an den Autor des *Rosenkavaliers* erinnert. Man kann andererseits aber auch an Liebermann und seine Neigung zu tiefsinniger Leichtigkeit denken, hält man sich das Wechselspiel von Lyrismus und Ironie vor Augen. Der Hinweis auf derartige Einflüsse oder Beziehungen vermindert die Leistung Henzes nicht. Er zeigt im Gegenteil, daß ein bestimmter Opernstil, der sich dem Gesetz der Erneuerung und gleichzeitig der Bewahrung verpflichtet weiß, bezeichnend ist für diese Epoche. Darauf habe ich schon hingewiesen.

Mit dem *Jungen Lord* begab sich Henze ins Gebiet der Buffo-Oper und setzte sich damit Gefahren aus, die der besonderen Art seiner Begabung allerdings immanent zu sein scheinen. Aber man konnte weder von ihm noch von seiner Textdichterin Ingeborg Bachmann vermuten, daß ihnen Ironie und Satire, wie sie sich in diesem Werk ausbreiten, dickflüssig bis zur Unerträglichkeit geraten würden. Die Geschichte fußt auf einem Märchen von Wilhelm Hauff. Ingeborg Bachmann verlegte die Handlung in eine deutsche Kleinstadt des Jahres 1830. Ein alter englischer Lord bezieht mit seinem Gefolge das schönste Haus der Stadt und bietet Zirkusleuten Quartier an, die von den Spießbürgern verjagt worden sind. Aber ihre indiskreten, provinziellen Annäherungsversuche ignoriert er snobistisch. Er dressiert insgeheim den Affen der Truppe zu einem »jungen Lord«, stellt ihn als Lord der Stadt vor, und die Stadt, an der Spitze die Weiber, ahmen stupide sein Gebahren nach, während sich ein sentimentales Mädchen in den Affen rettungslos verliebt. Nur ihr bisheriger Liebhaber, ein Student, verliert den Kopf nicht. Das Ende ist grauenhaft. Der alte Lord reißt dem »jungen« die Maske herab, und die Gesellschaft stöhnt und röchelt: Es ist ein Aff! Ein Aff! Ein Aff! Die Grenzen der Wahrscheinlichkeit werden hier überschritten; die Gefahr bestand schon in zwei vorausgegangenen Szenen. Die Satire wird zerstört, die Personen werden zu grotesken Marionetten.

Henze ist der Gefahr erlegen, für ein solches Werk eine leichte, allzu leichte Musik zu schreiben, weil er Leichtigkeit verwechselte mit einer fast unbeschränkten Rückkehr in tonale Gefilde. Von einer Synthese verschiedener Stile kann hier kaum die noch Rede sein; zur »Rückkehr« im allgemeinen trägt außerdem eine erstaunlich dicke Instrumentierung bei, die einen großen Teil des Textes unverständlich macht.

Mit den *Bassariden*, seiner bisher letzten Oper, hat Henze die Fehler des *Jungen Lord* in großartiger Weise wettgemacht. In seinem Grunde ist Henze eine tragische Natur. Der Tragik hat er vom Stoff ausgehend – abgesehen von den aristophanisch gestimmten satirischen Einlagen – in überzeugender Weise gehuldigt. Das Ende einer Welt und die Geburt einer neuen, die Einführung des Dionysoskults in der Stadt des Gottes verbinden sich mit einem Ausbruch von Grausamkeit und Katastrophen, wie sie die vorgeschichtliche Welt der Griechen ausgiebig gekannt hat. Die furchtbaren Erschütterungen wurden von den Textdichtern Auden und Kallman in einem barocken, maßlosen Stil dargestellt und ausgebeutet. Henzes Musik aber versinnbildlicht vor allem das innere Geschehen. Sie ist besonders auf dem Höhepunkt von einer Zartheit, die jedoch die expressive Intensität nicht ausschließt. Und wieder herrscht die Tendenz zur Synthese vor, wobei indessen nicht zu leugnen ist, daß die Vorliebe für alte Formen und Klänge den Gesamtcharakter bestimmt. In der Kunst und auch in der Musik ist das Pendel stets zwischen Revolution und Stabilisierung hin und her geschwungen. Daß Henze immer mehr auf Stabilisierung setzt, daß die

Uraufführung der *Bassariden* in Salzburg zu einem Triumph sondergleichen wurde, wird seiner außerordentlichen Begabung und auch der gesellschaftlichen Rolle, die seine Musik heute spielt, keinen Abbruch tun. Zahlreiche deutsche Komponisten aus der Generation Henzes haben Opern komponiert, wobei ihnen die allgemeine westdeutsche Situation zugute kam. Unter den jüngeren Komponisten verdienen wenigstens zwei angeführt zu werden: Giselher Klebe und Bernd Aloys Zimmermann. Klebe hat eine Entwicklung durchgemacht, die mit derjenigen Henzes vergleichbar ist. Vielleicht besitzt er weniger Tiefe, sicherlich aber eine ähnliche virtuose Leichtigkeit. Sechs Opern hat Klebe bisher geschrieben. *Die Räuber* nach Schiller, Klebes Erstlingswerk, waren streng zwölftönig gesetzt. *Die tödlichen Wünsche* nach Balzacs *Peau de chagrin* und *Die Ermordung Cäsars* nach Shakespeare zeigen aber schon eine wachsende Freiheit der musikalischen Schrift. Mit hinreißender virtuoser Lyrik, mit einem besonderen Sinn für das ebenso Leichte wie Tiefsinnige und Ewige des Stoffes und der Personen komponierte Klebe die *Alkmene* nach Kleists *Amphitryon*, ein Werk, das trotz der triumphalen Uraufführung bei den Berliner Festspielen 1961 noch nicht die Verbreitung gefunden hat, die es verdient. Klebe schreibt seine Textbücher selbst. Auch er beweist, daß der Kontakt mit einem neuen Publikum möglich ist, wenn die Werke Fragen und Probleme behandeln, die für unsere und alle Zeiten gültig sind, und wenn die Musik, neu in Geist und Technik, trotzdem fortfährt, eine menschliche Sprache zu sprechen.

Klebes fünfte Oper, *Figaro läßt sich scheiden*, erlebte seine Uraufführung in Hamburg, während Bernd Aloys Zimmermanns *Soldaten* in Köln, der Heimat des in den Vierzigern stehenden Komponisten, einen durchschlagenden Erfolg erzielte, der es erlaubte, das Werk drei Jahre lang auf dem Spielplan zu halten. Einige Zeit munkelte man, die *Soldaten* seien einiger technischer Gesangsschwierigkeiten wegen unaufführbar. Ein Fragment, das durch den Rundfunk öffentlich und konzertant aufgeführt wurde, machte dann so sehr Sensation, daß sich die Kölner Oper entschloß, das Werk herauszubringen. Zimmermann vertonte ein nach dem gleichnamigen Schauspiel von Lenz eingerichtetes Libretto in streng zwölftönigem Satz und einer ungemein verästelten, raffinierten expressionistischen Polyphonik, in einer Technik und in einem Stil, die ohne Zugeständnisse an den gängigen Geschmack ein breites Publikum bis ins Innerste trafen.

Die Zukunft der westdeutschen Oper ist nicht nur durch die schöpferische Bereitschaft jüngerer und älterer Komponisten, nicht nur durch die allgemeinen Bedingungen, sondern auch durch die Tätigkeit zahlreicher erstrangiger Regisseure gesichert, ganz zu schweigen von einer Sängerschar deutscher, aber auch fremder, vor allem amerikanischer Herkunft. Männer wie der große, zu jung verstorbene Regisseur Wieland Wagner, Günther Rennert, Oscar Fritz Schuh, Gustav Rudolf Sellner, der Schönbergs *Moses und Aaron* der westdeutschen und internationalen Bühne gewonnen hat, haben viel für die Oper, vor allem auch für die zeitgenössische getan. Zahlreiche Dirigenten, bekannte und weniger bekannte, beschäftigen sich mit den neuen Werken und heben sie aus der Taufe. Und es sei – ohne auf die Sänger hier näher eingehen zu können – daran erinnert, daß ein Künstler internationalen Ranges wie Dietrich Fischer-Dieskau sich nicht scheut, viele Rollen aus neuen Werken einzustudieren, statt sich auf den Lorbeeren auszuruhen, die er mit Wagner und Schubert geerntet hat.

Den Komponisten aber, den Intendanten, den Regisseuren und den Sängern kommt – und das ist ausschlaggebend – ein Publikum entgegen, das immer etwas Neues hören möchte, ein Publikum, das die beste Grundlage für das Gedeihen der Oper in Westdeutschland liefert.

Das Ballett

Horst Koegler

Das deutsche Ballett hat es schwer – vielleicht nicht schwerer als das italienische und das französische Ballett, aber auf jeden Fall schwerer als das amerikanische, das englische oder sogar das niederländische Ballett. Das rührt von seiner Verflechtung in den deutschen Mehrsparten-Theaterbetrieb her, die es daran gehindert hat und noch immer weiter daran hindert, sich zu emanzipieren, sich aus seiner Opern- und Operettenabhängigkeit zu befreien, seine künstlerische Selbständigkeit neben dem Schauspiel und der Oper durchzusetzen. Seinen theatralischen Lebensraum muß es sich gegen die Oper (und an vielen der kleineren Stadttheater auch noch gegen die Operette) erkämpfen – und es ist bekannt, welch eine ungeheure Machtstellung die Oper im deutschen Theaterbetrieb einnimmt. Jede durchgeführte Ballettvorstellung bedeutet den Verzicht auf eine Oper- oder Operettenvorstellung, denn es gibt in der Bundesrepublik keine einzige Ballettkompanie, die permanent auf eigener Basis, ohne feste Bindung an eins unserer staatlichen oder städtischen Theater existieren kann.

Das deutsche Ballett hat es aber auch deshalb besonders schwer – und eben doch schwerer als das italienische oder französische (und das sowjetische), weil es in einer Ära der internationalen Ballettrenaissance vollauf mit der Bewältigung seiner Anti-Ballett-Vergangenheit beschäftigt war. Noch jahrelang nach 1945 konnte man sich an unseren Theatern nicht entscheiden, ob man nicht doch lieber an die große Zeit des deutschen Ausdruckstanzes der zehner, zwanziger und beginnenden dreißiger Jahre unseres Jahrhunderts wiederanknüpfen sollte. Der hatte Deutschland in der internationalen Welt des Tanzes bekannt gemacht – bekannter jedenfalls als irgendeiner seiner früheren Beiträge zur Geschichte des Balletts, wenn man von dem sechsjährigen Wirken Noverres in Stuttgart vor ziemlich genau zweihundert Jahren einmal absieht. Dem Akademischen Tanz haftete nach wie vor der Ruch des Antiquierten, des Sterilen, des Eskapismus an. Die Hinauszögerung der Entscheidung für den Akademischen Tanz hat das deutsche Nachkriegsballett jedenfalls um die einmalige Chance eines Neubeginns am Punkte Null gebracht.

Diese Entscheidung konnte zwar hinausgezögert werden – aufzuhalten war sie nicht. Es kamen die großen, renommierten Kompanien aus Frankreich, England und den USA, die bewiesen, daß die Mittel des Akademischen Tanzes keineswegs erschöpft waren, daß sie sich vielmehr – und zwar nicht zuletzt durch die Auseinandersetzung mit den Errungenschaften des Modern Dance – gründlich regeneriert hatten. Es kamen die ersten ausländischen Pädagogen, Ballettmeister und Choreographen in die Bundesrepublik, die in der Tradition der Danse d'école aufgewachsen waren, und die hier nun als deren Botschafter wirkten: Victor Gsovsky und Alan Carter in München, Nicholas Beriozoff in Stuttgart. Die Krefelder Internationale Sommerakademie des Tanzes, 1957 gegründet (und Anfang der sechziger Jahre dann nach Köln verlegt), wurde zur Kontaktstelle der deutschen Ballettwelt mit den führenden Pädagogen des Auslands. Die deutschen Opernballette brachten ihre ersten Klassikerinszenierungen mit den traditionellen Choreographien heraus: *Giselle, Dornröschen, Schwanensee.*

Allmählich bahnte sich ein Umschwung an, holte das klassische Ballett an den Theatern auf. Seine führenden beiden deutschen Ladies, Tatjana Gsovsky in Berlin und Yvonne Georgi in Hannover, beide aus der Bewegung des Ausdruckstanzes hervorgegangen, stellten sich auf diese Entwicklung ein, wurden in ihren Choreographien zunehmend klassischer. Heinz Rosen in München gelang es freilich am wenigsten, das Erbe seiner Jooss'schen Tanztheater-Vergangenheit abzuschütteln – wie auch Kurt Jooss selbst, nach seiner Rückkehr aus der Emigration, die größten Schwierigkeiten hatte, auf der immer stärker zum Akademischen Tanz tendierenden deutschen Ballettszene erneut Fuß zu fassen.

Für die jüngere Choreographen-Generation war das Problem der Auseinandersetzung mit dem Erbe des Ausdruckstanzes weniger akut – sie hatten allenfalls seine bereits stark verwässerten Ausläufer während der Endjahre des »Dritten Reiches« kennengelernt. Für Erich Walter, Jahrgang 1927, spielte dieses Problem überhaupt keine Rolle mehr. In Wuppertal entwickelte sich in ungemein stetiger, zehnjähriger Arbeit zum deutschen Nachwuchschoreographen Nummer eins, und sein Stil, entscheidend mitgeformt durch Heinrich Wendel, den Wuppertaler Ausstattungsleiter, war der eines hochmusikalischen, eminent lyrischen, rein klassisch-akademisch fundierten Neoklassizismus in der Balanchine-Ashton-Nachfolge.

Dann nahm, zu Jahresbeginn 1961, John Cranko in Stuttgart die Arbeit auf, zunächst nicht sonderlich willkommen geheissen, eher als ein unerwünschter Missionar angesehen, geschickt von Ninette de Valois, den deutschen Ballettheiden die alleinseligmachende Botschaft des Royal Ballett zu verkünden. Crankos Stuttgarter Beginn war nicht gerade verheißungsvoll. Die von ihm herausgebrachten Ballette wurden als zu englisch kritisiert. Und daß er nach und nach fast alle Tänzer entließ, die Beriozoff ihm hinterlassen hatte, darunter zuerst alle deutschen Ensemblemitglieder, trug auch nicht gerade zu seiner Sympathie in deutschen Kollegenkreisen bei. Man wehrte sich heftigst dagegen, das Stuttgarter Ballett von ihm zu einer ausländischen Filialkompanie des Royal Ballet umgeformt zu sehen. Nach zwei Spielzeiten war es ganz deutlich: Cranko war eine Fehlinvestition. Am liebsten hätte man ihn damals so rasch wie möglich wieder über den Kanal abgeschoben. Die Aufmerksamkeit der ballettinteressierten deutschen Öffentlichkeit war damals viel stärker auf Köln und auf Hamburg gerichtet. In der Domstadt machte Aurel M. Milloss ein paar Spielzeiten lang hochambitioniertes Ballett-Theater von ausgesprochen intellektuellem Anspruch. Von Geburt Ungar, von Laban erzogen, durch seine langjährige Tätigkeit in Italien zum Akademischen Tanz bekehrt, kam er als ein Repräsentant des Diaghilewschen Ideals vom tänzerischen Gesamtkunstwerk nach Köln. Die substanzhaltigsten Partituren, die interessantesten modernen Maler und Plastiker waren seinem Anspruch gerade gut genug. Als Gastchoreographen lud er Massine, Lander, Béjart und Cullberg ein, die hier ihre ersten deutschen Einstudierungen absolvierten. Weltoffenheit zeichnete das Kölner Ballett aus, zumindest ein paar Spielzeiten lang. Doch Milloss konnte nicht verwinden, daß man den Ballettdirektor an ihm mehr schätzte als den Choreographen. Und so packte er eines Tages ernüchtert seine Koffer und zog nach Wien weiter. Immerhin: Milloss hatte Köln aus seiner Ballett-Lethargie aufgeweckt. Er hatte bewiesen, daß auch in dieser Stadt ein potentielles Publikum für Ballett vorhanden ist.

Aber die große deutsche Balletthoffnung war zu Beginn der sechziger Jahre zweifellos auf Hamburg gerichtet. Dorthin hatte Liebermann als seinen Ballettdirektor Peter van Dyk berufen, der es als einziger deutscher Tänzer der fünfziger Jahre geschafft hatte, eine internationale Karriere zu machen, die ihm schließlich das Avancement zum Etoile des Pariser Operballetts eingebracht hatte. Van Dyk kam, durch die Pariser Schule geprägt, nach Deutschland zurück. Aber nicht seine Choreographien, die ihn als einen getreuen Schüler Serge Lifars auswiesen, waren es, auf die sich die Hamburger Balletthoffnungen gründeten, sondern die freundschaftlichen Kontakte des Hamburger Opernchefs Rolf Liebermann zu George Balanchine, dem Direktor des New York City Ballet. Liebermann lud Balanchine wiederholt nach Hamburg ein, der dem Hamburgischen Staatsopernballett nach und nach viele seiner Meisterwerke einstudierte:

137

von *Apollo* über *Serenade, Concerto Barocco, Vier Temperamente, Sinfonie in C* bis zu *La Valse.* Da diese Ballette sämtlich als Meilensteine der modernen Choreographie gelten, erarbeitete sich Hamburg in wenigen Spielzeiten ein Repertoire, wie es in dieser choreographischen Qualität zu der Zeit keine andere deutsche Ballettkompanie aufzuweisen hatte.

Da van Dyk taktisch wesentlich klüger beim Aufbau seines Hamburger Ensembles operierte als es Cranko in Stuttgart tat, sah es damals ganz so aus, als ob Hamburg dazu auserkoren wäre, die Führungsrolle im deutschen Ballett zu übernehmen, zumal die Hamburger Truppe wirklich zum größten Teil aus deutschen Tänzern bestand. Als Konkurrenten kamen sonst, neben Stuttgart und Köln, noch am ehesten Westberlin und München in Frage, doch konnte Tatjana Gsovsky als Ballettchefin der Deutschen Oper Berlin nicht mehr an die Erfolge anknüpfen, die ihrem Wirken während der fünfziger Jahre im Ersatzquartier der Städtischen Oper in der Kantstraße beschieden gewesen waren, und auch Heinz Rosen an der Bayerischen Staatsoper gelang es trotz verstärktem Import von Gastchoreographen (darunter Tudor, Lander, Balanchine und Cullberg) nicht, über den Schatten seiner Vergangenheit zu springen. Hannover und Wuppertal aber (von Frankfurt, Düsseldorf und Wiesbaden gar nicht zu reden) siedelten eben doch, ihren Ballettenthusiasmus und ihre Ballettaktivität in allen Ehren, eine Etage tiefer.

Daß Hamburg dann doch in dieser sich mehr und mehr verschärfenden Konkurrenz unterlag, hatte seinen Grund in der seltsamen Zwiegesichtigkeit des Hamburger Ballett-Image, bedingt durch die zwei völlig verschiedenen Qualitätsebenen des Hamburger Ballettrepertoires. Denn das hauptsächlich von van Dyk bestrittene Restrepertoire reicht in keiner Weise an das Balanchine-Kontingent heran. So notwendig das adramatische Hamburger Balanchine-Repertoire eine Ergänzung durch dramatische oder zumindest anekdotische Ballette brauchte, so wenig sind die von van Dyk stammenden Beiträge auf diesem Sektor (wie beispielsweise seine Inszenierungen von *Schwanensee* und *Romeo und Julia*) imstande, sich auf der Balanchineschen Qualitätsebene zu behaupten (wozu freilich zu sagen ist, daß die Zahl der Aktionsballett-Choreographen, die sich mit Balanchine auf dem gleichen Niveau treffen, an den Fingern einer Hand abzuzählen ist – weswegen die meisten Ballettdirektoren klug genug sind, den Balanchine-Anteil an ihrem Repertoire möglichst begrenzt zu halten). Es ist der Mangel an echter choreographischer Kreativität, der das Hamburgische Staatsopernballett auf den zweiten Platz der deutschen Ballett-Rangliste hat zurückfallen lassen.

Die aber war nun gerade die Stärke der Stuttgarter Kompanie, die nach Überwindung des Tiefs unaufhaltsam nach vorn drängte. Mit *Romeo und Julia* errang Cranko Ende 1962 seinen ersten durchschlagenden Erfolg, der sich bestätigte, wo immer die Stuttgarter später diese Inszenierung zeigten, in der Bundesrepublik wie in der DDR, im europäischen Ausland wie in Amerika (wo Cranko seine Choreographie, mit den Stuttgarter Titelsolisten, dem National Ballet of Canada einstudierte). Cranko hatte sich gefangen, hatte offenbar begriffen, daß er in Stuttgart nicht einfach weitermachen konnte wie er zuvor in London Ballett gemacht hatte. Er begann einen eigenen Stuttgarter Stil zu entwickeln, auf der Basis der Danse d'école natürlich, aber gänzlich anders als der Royal Ballet Stil, weniger lyrisch, sondern hinreißend dramatisch und theatralisch, ungemein vital und temperamentgeladen, jung, schlank, optimistisch – einen ausgesprochenen tänzerischen Explosivstil.

In schneller Folge schleuderte Cranko ein Ballett nach dem anderen aus sich heraus, Klassiker-Neuinszenierungen, eigene abendfüllende Kreationen, Kurzballette, rein konzertante Ballette, nicht alle von der gleichen Qualität natürlich, aber immer wieder mit der einen oder anderen Choreographie darunter, die auch internationale Anerkennung fand, und mit einem Rest, der an choreographischer Erfindungs- und Gestaltungskraft noch immer so ziemlich alles übertraf, was sonst noch für deutsche Opernballette an Choreographien geschaffen wurde. Aber Cranko, so vielseitig und choreographisch wandlungsfähig er ist, vertraute nicht seiner Kreativität allein. Er ließ seinen Ballettmeister Peter Wright choreographieren, er holte seinen Kollegen Kenneth MacMillan zum erstenmal und dann immer wieder nach Deutschland, er importierte einzelne, sehr sorgsam ausgewählte Balanchine-Choreographien. Aufs glücklichste verbanden sich beim Stuttgarter Ballett Aktivität, Kreativität und Qualität.

Mit ihnen und dank ihnen wuchs die Kompanie in ihre Spitzenstellung hinein, qualifizierten sich ihre ersten Solisten, Marcia Haydée, Ana Cardus, Birgit Keil, Egon Madsen und Richard Cragun zu internationalem Rang. Plötzlich besaß Stuttgart, kaum daß es gewußt hätte, wie es dazu gekommen war, ein richtiges Ballett-Establishment, mit neuorganisierter Ballettschule, den hauptsächlich zu einem Podium für Nachwuchschoreographen umfunktionierten Matinéen der Noverre-Gesellschaft, den mehr und mehr auf eigene Füße gestellten jährlichen Ballettwochen und, nicht zu vergessen, einem stürmisch in die Breite schießenden eigenen Ballettpublikum. Als erstes deutsches Opernballett (das frühere Berliner Ballett von Tatjana Gsovsky war ja niemals ein reguläres Opernballett gewesen) begann das

Stuttgarter Ballett nicht nur vereinzelt, sondern mit schöner Regelmäßigkeit im In- und Ausland herumzureisen. Berlin, Köln, London, Kopenhagen, Toronto und Washington übernahmen Stuttgarter Choreographien. Und an der Deutschen Oper Berlin trug man sich allen Ernstes mit dem Gedanken, die dahinsiechende eigene Ballettkompanie mit dem Stuttgarter Ballett zu fusionieren. 1965 tauchte dann plötzlich das Wort vom Stuttgarter Ballettwunder auf.

Daß die anderen deutschen Opernballette dem Stuttgarter Aufstieg nicht ganz neidlos zusahen, versteht sich von selbst. Die Gegenargumente lagen auf der Hand: das Stuttgarter Ballett ist gar keine deutsche, sondern eine internationale Kompanie mit nur sehr geringem deutschen Personalanteil, die ganz unter englischer Leitung steht. Daran ist etwas Wahres, das sich auch nicht damit aus dem Wege räumen läßt, daß man auf die wieder stetige Zunahme des deutschen Elements in den letzten zwei Jahren hinweist. Und auch nicht damit, daß sich Cranko in Stuttgart eben in dem Maße durchgesetzt hat, wie er sich von seiner englischen Vergangenheit befreit und sich an anderen Geschmacksvorstellungen seiner neuen Umgebung angepaßt hat. Es stimmt, daß das Stuttgarter Ballett die am internationalsten zusammengesetzte und orientierte von allen deutschen Ballettkompanien ist. Man kann natürlich auch argumentieren, daß sie eben deswegen besser ist als die konkurrierenden Unternehmen.

Aber es gibt auch noch eine andere, historisch begründete Überlegung. Die Geschichte des Balletts ist eine internationale Wanderbewegung: von Italien nach Frankreich nach Rußland via die Ballets Russes von Diaghilew nach Westeuropa nach England und Amerika. Dabei waren es durchweg ausländische Ballettmeister und Choreographen, die die nationale Ballettkultur eines Landes begründet und oft auch zu ihrer Blüte geführt haben: die Italiener das romantische Ballett in Paris, der Franzose Petipa in Petersburg, der Russe Lifar in Paris, sein Landsmann Balanchine in den USA, die Polin Rambert und die Irin de Valois (die beide durch die Schule von Diaghilew gegangen waren) in London. Wie also, wenn diese historische Bewegung jetzt von England auf den Kontinent zurückflösse, wenn ein englischer Ballettchef dazu ausersehen wäre, das deutsche Ballett endlich auf das Weltspitzenniveau zu führen? Ballettgeschichtlich spricht alles für diese Theorie.

Sie wird noch bekräftigt durch das Engagement Kenneth MacMillans als Ballettchef an die Deutsche Oper in Westberlin. Auch MacMillan stammt aus der Organisation des Londoner Royal Ballet, auch er gehört heute zu den führenden Choreographen zwischen Moskau und New York. In Stuttgart, bei seinem Freunde Cranko, war er auf die Chancen der deutschen Ballettszene aufmerksam geworden. Als Westberlin ihm die Tatjana Gsovsky-Nachfolge anbot, zögerte er nicht zuzugreifen. Nach seinem nur einjährigen Wirken ist es natürlich noch zu früh, irgendwelche konkreten Ergebnisse erwarten zu wollen. Zunächst gab es Anpassungsschwierigkeiten, wie seinerzeit bei Cranko in Stuttgart. Auch Cranko brauchte schließlich zwei Jahre, bis er mit *Romeo und Julia* seinen großen Stuttgarter Durchbruch hatte. Hält er durch, könnte es zu einer für das deutsche Ballett nur zu begrüßenden Konkurrenz zwischen Stuttgart und Berlin kommen. Wie sie seit jeher in Rußland zwischen Petersburg und Moskau bestand.

Damit ist die Generationsablösung bei den Chefs unserer großen Opernballette so gut wie komplett, denn auch Heinz Rosen hat mit Ablauf der Spielzeit 1967/68 sich von der Leitung des Münchner Staatsopernballetts zurückgezogen. John Cranko hat dann nach Rosen die Leitung dieses Balletts in der neuen Spielzeit 1968/69 übernommen und mit Prokofjews *Dornröschen*-Ballett den Anfang gemacht. Auf der nächsten Ebene vertritt allein noch Yvonne Georgi in Hannover die Seniorengeneration – mit Gise Furtwängler in Köln, Erich Walter in Düsseldorf, Alan Carter und Ivan Sertic in Wuppertal, Todd Bolender in Frankfurt und Imre Keres in Wiesbaden sind an diesen Theatern sonst allenthalben Choreographen am Werk, die erst nach 1950 zum Zuge gekommen sind. Wobei sich auch auf dieser Ebene die gleiche Beobachtung machen läßt wie bei den begehrten Spitzenpositionen der deutschen Ballettszene: daß sie nämlich überwiegend in der Hand von Ausländern sind. Bremen mit dem Amerikaner Richard Adama und Bonn mit dem Italiener Pepe Urbani bestätigen diese Tendenz auf ihre Weise, die einerseits für den bemerkenswerten Kosmopolitismus des deutschen Theaters zeugt, zum andern aber auch erkennen läßt, wie sehr es uns an befähigten deutschen Nachwuchschoreographen mangelt. Die noch am stetigsten Aufmerksamkeit auf sich ziehen, sind Manfred Taubert in Braunschweig und Horst Müller in Mannheim.

Darin allerdings unterscheidet sich die heutige Ballettsituation in der Bundesrepublik inzwischen grundlegend von der Situation in Ostberlin und der DDR. Wie sich Westdeutschland beim Aufbau seiner Ballettkompanien nach dem Krieg nach dem Westen, vor allem nach Amerika und England orientiert hat, so hat es Ostdeutschland mit Blickrichtung gen Osten getan. Es hat zahlreiche Ballettschöpfungen aus der Sowjetunion und den befreundeten Volksdemokratien übernommen, und es hat eine

ganze Reihe von begabten jungen Tänzern und Choreographen an die klassischen Ausbildungsstätten nach Moskau und Leningrad geschickt, es hat wohl auch für kürzere Zeit den einen oder anderen sowjetischen Pädagogen bei sich zu Gast gehabt, aber es hat bisher merkwürdigerweise sehr selten sowjetische Gastchoreographen importiert (dazu kam es erst im Dezember 1967, als die Deutsche Staatsoper in Ostberlin die Premiere von Strawinskys »Sacre du printemps« in der Choreographie des Moskauer Bolschoi-Theaters ankündigte). Dagegen ist es in Einzelfällen wohl schon vorgekommen, daß Choreographen aus der Tschechoslowakei und wohl auch aus Ungarn in der DDR gearbeitet haben. Interessanter noch als die Arbeitsergebnisse Lilo Grubers an Ostberlins Staatsoper und dem freilich erst kurze Zeit an Felsensteins Komischer Oper wirkenden Tom Schilling scheinen die Resultate zu sein, die Emmy Köhler-Richter in Leipzig erzielt hat, deren Ballettkompanie ein außerordentliches Maß an Homogenität und ein sehr eigenwilliger und konsequentes Repertoire nachgerühmt wird. Die Staatsoper Dresden spielt leider, nach wie vor, die Aschenbrödel-Rolle des Balletts der DDR – obgleich gerade Dresden in der Palucca-Schule neben der offiziösen Ballettschule in Ostberlin das einzige überlokal renommierte tänzerische Ausbildungsinstitut der DDR besitzt.
Zwei deutsche Ballettstaaten also – wie könnte auch das Ballett, Lieblingsschaustück beim großen Zeremoniell der Staatsbesuche (dem Schah von Persien wurde kürzlich bei seinem Besuch in Hamburg eine komplette Balanchine-Premiere präsentiert) den Konsequenzen der Politik ausweichen! Aus dieser Perspektive gesehen, könnte die Delegation der beiden interessantesten englischen Choreographen der jüngeren Generation, John Crankos nach München und Kenneth MacMillans nach Westberlin nicht nur als eine balletthistorische Notwendigkeit, sondern auch als ein Politikum interpretiert werden: die Vorwegnahme des Anschlusses von Großbritannien an die EWG durch den Übertritt zweier Repräsentanten des britischen Ballett-Commonwealth zur Europäischen Ballettgemeinschaft. Das Beispiel Berlin und München zeigt ja deutlich, welch glänzende Ergebnisse auch auf diesem Gebiet erzielt werden können, wenn es gelingt, sich über Ressentiments hinwegzusetzen.

Die Situation der Malerei seit 1945

Albert Schulze Vellinghausen

Sprach man in früherer Zeit mit französischen Freunden über deutsche Kunst, so mußte man mit ziemlich dürftigen Voraussetzungen rechnen. Die Kenntnis beschränkte sich zumeist auf ein paar Schlagworte: Cranach, Grünewald, Dürer, Nürnberg, Rothenburg und vielleicht noch das bayrische Barock. Je mehr man sich der Gegenwart näherte, um so größer erschienen die Lücken. Das hat sich im Laufe der letzten fünf Jahre erstaunlich gebessert. Die Kunstausstellung der Brüsseler Expo (»cinquante ans«), die Ausstellung im Musée d'Art Moderne über die Wurzeln unseres Jahrhunderts haben die Kenntnis deutscher Malerei erheblich vertieft. Das flammende Rot des frühen Schmidt-Rottluff hat seitdem manche jüngeren Maler der Ecole de Paris merkwürdig fasziniert. Im Trend des abstrakten Expressionismus entdeckte man die deutschen Expressionisten. Kürzlich hat dann die Galerie Maeght den »Blauen Reiter« gezeigt und sogar versucht, dessen so entscheidende Münchner Ausstellungen (von 1911 und 1912) historisch zu rekonstruieren. Gegenwärtig zieht die große Retrospektive Kandinskijs (im Musée d'Art Moderne) viele enthusiastische Betrachter an. Gewiß, Kandinskij ist Russe geblieben. Sein Werk aber bedeutet gleichwohl ein großes Kapitel der Malerei in Deutschland.
In den letzten Jahren hat sich die Kunst, rings um den Erdball, zu einer Art Weltstil zusammengeschlossen. Art Informel, abstrakter Expressionismus, art brut, wie auch – gegenwärtig – die Versuche einer neuen Figuration sind in den freien oder vorwiegend freien Ländern (außerhalb von Diktaturen und Volksrepubliken) nahezu gleichzeitig aufgetreten. Innerhalb dieser Gemeinsamkeit, des Commonwealth der freien Künste, zeichnen sich allerdings die »Schulen« der Herkunft immer noch voneinander ab. Da tritt der Ecole de Paris die junge Kunst Nordamerikas entgegen. Da kultivieren die Japaner mit neuem Elan (weil sie nun modern ist) ihre uralte Kalligraphie. Da gibt es – jeweilen im Nu erkennbar – eine mexikanische, eine typisch holländische, eine englische, eine belgische Schule. Schule nicht zu verstehen als Auslösung individueller Handschrift, sondern als Verwandtschaft von Neigung und Interesse. Wer aus der nämlichen Tradition kommt, von ihr getragen oder provoziert wird, antwortet aus

ihr her – und sei es auch im Affekt des totalen Widerspruchs. Das alles macht sich sichtbar, auch heute noch. Gewiß nicht als Stilbruch, aber als ein Akzent der Sprache. So wie sich im späten Mittelalter die Schulen von Florenz, Siena, Rom und Venedig unterschieden. Gibt es, in diesem Sinne, heute eine typisch deutsche Malerei, welche sich schon auf fünfzig Schritte Abstand als eine solche erkennen ließe? Es gibt das – so scheint es mir – weniger denn je. Dabei gibt es viel Malerei in Deutschland.

Es gibt einige Bezirke (Baden-Würtemberg, Berlin, Nordrhein-Westfalen) wo mit Wachheit und Lebhaftigkeit gemalt wird und wo das Echo im Publikum nicht unbeträchtlich ist, und es gibt schließlich eine Reihe von Malern, welche – anerkannt oder der Anerkennung würdig – mehr als nur Binnenwerte bedeuten, auch wenn sie keine »Exportware« sind. (Exportware zu werden, ist für alle nicht französische Kunst sehr schwierig. Wie lange haben Klees und Jawlenskijs Oeuvre noch nach ihrem Tode warten müssen! Oskar Schlemmer aber und Max Beckmann – obzwar tot – sind immer noch im Wartestand).

Die starke Dezentralisierung hier in Deutschland hat die Ausbildung »eines« Marktes wie auch eines gemeinsamen, alle prägenden Nenners verhindert. Diese Dezentralisierung hat ihre historischen Gründe, sie wirken noch in die Gegenwart nach. Die zahlreichen Fürstentümer hatten – wie ihre eigenen Theater – ihre eigenen Akademien, Museen, Kunst-vereine, Lokalgrößen, Lokaltragödien. Wer heute die Vielzahl lebendig geführter, gut ausstaffierter Museen bewundert (in Städten wie Bremen, Hannover, Mannheim oder Stuttgart – zu schweigen von denen in Nord-rhein-Westfalen), muß sich bewußt sein, daß dennoch als Ausgleich ein großes zentrales Forum von absoluter Weltläufigkeit fehlt. Das heißt für die einzelnen Maler – auf die allein und auf deren Potenz es im Grunde ausschließlich ankommt –, daß sie mehr als anderswo in der Isolation leben. Isolation nicht der materiellen Misere: bei einiger Qualität finden sie meistens ihr erträgliches Auskommen als Lehrer (an Werkschulen oder Akademien). Sondern Isolation von der notwendigen geistigen Reibung, an deren Stelle es sehr oft zu einer institutionellen Reibung mit den Instanzen der Behörde in Stadt und Ländern kommen mag.

Immer schon gab es hier in Deutschland mehrere Schulen. Um aus dem vorigen Jahrhundert nur die zwei wichtigsten zu nennen: der realistischen in Berlin (vertreten durch Menzel und Liebermann) stand in München eine idealistisch-akademische entgegen. Das aber setzte sich in diesem Jahrhundert fort. Der norddeutschen, expressionistischen »Brücke« (ge-gründet 1906 in Dresden, in einem Geist, der den Fauves verwandt war) trat kurze Zeit später in München die idealistisch-abstrakte Gruppe des »Blauen Reiters« gegenüber. Nach dem Ende des ersten Weltkrieges aber fanden sich starke Kräfte eines reinen Konstruktivismus im »Bauhaus« (erst Weimar, dann in Dessau) zusammen, es wurde die deutsch-russisch-holländische Integrierung neuen Geistes. Zugleich aber fand der Realismus Berliner Prägung in Lovis Corinth (gestorben 1925) visionäre Ausprägung; Corinth wiederum fand in dem großartigen Einzelgänger Max Beckmann (gestorben 1950 in den USA) legitime Nachfolge. Um die gleiche Zeit betrieb Schwitters in Hannover seinen ingeniösen Dadaismus geklebter Materialbildchen. Nichts im Land hatte die Kollektivhandschrift »einer« Schule.

Die Deutschen haben dann, mehr als ein ganzes Jahrzehnt, am eigenen Leib und Geist erfahren, wie eng die Freiheit der Person und die Freiheit der Kunst zusammenhängen. Hier schildern, wie nach diesem Krieg – seit 1945 – die Malkunst dennoch regenerierte, heißt schildern, wo überall sie anknüpfen konnte. Da sind hauptsächlich drei Phänomene erwähnenswert.

a) Die, wenn auch schmale, so doch existente, unter dem Terror heimlich fortgesetzte Produktion moderner Kunst (um ein paar Namen zu nennen: Willi Baumeister, Ewald Mataré; von den jüngeren: Ernst Wilhelm Nay und Fritz Winter; von den damals jungen: Georg Meistermann und Hann Trier).

b) Man knüpfte an bei dem Abbildungsmaterial aus Kunstzeitschriften und bei den wenigen, aber wichtigen und vortrefflich zusammengestellten Kunstausstellungen der westlichen Besatzungsmächte (zumal Frankreichs und Englands).

c) Man knüpfte hauptsächlich bei alle dem an, was im eigenen Lande 1933 durch einen politischen Gewaltakt unterbrochen worden war und gleichsam noch auf Vollendung wartete. Also erstens beim »Bauhaus«, zweitens bei Klee, drittens beim späten Expressionismus, viertens bei dem »art brut« von Max Beckmann. Es begann, vermittelt durch didaktische Ausstellungen der Museen, Volkshochschulen, Kunstvereine, ein allgemeines Nachholen. Über den Abgrund von zwölf Jahren hin sprang man zurück, voll Enthusiasmus, in den Bereich einer noch unverdauten, ja, politisch abgedrängten Formphantasie. Viele der Jüngeren lockte es, sich dem äußersten Purismus zu unterziehen. Man fing an, zugleich mit Mondrian auch den nach Amerika emigrierten Landsmann Josef Albers zu entdecken; zugleich mit Albers Auguste Herbin, Hans Arp, Magnelli, Vasarély. Man knüpfte mithin nicht bei »einer« deutschen Malerei an, sondern bei vielen Möglichkeiten modernen Malens. War das Nachholen darum epigonal? Es gibt legitime Nachholbewegungen: England hat in der einen Person Henry Morris mehr als ein Jahrhundert Bildhauerei nachgeholt. Die Folge solchen gewaltsamen Nachholens war nicht immer erfreulich. Wo sich alles vorn an die Rampe drängte, was noch eine »Botschaft« in sich trug, war es die Stunde der treuen Schüler, aber auch die der Scharlatane. Wer einmal in Paul Klees Atelier geschaut hatte (in Weimar, in Dessau, in Düsseldorf – wo Klee von 1931/33 gelehrt hat), fühlte sich plötzlich als Hüter des Grals. Es gab eine ganze Kohorte von Klee-Schülern – er selbst war tot und konnte sich nicht dagegen wehren. Was diese aber (die echten wie die falschen) vermitteln konnten, war die Theorie seiner frühen und seiner mittleren Epoche. Das grandiose Spätwerk aus den letzten Berner Jahren – grandios in der rüden Großzügigkeit, welche nun auch große Formate kannte – war den Adepten unbekannt. Was sie lehrten, waren preziöse Innerlichkeit, Skurrilität, Witz der Bildtitel und anderseits kunstgewerbliche Abstraktionsschemata.

Dennoch wäre es ungerecht, keine Ausnahmen gelten zu lassen. In einigen der ehemaligen Bauhausschüler wirkte Klees Lehre, Vorbild, Person, Unbestechlichkeit wie Sauerteig nach. Sie reichten nun dieses Erbe weiter – und ahnten nicht, daß sie sich dabei verzehrten. Kunst definiert einen Augenblick unserer Existenz. Diese Weltstunde aber ist jeweils rasch verflossen. Wer sie festhalten will, droht stehen zu bleiben und sich nicht weiter zu entfalten. So wird er einem kommenden, nächsten Augenblick nicht mehr gerecht. Darin, im Stehenbleiben und Einschrumpfen, besteht die Künstlertragödie der Gegenwart. Es gibt keine gültigen Rezepte – außer denen, die jeder für jeden neuen Moment selbst finden und erfinden muß.

Diese Kraft aber ist nicht jedem verliehen. So versuchte man denn aus den Bauhaus-Lehren eine neue Exerzierordnung aufzubauen. Sie führte den, der sie vertrat, und den, der sie aufnahm, gleichermaßen zum leeren, gefälligen Schematismus – zur unreflektierten Wiederholung, wie sie denn auch bei Singier, Manessier, in Italien bei Birolli feststellbar ist. Von daher aber erklärt sich die außerordentliche Suggestion, welche für uns nach 1950 von den Tachisten und Wols, nach 1955 von den Informellen zumal Amerikas ausging. Sie brachten statt einer verordneten Rezeptur abstrakter Lernregeln die Freiheit und das Wagnis einer faszinierenden Willkür. Solche Willkür der Informellen paßte besser für unsere deutsche Situation, als ein allzu beflissener Rückgriff auf die Kunst der zwanziger Jahre. Denn im Grunde spürte jeder, daß man Erfahrungen in sich trug, denen ein gutes Teil der älteren, ästhetisch eleganten Abstraktion nicht

146

standgehalten hatte. Guernica – kurz vor Beginn des Krieges – hatte da ein neues Datum gesetzt; Kunst war nicht mehr von der Existenz zu lösen. Denn was helfen formale Geschicklichkeit, Beherrschung des Zeitstils, Gefühl für sinnlichen Reiz, wenn sie den Künstler nicht immunisieren gegen Verführung und Konformismus? Gewiß, große Werke vermögen schweigend – und wie abgelöst – zu überdauern. Ein Mensch, der sich verfeinert, sich aber im Alltag durch Feigheit bloßstellt, verstrickt sich tiefer in das Verbrechen der Mitschuld als irgendein roher Analphabet.

Dabei gibt es zwischen Kunst und Moral keine Brücken. Künstler sein ist, als extremer Verzicht auf die Annehmlichkeit des stumpfen Gewissens, oft schon in sich selber heroisch. Will man diese Art Heldentum in ein politisches überführen (und das eine etwa durch das andere ersetzt wissen), so droht man einem Irrtum anheimzufallen. Denn dieser kategorische Imperativ verlangte die Kraft einer gigantischen Doppelnatur. Willi Baumeister (Stuttgart 1889–1955) war untadeligen Charakters, aber kein Märtyrer und kein Heros. Eher eine gutmütig breite Erscheinung ausstrahlender Behaglichkeit als ein lautstarker Kämpfer, hat er sich dennoch starke Autorität zu erwerben gewußt.

Er besaß das Charisma beharrlicher Konsequenz – als Lehrer, als Maler und auch als Mensch.

Inmitten der neurotischen Kunstpolitik des »III. Reiches« hat Baumeister, halb vor der Umwelt verborgen und entgegen dem Druck der Gewaltherrschaft, sein eigenes Oeuvre Schritt für Schritt ausgebaut. Er hat dabei sein Formarsenal – welches konstruktivistisch gewesen war – mit prähistorischen, archaisierenden, aber auch frei erfundenen Bildelementen angereichert. So bekam er ein Instrument in die Hand, mit welchem sich jeweils ein Thema in ganzen Reihen abwandeln ließ. Es entstanden großartig reiche Variationen – etwa um einen tintig schwarzen, suggestiv leuchtenden »Flecken« herum: Kontinent, Insel oder Schwarzes Meer, hielt dieser Flecken sich ganz beweglich. Es war Welt oberhalb aller abbildhaften Realität.

Sobald der Spuk rassischer Kunst zerronnen war, ist die Jugend in Scharen nach Stuttgart gepilgert. Baumeister (befreundet, übrigens mit Léger und Le Corbusier) empfing im Atelier – malend, während er mit den Besuchern schwatzte. Von Natur höchst generös, machte er einem jungen Bewunderer wohl auch das soeben entstandene Werk zum Geschenk. Denn ihm lag daran, unsere dunkle Welt durch farbige Leitbilder »eidetisch« zu erleuchten.

In diesem Deutschland der ersten Nachkriegszeit, welches mit der Reichshauptstadt auch die zentrale Arena verlor, bildeten sich – wir deuteten es an – eine Reihe regionaler »Zentren« heraus. Manche waren noch kleiner als Stuttgart, manche – wie das Ruhrgebiet – blieben in sich diffus und entbehrten einer örtlichen Hegemonie. Die Kunst im Rheinland – um ein Beispiel zu nennen – siedelte zwischen Köln und Bonn, Köln und Düsseldorf. Georg Meistermann stieg nach dem Kriege von der Höhe seiner Geburtsstadt Solingen ins Rheinland hinab und brachte das malerische Rüstzeug mit, das er (geboren 1911) sich noch eben vor Ausbruch der Barbarei bei dem dekorativ-abstrahierenden Holländer Thorn-Prikker und dem malenden Bildhauer Mataré (einem Meister zumal auch des farbigen Holzschnitts) hatte erwerben können. Er glänzte in leuchtenden kleinen Formaten.

Zu Meistermann (welcher inzwischen mit dem Entwurf von Glasbildern Ruhm und Ehre errungen hat) gesellten sich damals zwei Kameraden gleichen Ranges, Rheinländer ebenfalls, künstlerisch völlig verschiedenen Wesens: der malenden Grafiker Josef Faßbender, voll von illustrativer Formphantasie, welche zumal in der Grenzzone aufblüht, wo sich Zeichnung zu farbiger Stimmung entschließt; und zweitens der kluge Maler Hann Trier, ein geistreicher Intellektueller, dessen Bild-erfindung abstrakter Strukturen (eine Zwischenwelt zwischen Gräte und Blattwerk) von außerordentlich zarter Sensualität vibriert.

Diesem rheinischen Zentrum stellte sich im östlichen Teil des Ruhrgebietes eine westfälische Gruppe entgegen: der »junge westen«, lokalisiert in Recklinghausen, wo der Maler Thomas Grochowiak zugleich die Museen der Stadt dirigiert. Dieser Gruppe, welche zu Anfang einer eng geschlossenen Gemeinschaft gleichkam, sind inzwischen zwei Maler von Bedeutung entwachsen: Emil Schumacher (in Paris der Galerie Stadler nahestehend) und Hans Werdehausen. Schumacher hat dem Oeuvre von Wols manchen starken Impuls zu verdanken; er hat dann aber mehr und mehr eine eigene Handschrift zwischen tachistischer Häufung von Reizen und abstraktem Expressionismus (holländisch-dänischer Art) ausgebildet: das gefurchte Antlitz seiner Gemälde, voll von Verletzung der Oberfläche, ist als dialektische Gleichung von Zartheit und Härte immer gut zu erkennen. Werdehausen, der Herkunft nach typisch westfälischer Expressionist, hat sich nach und nach zu einem Meister des Halbtons und der wie gemurmelten Fragmente entfaltet. Er sucht und findet Figur im Bild – ohne demonstrativ zu den Neo-Figurativen überzulaufen. Der Betrachter spürt vor seinen Bildern immer wieder und immer noch (Werdehausen ist 1910 geboren) ein Reservoir der Erneuerung. Da ist noch nicht alles ausprobiert, die Phantasie ist nicht erschöpft.

Ernst Wilhelm Nay (geboren 1902, lebt in Köln) malt hingegen völlig für sich in einer Einsamkeit ohne Kollegen – wenn auch nicht ohne bewundernde Freunde (hier, in der Schweiz und in USA). Sein spät-expressiver Formenvorrat hat sich vor einem Jahrzehnt in die besessene, aber schöne Manie eirunder farbiger »Pillen« verwandelt. Diese stiegen in dichtem Gewoge gen Himmel, wurden aber nach und nach größer, wurden Hülsen enormer Früchte, aus denen mit explosiver Gewalt eine Fülle von reiner Farbe platzt. Nay hat ein zorniges Temperament von wunderbarem Eigensinn. So ist da ohne Zweifel noch manche bedeutende Überraschung zu erwarten.

Seit den »documenta I« von 1955 ist die hessische Großstadt Kassel (kurz vor dem Eisernen Vorhang gelegen) in den Ruf eines Zentrums der Kunst geraten. Das gründet sich nicht zuletzt – so ist zu vermuten – auf die Lehrtätigkeit des Malers Fritz Winter. Geboren 1905, hat Winter in seiner Schulzeit am Bauhaus die Großen von damals beobachten können und sich ihres nahen Umgangs erfreut. Kandinskij, Klee, Feininger, Schlemmer – ihnen allen hat der geweckte Schüler damals über die Schulter geschaut. Von daher erklärt sich die enorme Botschaft formalen Wissens, welche Winter besitzt – und weithin verbreitet. Seine leuchtenden, dabei gläsern durchsichtigen Farbflächen verraten das Erbe Moholy-Nagys und ein starkes persönliches Ordnungssystem. Kontakt mit Hans Hartung (um 1950) sorgte dann für kurvig metallische Brechungen; dabei sind bedeutende Bilder entstanden. Die Lehrtätigkeit aber an der (Kasseler) Kunstakademie, die Sorge zugleich um den Nachwuchs der Kunsterzieher, hat seiner schönen Intensität und seinem Elan mitunter zuviel Kraft entzogen.

Das sind die Schattenseiten einer offiziös anerkannten, zugleich gesicherten Lebensstellung. Allerdings kommt in einem Land, wo die Liebe zum Sehen selten ist, den Zeichenlehrern (heute Kunsterzieher genannt) ohne Zweifel hohe Bedeutung zu. Sie tragen Verantwortung, daß die öffentliche Meinung und die sinnlich nicht eben besonders begabte, breitere Masse in Kontakt mit der Wandlung des Sehens bleiben. So wäre es leichtfertig, über die Kunsterzieher und ihre eigene Erziehung zu spotten. Da ist das beste gerade gut genug. Alle Art Kunst ist im Grunde eine Einheit. Für das Bewußtsein dieser Einheit zu sorgen, gehört zu den Aufgaben dieser Kreise, zu welchen – bei uns – auch freie Künstler hinzugezogen werden. Manche der Besten geben sich da zu frühe aus. Aber das passiert auch ganz ungebundenen, anderen Künstlern. Ensor zum Beispiel war mit 36 Jahren wie ausgebrannt.

Ein Wort noch über junge Maler unterhalb der Schwelle von vierzig Jahren. Einige haben sich in der letzten Zeit in Paris bekanntmachen oder gar durchsetzen können – sei es mit Hilfe des Kunsthandels, sei es durch die Biennale der Jungen. Sonderborg (geboren 1923) hat sich durch einen weitsichtigen Händler durchgesetzt. Zuvor wurde er bei uns durch dynamische Sturzsichten rasch berühmt. Diese waren wie vom Bug eines Schiffes senkrecht nach unten oder umgekehrt, steil nach oben, visiert. Bilder einer erregten Handschrift, welche den gesamten Schaffensprozeß auf wenige Minuten zusammendrängt (und auch nach Minuten der Uhrzeit zu signieren pflegt). Aus diesen Steilsichten sind in Paris allmählich Notenblätter geworden: fragmentarische, verwehte, kaum eingegrenzte Partituren.

Das aber verbindet Sonderborg mit einigen seiner jüngeren Landsleute. Auch sie machen Partituren – sei es aus Reihen farbiger Pünktchen, sei es so gut wie monochrom. Dann entspricht die ganz und gar technisierte Schrift den Notizen (etwa) eines Elektrokardiogramms. Diese »Notenschreiber« bilden eine serielle Gruppe, ihnen ist zuallererst an der rhythmisierten Reihe – und dann erst am individuellen Detail gelegen. Otto Piene, Gründer der Gruppe Zéro, wird inzwischen auch schon im Ausland protegiert (unter anderm von Philippe Dotremont), der Wagemut seiner Phantasie hat sich auf große schwarze Punkte zurückgezogen. Seine Freunde Mack und Uecker aber stellen Verbindung zu kinetischer Plastik her (zu Tinguély, Takis, Pol, Bury). Raimund Girke (Hannover) schreibt weiß in weiß Vibrationen auf. Es sind Seismogramme eines höchst sensiblen Temperamentes.

Aber auch die expressionistische Komponente lebt noch nach. Horst Antes, ein Schüler des großen Holzschneiders HAP Grieshaber, pflegte zunächst, in den wehenden Farben der Informellen, Aktmalerei des entstellten Körpers (rot in rot oder blau in rot). Neuerdings greift er auf die stumpfe Folklore norddeutscher Fauves zurück.

Das sieht absichtsvoll primitiv aus. Müssen wir – von da aus – die kindischen Versuche erwähnen, auch bei uns die neue nordamerikanische »pop art« einzuführen? Und das, obwohl die Prämissen dazu hier in Europa weder soziologisch noch ideologisch existieren. Es wäre besser, selbst eine neue »Mode« zu erfinden. Ob aber dazu die Kraft bei uns reicht? Noch fehlt der deutschen Malerei die schöne Universität, die sie zur Zeit des Bauhauses ein gutes Jahrzehnt lang besessen hat. Ihr diesen Geist von neuem zu wünschen – ist ein Stoßgebet, das hier den Abschluß bilden möge.

Albert Schulze Vellinghausen ist im Jahre 1967 gestorben. Kurz vor seinem Tode eröffnete er eine Ausstellung unter dem Titel »Wege 67«. Diese wenigen Worte können das Bild vielleicht abrunden, das Albert Schulze Vellinghausen sich in jahrelanger, intensiver Bemühung um die westdeutsche Malerei und ihre Situation seit 1945 gemacht hat:

Jedes Kunstwerk, welches unsere Situation, unsere Befindlichkeit in dieser Welt, neu umschreibt oder sogar bezeichnet, ist »jung«. So kann auch das Werk eines alten Menschen auf erregende Art jung sein. Beispiele sind bei Tizian und Franz Hals, heute bei Picasso zu finden. Von daher mag es so engstirnig wie naturalistisch erscheinen, die »Wege 1967« fast ausschließlich an den Früchten der jüngeren Generation zu dokumentieren. Auch die älteren haben noch etwas zu sagen. Dennoch empfahl sich eine Beschränkung, auch wenn sie als einseitig ausgelegt werden sollte. Nicht minder einseitig ist im Grunde die Beschränkung auf Produkte deutscher, d. h. in der Bundesrepublik wirkende Künstler.

Sie empfahl sich, weil nicht alles auf einmal gezeigt werden kann. In diesen »Wegen 1967« soll das Ungesicherte seinen Platz erhalten. Die Handschrift, der Stil und die Arbeitsweise unserer älteren Künstler sind bekannt. Was Faßbender und Nay, Schumacher und Trier, Werdehausen und Winter hervorbringen, hat ein fest umrissenes Antlitz – auch da noch, wo der Impuls sich verjüngt. Unsere Jungen, enorm begabt, können noch nicht gesichert erscheinen; es wäre der Tod ihrer großen Gaben. Die Ausstellung geht so das Wagnis ein, sich entschieden zu irren; der Künstler das nicht geringere Wagnis, sich beweisen zu müssen, wo alles im Fluß ist.

Bei aller Sorgfalt der Auswahl ließen sich – leider – Zufälle nicht vermeiden, Entfernungen spielten eine ungute Rolle. So fehlen Bildhauer wie Jochen Hiltmann und die Brüder Steinbrenner; Maler wie Baschang und Klapheck sind gleichsam nur symbolisch vertreten. Der Reichtum an Formen und Elan, wie er sich hier dem Betrachter zeigt, bietet gleichwohl Anlaß zu freudigem Staunen. Würde bei uns – um einen Kontrast zu nennen – annähernd gleich gut gebaut, wie hier gemalt und gebildhauert wird, wäre Deutschland ein wahres Schlaraffenland der unmittelbaren Anschaulichkeit. Wir wissen alle, daß es das nicht ist. Aber ziehen wir bitte die Konsequenz und seien wir hilfsbereit, einsichtig, großzügig gegenüber den Künsten – da sich der Rotstift des Fiskus auf die Kunst-Etats stürzt.

Die lästige Aufsässigkeit der Künstler, dieser Provos, Beatniks, dieser Intellektuellen, zu zähmen und unter der Hand »kleinzukriegen« – daran weiden sich die Banausen in einer jeden unserer Parteien. Man wird sie nie ins Unrecht setzen können – und darf dennoch nicht verzweifeln. Die Kunst bildet eine Gegenwelt, ohne deren Existenz die Menschheit verreckte. Von daher hat auch der Nachwuchs Anspruch auf Achtung. Diese Ausstellung soll die Achtung vertiefen. Sie wird es bei jedem, der sehen kann.

Die moderne Architektur

Hans Eckstein

Die Frage nach dem deutschen Beitrag zur Entwicklung der Architektur unseres Jahrhunderts, die hier gestellt wird, läßt sich nicht beantworten, ohne einen Blick zurück zu werfen auf die Epoche von 1910 bis 1930. Denn sie schuf die Grundlagen, auf denen sich entwickeln konnte, was an wesentlicher Architektur nach dem zweiten Weltkrieg entstanden ist.
Bis zum Ende des ersten Weltkrieges und in den ersten Jahren danach haben wie in anderen Ländern, im besonderen in den Niederlanden, noch vorwiegend dekorative Formphantasien das Gesicht der deutschen Architektur geprägt. Der Art Nouveau, in Deutschland *Jugendstil* genannt, hatte seine Rolle zwar ausgespielt. Etwas von seiner Dekorationslust lebte aber in dem nun mehr konstruktivistisch gewordenen Formenspiel einer pathetisch expressionistischen Architektur weiter. Diesem, dem Geist der Maler, Bildhauer und Literaten, die sich um Herwarth Waldens Kampfblatt und Galerie *Sturm* gesammelt hatten, verbundenen Expressionismus zollten auch später Meister des *Neuen Bauens* Tribut: Gropius in seinem Weimarer Kriegerdenkmal (1921), Otto Bartning in dem Entwurf seiner *Sternkirche* (1922), Erich Mendelsohn im *Einsteinturm*, Hans Scharoun in verschiedenen seiner Projekte (um 1920), Bruno Taut in seiner idealen *Alpinen Architektur* (1918), Mies van der Rohe in seinem Entwurf eines in wuchtigen kubistischen Formen aufgebauten Denkmals für Karl Liebknecht und Rosa Luxemburg (1926). Die junge Avantgarde unterschied sich in ihrem Hang zu freien expressiven Formen oft kaum von der älteren Generation. Die effektvolle Stalaktiten-Kuppel, die Poelzig über die Arenabühne von Max Reinhardts Großem Schauspielhaus in Berlin gewölbt hatte, wurde auch von ihr bewundert.
Die retardierenden Kräfte hatten zwar in Stadtplanung und Bauwesen noch eine beherrschende Stellung. Die Gefahr einer Rückwendung zu einer historischen Architektur aber bestand seit dem Durchbruch des *Jugendstils* zu einem zeiteigenen Ausdruck nicht mehr, solange sich die Architektur in Freiheit entwickeln konnte. Der Historismus lebte in Deutschland erst wieder auf, als die Form des Bauens von gewalttätigen Diktatoren befohlen wurde.

Die Architektur hat freilich erst spät den Weg zu einem zeiteigenen Ausdruck gefunden. Die Malerei war schon in der zweiten Hälfte des 19. Jahrhunderts von einem starken Gefühl für Modernität durchlebt (Manet und die Impressionisten, Liebermann in Deutschland), ebenso die Literatur (Zola, Flaubert, der Naturalismus, in Deutschland Michael Georg Conrad, Fontane usw.) und selbstverständlich die Naturwissenschaften und die Technik. Seltsamerweise aber war die der so fortschrittsgläubigen Technik nächste Kunst, die Architektur, am stärksten und längsten in historischen Formvorstellungen und einem rückgewandten Idealismus befangen geblieben. Die Konstruktionen waren noch lange zeitgemäßer als die Formen, in die sie die mit den Ingenieuren zusammenarbeitenden Architekten kleideten und oft bis zur Unkenntlichkeit einhüllten. Ja, etwas von der Scheu und Flucht vor einem dem modernen konstruktiven Wissen und Können gemäßen Ausdruck tritt auch noch in der expressionistischen Architektur um 1920 in die Erscheinung. Man begann zwar zu begreifen, daß die Maschine nicht nur ein wirtschaftlicher, sondern auch ein formbestimmender Faktor ist, zögerte aber daraus die Konsequenzen für das Bauen zu ziehen. Ja, die Anschauung von Ruskin und Morris, die in der modernen Maschinentechnik etwas, wenn nicht Zivilisationsfeindliches, so doch die künstlerische Kultur Gefährdendes sahen, wirkt noch bis in unsere Tage nach.

Gewiß hat die moderne Technik die autonome Kunst und die zweckgebundene weiter voneinander getrennt, als sie je in der historischen handwerklichen Kultur voneinander geschieden waren. Aber auch wenn die autonome Kunst heute als eine Gegenwelt der rational-technischen Welt gegenübertritt, so kann doch die Architektur als die Kunst, die Form erst aus den konstruktiven und funktionalen Notwendigkeiten und Bedingnissen entwickelt, sich nicht gegen, sondern nur mit der Technik entwickeln, mag sich dadurch auch ihr Verhältnis zur autonomen Kunst merklich verschieben.

Die Fundamente der heutigen modernen Architektur legte daher auch nicht schon der forciert individualistische Dekorationsstil des Art Nouveau, der Haus und Gerät der Sphäre des Sachdienlichen enthob, auch nicht schon die expressionistische Spielart der modernen Architektur, sondern erst jene Bewegung, die heute mit dem Schlagwort »Funktionalismus« umgriffen wird. Funktionales Denken in der Architektur und das Bewußtsein, daß, wie Sullivan sagte, Form der Funktion zu folgen habe, ist freilich älter als die Formen, die die zwanziger Jahre daraus entwickelt haben. Auch die Architektur der Lethaby, Voysey in England, die von

Muthesius in Deutschland war wesentlich von funktionalen Überlegungen bestimmt, ja ganz bewußt »funktionalistisch«, wenn auch weit entfernt von dem Funktions-Symbolismus des Jugendstils.

Der Funktionalismus wollte die Lebensfremdheit der historisierenden und der dekorativ-kunstgewerblichen Architektur überwinden. Er suchte für die Lebensvorgänge eine diesen angemessene Gestalt und verwarf alle absoluten Formen, alle rein individuellen Formerfindungen, die nur in lockerer Verbindung mit dem praktisch Notwendigen stehen. Man wollte aber nicht nur eine enge Bindung des Bauens an seine funktionalen Bedingnisse. Die Architektur sollte auch der Gefahr, zum Spielball ästhetischer Moden zu werden, entrissen werden durch eine strengere Bindung der Form an die Konstruktion und eine sinnvolle Anwendung und Verarbeitung der Materialien, im besonderen der neuen (Forderung der Materialgerechtigkeit). Also nicht nur der Funktion habe die Form zu folgen, sondern auch der Konstruktion.

Die ersten Werke, in denen die neue Baustruktur in die Erscheinung tritt, sind vor der Zeit entstanden, in der die deutsche Architektur, durch holländische Vorbilder angeregt, so stark in eine expressionistische Richtung drängte. Diese Erstlinge sind das Fabrikgebäude für die Faguswerke in Alfeld bei Hannover (1911) und die Musterfabrik auf der Werkbund-Ausstellung in Köln (1914), beide von Walter Gropius und Adolf Meyer entworfen. Bei beiden ist nicht das Konstruktionssystem neu. In dieser Hinsicht waren die Hallenbauten des Londoner *Kristallpalastes von Paxton* (1850) und der *Galerie des machines* für die Pariser Weltausstellung 1889 fortschrittlicher. Auch die als frühes Werk der modernen Architektur viel gerühmte Turbinenhalle, die Peter Behrens für die AEG in Berlin 1908 gebaut hat, zeigt mit ihrem Dreigelenkbogen-Tragsystem eine modernere Konstruktion. Neu aber an dem Alfelder Bau ist die Transparenz des Baues, bewirkt durch die Trennung von Tragsystem und abschließenden Wänden. Diese Formidee hat eine der charakteristischen Erscheinungsformen der modernen Architektur begründet: die dem nach innen gelegten Stützsystem vorgehängten ganz verglasten Außenwände. Auch die Ecken bleiben frei von Stützen. Ist das auch nicht eine konstruktive Notwendigkeit, so ist es doch eine Formfindung, die sich über alle traditionellen Formvorstellungen hinwegsetzt, in denen Peter Behrens, der bei der Turbinenhalle die Eckstützen im Sinne des Mauerbaus stark betont, ja monumentalisiert hat, noch befangen blieb. Bei der Kölner Musterfabrik sind in ähnlicher Weise Glaswände dem tragenden Kern und den Treppen, sie im Halbrund umschließend, vorgesetzt. 1925/26 wird die Formidee einer transparenten »Glas-Architektur« von Gropius in dem mehrere Baukörper in straffer, überschaubarer Gliederung zusammenfassenden Gebäudekomplex des Bauhauses in Dessau weiter entwickelt.

Mies van der Rohe griff die in Alfeld verwirklichten Konstruktionsgedanken auf und entwickelte sie weiter in seinem Entwurf für ein Hochhaus mit einem ringsum verglasten, über einem kurvenreichen Grundriß errichteten Stahlskelett, dessen auskragende Deckenbalken die von jeder tragenden Funktion entlasteten Glaswände halten (1920/21). Für die inneren Räume ergibt sich dadurch der Vorteil größter Flexibilität in ihrer Auf- und Unterteilung. Die äußere Erscheinung ist bestimmt durch die dominierende Horizontale durchgehender Fensterbänder zwischen den ebenso als ununterbrochene Bänder durchlaufenden Brüstungen. In breitgelagerten Baukörpern (wie in dem Mies van der Roheschen Entwurf von 1922 für ein in Stahlbeton zu errichtendes Bürogebäude) tritt die horizontale Schichtung noch deutlicher hervor.

Entscheidend für das Gesicht der modernen Architektur ist eine von traditionellen Vorstellungen stark abweichende Raumgestaltung. Sie ist sowohl Folge eines andersartigen Raumgefühls als Anlaß zu dessen Entwicklung. Auch diese Wandlung tritt in den zwanziger Jahren ein. In dem Pavillon für die Ausstellung in Barcelona (1929) und im Haus Tugendhat in Brünn (1930) hat Mies van der Rohe die befreiende Wirkung sich frei durchdringender, zueinander geöffneter Räume erlebbar gemacht. Zugleich ließ er offenbar werden, welche vergeistigte, vollendete Form die modernen Materialien und Konstruktionen ermöglichen, wenn ihre Anwendung meisterlich beherrscht ist. Seine Bauten sind eine deutliche Absage an das Dekorative in der Architektur. Die Materialien werden in ihrer natürlichen Beschaffenheit gezeigt. Man entdeckt auch die Schönheit des unbearbeiteten Betons und läßt ihn im Bauwerk so in die Erscheinung treten, wie er aus der Schalung kommt (Sichtbeton, beton brut). In Deutschland haben der weitgespannte Kuppelraum von Max Bergs Jahrhunderthalle in Breslau (1912–1913) und Otto-Ernst Schweizers Tribünen des Stadions in Nürnberg (1927–1928) die ausdrucksvolle Schönheit nicht nur der offen gezeigten Stahlbeton-Konstruktion, sondern auch der unbearbeiteten Betonpfeiler und -wände offenbar werden lassen, lange bevor die »Sichtbeton«-Architektur nach dem zweiten Weltkrieg allgemeiner üblich geworden ist, auch im Theater- und Kirchenbau.

Die heute allgemein geforderte, aber noch immer nur sehr zögernd und ungenügend, weil zu partiell, durchgeführte Rationalisierung der Technisierung des Bauens durch Trocken-Montage größerer vorfabrizierter

Elemente hatte schon der Funktionalismus der zwanziger Jahre als Notwendigkeit erkannt und, wenn auch noch in sehr bescheidenem Umfange, realisiert. Es waren nicht zuletzt diese Bemühungen um eine Steigerung der Produktivität durch Typisierung und industrielle Präfabrikation der Bauelemente, die das Neue Bauen in den Verruf brachten, unkünstlerisch materialistisch zu sein. Die oft rigorose Argumentation und Formulierung ihrer Einsichten und Forderungen – man denke an das von Le Corbusier geprägte Schlagwort *machine à habiter* – mag nicht weniger als das Ungewohnte der neuen Bauformen den Widerstand gegen die Avantgarde des Neuen Bauens provoziert haben. Heute aber wird kein Einsichtiger mehr daran zweifeln können, daß der Funktionalismus der zwanziger Jahre eine heilsame Reaktion gegen den dekorativen Individualismus war, der die Architektur zum Spielball subjektiver Künstlerlaunen und ästhetischer Moden zu machen drohte.

Die guten Ansätze der zwanziger Jahre zur Begründung einer Baukultur, die die künstlerische Gestaltung wieder in Einklang mit den funktionalen, technisch-konstruktiven, sozial-ökonomischen Bedürfnissen, Bedingungen, Notwendigkeiten unsrer Zeit bringt, hat das nationalsozialistische Deutschland, wenn nicht vernichtet, so doch unwirksam gemacht. Die Baugedanken der Werkbund-Siedlung Weißenhof in Stuttgart (1927), der Gropius, Mies van der Rohe, Scharoun, Haering, May (Siedlungsbau in Frankfurt), Rudolf Schwarz (Fronleichnamskirche in Aachen), Bruno und Max Taut, Gebrüder Luckhardt usw. sind ein gutes Jahrzehnt in Deutschland ohne Nachfolge geblieben. Die rückläufige Bewegung, die mit dem Nationalsozialismus begann, einen Neo-Klassizismus und ein pseodo-rustikales Bauen (Heimatstil) begünstigte, blieb auf Deutschland nicht beschränkt, in Rußland zeigten sich im Bauen schon früher gleichartige historische Tendenzen, ebenso im faschistischen Italien. Aber auch in den freien Ländern Europas trat um die Mitte der dreißiger Jahre eine Verlangsamung der Entwicklung ein. In Holland war der Elan der Stijl-Bewegung, von der auf die deutsche Architektur, ebenso wie auf die autonome Kunst starke Anregungen ausgegangen waren, erlahmt. In Frankreich hatte der von Le Corbusier geführte »Esprit Nouveau« an Stoßkraft verloren. In Schweden, das mit Asplunds Stockholmer Ausstellungsbauten 1930 den Anschluß an die neue Baubewegung gefunden hatte, hatten sich mehr und mehr sentimentale Heimatstil-Tendenzen durchgesetzt. Ebenso in der Schweiz, wo im Siedlungsbau der Geist der Werkbundsiedlung Neu-Bühl vergessen, im Züricher Kongreßhaus die Avantgarde von einst ins Dekorativ-Spielerische abgeglitten war, was sich auch in der Landesausstellung 1938 neben Heimatstil-Tendenzen gezeigt hatte. (England hatte in den zwanziger Jahren den Anschluß an die neue Baubewegung noch nicht gefunden).

Viele der Meister der neuen Form und Vorkämpfer für neue Bauideen mußten nach 1933 emigrieren, andere sich von jeder Bautätigkeit zurückziehen. Viele junge Architekten tauchten in den Industriebau-Büros unter. Denn im Industriebau, der größtenteils jetzt den deutschen Kriegsvorbereitungen diente, verboten technisch-konstruktive Notwendigkeiten historisierende Rückgriffe und sentimentale Formspielereien: so konnte man mittun, ohne seine Baugesinnung verraten zu müssen. Unter der nationalsozialistischen Diktatur sind zwar auch im Industriebau keine Meisterwerke entstanden, aber doch einige funktionsgerechte, sauber konstruierte Bauten – die einzigen, die dem Baugeist der zwanziger Jahre noch einigermaßen gerecht wurden.

Als der Krieg zu Ende gegangen war und die deutschen Städte in Trümmern lagen, bildete sich aus diesen aus den Industriebau-Büros kommenden Architekten eine sich frei, nur durch gleichartiges Streben zusammengehaltene Gruppe. Es waren Architekten, die in den zwanziger Jahren Bauhausschüler waren, in den Ateliers von Behrens, Poelzig, Gropius, Mies van der Rohe, beim Frankfurter Wohnungsbau unter Ernst May mitgearbeitet hatten oder mit ihm nach Rußland gegangen waren. Sie verbanden sich mit den älteren, in Deutschland verbliebenen Architekten, die zur einstigen Avantgarde gehörten (Döcker, Häring, Lauterbach usw.). Von diesem Kreis, der sich hauptsächlich um Alfons Leitl und die von diesem herausgegebene Zeitschrift *Baukunst und Werkform* gesammelt hatte, war ein Anschluß an die Architektur der zwanziger Jahre zu erwarten. Diese hatte ja die Grundlagen geschaffen, auf denen allein das jetzt im Bauen und in der Stadtplanung Erforderliche sich entwickeln konnte. Sie wies nicht nur allgemein die Wege, die nun zu gehen waren. Ihre Meisterwerke gaben auch die Maßstäbe für Wert und Unwert des neu Entstehenden.

Die in jene Architekten gesetzten Erwartungen mußten zum mindesten im Städtebau enttäuscht werden. Das war freilich weniger ihre Schuld. Die mangelnde Einsicht der Politiker, der staatlichen und städtischen Behörden in das Zeitgebotene, die allgemeine Verkennung der Chance, die das große Unglück der Zerstörungen für eine Neuordnung der deutschen Städte bot, verhinderten die Verwirklichung der besten Gedanken, vernünftigsten Vorschläge und Projekte. Es war nicht nur die kleinmütige Mentalität, die die beschlußfassenden Instanzen beherrschte, die der Verwirklichung guter Lösungen im Wege stand. Auch die Ideologen des sogenannten Dritten Reichs waren mit dem Kriegsende ja nicht von heute auf morgen verschwunden. In den Bauintendanzen entschieden vielfach Beamte mit, die auch dem Hitler-Regime gedient hatten. Ein großzügiger Wiederaufbau scheiterte vor allem aber daran, daß sich die Schöpfer des *Grundgesetzes* der deutschen Bundesrepublik nicht zu einer juristischen Trennung von Bau und Boden entschließen konnten. So vermochte die Planung gar nicht über Grund und Boden zu verfügen, dessen Nutzung neu zu ordnen, ihre Aufgabe ist. (Das ist zwar in anderen Ländern auch nicht anders).

Es waren schon gleich nach Kriegsende mehrere gute Wiederaufbaupläne ausgearbeitet worden. Hans Scharoun hatte ein Projekt für jenes Wohngebiet in Berlin vorgelegt (1946), in dem später an der Stalin-, der jetzigen Frankfurter Allee monumentale Wohnpaläste errichtet wurden, mit denen die Architekten der DDR (Deutsche Demokratische Republik) den Neoklassizismus des *Dritten Reichs* fortsetzten. Hubert Hoffmann hat für Magdeburg (1945), Walter Schwagenscheidt für Emden (1947), Streb mit Trautwein für den Stadtkern von Nürnberg (1947) einen Wiederaufbauplan ausgearbeitet. Sie und viele anderen blieben Papier. Verwirklicht sind mehr oder minder vollständige Wiederherstellungen wie in Freudenstadt, wo man den im 16. Jahrhundert einer Fürstenlaune entsprungenen Mühlbrettspiel-Plan mit einem riesengroßen zentralen leeren, funktionslosen Platz, auf dem der Fürst sein (nie gebautes) Schloß errichten wollte, wieder aufnahm. Ebenso hat man am Prinzipalplatz in Münster in Westfalen, in Bremen, Nürnberg und anderen Städten häufig die alten, zerstörten Häuser ohne Rücksicht auf die veränderten Bedürfnisse mehr schlecht als recht im alten Stil wieder aufgebaut. Ähnlich restaurativ ist man zwar auch in anderen Ländern verfahren. Den Wiederaufbau von Orléans, Gien oder Sully wird niemand als große städtebauliche oder architektonische Leistung rühmen wollen. Von einem Stadtneubau wie in Rotterdam oder Le Havre – hier freilich in einer sehr wenig glücklichen klassizistischen Schematik – kann in Deutschland nirgends die Rede sein. Auch die besten der realisierten Stadtplanungen wie die für Kiel oder Hannover sind nur partielle Neuordnungen geblieben. In den letzten Jahren verfolgt man Pläne zur Gründung von Trabanten- oder Entlastungstädten, wie sie in England *(New Towns)* entstanden sind. So plant man in Hamburg, in München die Errichtung einer zweiten City.

Neue Wohnquartiere mit den notwendigen Versorgungseinrichtungen sind in der Bannmeile der großen Städte vielfach entstanden, aber wenige, die qualitativ dem Frankfurter Beispiel der zwanziger Jahre vergleichbar wären. Der deutsche Wohnungsbau hält sich im allgemeinen auf einem betrüblich niederen architektonischen Niveau. Neue Baugedanken und Wohnformen sind selten entwickelt worden.

Wo dazu Ansätze gemacht wurden, etwa in den im Umkreis von Bonn entstandenen Siedlungen von Apel, Letocha, Rohrer, Herd, Sep Ruf (1951/52) oder im Hansa-Viertel in Berlin (1957) zeichnet sich deutlich die Tendenz ab, Hochbau und Flachbau zu mischen und die Baukörper freier zu gruppieren als im Zeilenbau der zwanziger Jahre. Denn dieser war mehr und mehr zu einem langweiligen Schema erstarrt, was er in den Mayschen Frankfurter Siedlungen durchaus noch nicht war, aber dann doch, vor allem nach dem zweiten Weltkrieg mehr und mehr wurde, so daß ein allzu großer Unterschied zu der Mietskasernenöde vom Ende des vorigen Jahrhunderts oft nicht besteht. In der Bevorzugung des Wohnhochhauses vor dem Flachbau (und in der Mischung beider) ist in Deutschland wie in anderen Ländern eine deutliche Abkehr von den Prinzipien der zwanziger Jahre zu erkennen, am deutlichsten im Berliner Hansa-Viertel. In ihm ist ein dem Stadtzentrum nahes urbanes durchgrüntes Wohnquartier entstanden, wie es in gleicher Wohn- und architektonischer Qualität seitdem in Deutschland nicht wieder realisiert worden ist. Gute Vorschläge, wie sie z. B. Josef Lehmbruck zur Erzielung großer Wohndichte bei gleichzeitiger starker Durchgrünung der Siedlungen gemacht hat, sind Projekt geblieben. Auch die Versuche, die zumeist allzu schematischen Wohnungsgrundrisse aufzulockern, etwa durch eine fächerartige Anordnung der Wohnungen wie in zwei Hochhäusern von Scharoun in Stuttgart und ähnlich in einem von Alvar Aalto in der Bremer Nachbarschaftssiedlung Neue Vahr, haben bisher keine Nachfolge gefunden.

In der Rationalisierung und Technisierung des Bauens ist der deutsche Wohnungsbau anderen Ländern, vor allem Frankreich, nur zögernd gefolgt. Erst in den letzten Jahren sind größere Anstrengungen darin unternommen worden. Es gibt aber eine Gruppe jüngerer Architekten, unter ihnen Eckhard Schulze-Fielitz, die an der Entwicklung und experimentellen Untersuchung von Prototypen für neue Baumethoden und Wohnformen unter stärkerer Ausnutzung heutiger technischer Möglichkeiten intensiv arbeitet.

Im Industrie-, Geschäftshaus- und Bürohausbau ist die Technisierung weiter vorgeschritten als im Wohnungsbau. Sie hat den modernen Gestaltungsprinzipien eine große Breitenwirkung gegeben. Dieser aber hat wie fast überall das allgemeine Formniveau nicht gehoben. Das Bild der Stadtzentren wird auch in Deutschland durch spannungslos proportionierte Rasterfassaden bestimmt, die einem formunempfindlichen Ingenieur-Denken entstammen, von dem sich die große Menge der Architekten in die Rolle des Konsumenten und Anwendungskünstlers zurückdrängen läßt. Die in den meisten Neubauten sich bekundende Erlahmung der Gestaltungskraft, die zum Teil die Folge einer resignierten Haltung ist, hat eine Reaktion, wenn nicht ausgelöst, so doch verstärkt, die für eine beherrschte Gestaltung der Architektur kaum weniger förderlich ist als die Langeweile schlechter Rasterbauten für unsere Städtebilder: eine neu erwachte Neigung zum Dekorativen und modisch Spielerischen.

Bei der mittleren Architektengeneration jedoch, die in ihrer Jugend unter dem Eindruck der ersten Meisterwerke des Neuen Bauens stand, sind diese die großen Vorbilder geblieben. Vor allem haben die Bauten von Mies van der Rohe, nun auch die in den USA entstandenen (Illinois Institute of Technology in Chicago) für die deutsche Architektur die Qualitätsmaßstäbe gegeben. Sie haben in erstaunlicher Breite Schule gemacht, aber nicht ein schwaches Epigonentum hervorgebracht. Das gilt zum mindesten für die Architektur, die aus dem funktional und konstruktiv Bedingten disziplinierte Form entwickelt hat. Zu nennen wäre in diesem Zusammenhang die von Egon Eiermann 1951 gebaute Tuchweberei in Blumberg. Die Stahlstützen sind hier frei vor die Fassade gestellt, die zugunsten einer gleichmäßigen künstlichen Ausleuchtung der Fabrikräume bis auf ein schmales Fensterband ganz mit Wellasbest verkleidet ist. Dieser Konstruktionsprinzip, die vor die Fassade gestellten Stützen, ist in der neuesten deutschen Architektur häufig angewandt worden. Die konstruktive Klarheit, die Einfachheit und Wohlproportioniertheit von Baukörper und Fassade, die den Eiermannschen Bau auszeichnen, ist seltener erreicht worden, gewiß aber in Fabrik- und Geschäftshausbauten von Friedrich Wilhelm Kraemer. An hervorragenden Leistungen wären ferner hervorzuheben: Eiermanns Kaufhaus *Merkur* in Heilbronn, Ferdinand Kramers Frankfurter Universitätsbauten, Bauten von Hermann Blomeier, Sep Rufs Bau für die Berliner Handelsgesellschaft in Frankfurt.

Auch eine etwas jüngere Architekten-Generation steht ohne sklavische Abhängigkeit in der Tradition der konstruktiven Strenge des Funktionalismus der zwanziger Jahre. So Hans Maurer (Bauten für Siemens, die Bayerische Rückversicherungsbank in München), Helmut Rhode (Gebäude für die Hauptverwaltung Horten in Düsseldorf), Herbert Groethuysen (Neubau des Süddeutschen Verlags in München), Günter Hünow (Berliner Disconto-Bank am Ernst-Reuter-Platz in Berlin), und viele andere.

In den sechziger Jahren haben sich manche Architekten von Mies van der Rohe abgewandt, wie in den USA auch viele seiner amerikanischen Schüler. Die Wendung der autonomen Kunst vom Geometrisch-Objektiven zum Informell-Subjektiven hat sich auch in der Architektur ausgewirkt. Es ist heute so etwas wie ein Befreiungsakt von der »Sachlichkeit« der zwanziger Jahre im Gange. Man sucht nach Formen, die sich aus der strengen Bindung an Konstruktion und Funktion lösen. Gelegentlich spricht man von »absoluter«, »zweckbefreiter« Architektur, postuliert mit Gideons Worten »das Recht auf Ausdruck, wie ihn die Imagination fordert«, beruft sich auf »das Gesetz alles Schöpferischen«, das stets über das funktionell Faßbare hinaus Form zu schaffen fordere.

Das Recht auf schöpferische Interpretation des Zweckbedingten kann dem Architekten nicht bestritten werden. Es ist seine Aufgabe. Eine »zweckbefreite« Architektur aber kann es so wenig geben wie eine zweckbefreite Kaffeekanne, eine zweckbefreite Schreib- oder Küchenmaschine. Die Zweckgebundenheit läßt zwar einen über die Erfüllung praktischer Bedürfnisse hinausgehenden Ausdruck zu, aber keine Autonomie des Ausdrucks. Denn es gehört zum Wesen der Architektur – und darin unterscheidet sie sich von der Malerei und Plastik –, daß für sie der künstlerische Ausdruck überhaupt nur am Widerstand erwächst, den die Bindung der Form an funktionale und konstruktive Bedingnisse der Imagination entgegensetzt. – Jede Architektur aber, die sich aus dieser Bindung zu lösen sucht, gerät ins Manieristische und ins ephemer Modische. Diese Gefahr ist um so größer, je weniger begrenzt die technischen Möglichkeiten sind und je mehr die Bauaufgabe auch die Befriedigung repräsentativer Ansprüche einschließt.

Eine Reaktion des homo ludens auf die strenge *Sachlichkeit* der zwanziger Jahre zeigt sich nicht nur in einer größeren Neigung zum dekorativen Formenspiel, sondern auch in der Betonung funktionaler und konstruktiver Elemente (von Kaminen, Wasserabläufen, Fahrstuhlschächten etc.) und der Materialwerte, wie sie in einer Architektur in die Erscheinung tritt, die man *brutalistisch* genannt hat. Solche Gestaltungstendenzen waren auch den zwanziger Jahren so wenig fremd wie der historischen Architektur (man erinnere sich der gotischen Strebewerke oder der Kamine der Loire-Schlösser). Sie können sich durchaus im Rahmen des dem Wesen der Architektur Legitimen halten, sind aber in den sechziger Jahren des öfteren, in Deutschland noch am wenigsten, ins Manieristische entartet. Die Form wird aber den wohl exzessiven deutschen »Brutalismus« die zu einem Beton-Gebirge aufgetürmten Massen des Rathauses – als »Stadtkrone« – in Bensberg bei Köln (Gottfried Böhm) gewiß nicht überdauern.

Der heute gegen die Objektivität des Funktionalismus aufbegehrende Individualismus knüpft zum Teil an die zwar durchaus funktionalistischen, fast schon exzessiv funktionalistischen, zugleich aber der Gestaltung einen großen Spielraum lassenden Gedanken von Hugo Häring an, die im besonderen von Scharoun aufgegriffen wurden. Die Forderung eines von Innen-nach-außen-Bauens schließt für Häring und Scharoun die Geometrisierung fast ganz aus. Der »von außen gesetzten Gestaltanweisung« setzt Scharoun das Prinzip der »Gestaltfindung« gegenüber, von dem er »eine neue Entfaltung der individuellen Kräfte« auch im Bereich des der Architektur eigenen technisch-konstruktiven Denkens, in unsrer rational-technischen Welt also erwarten zu können glaubt. Ob dieser Glaube in Scharouns Bau der Berliner Philharmonie eine Bestätigung gefunden hat, mag manche Zweifel offenlassen. Der Konzertsaal, auch das Foyer ist so großartig in der räumlichen Gestaltung, daß man ihretwegen diesen Bau zu den bedeutendsten der deutschen Architektur nach 1945 wird zählen müssen. Die Gestaltung der äußeren Erscheinung aber ist formal nicht beherrscht.

Die Tendenz zu einer freieren Gestaltung und phantasievoller (»plastischen«) Massengruppierung läßt sich auch an manchen Bauwerken feststellen, die an einer kubischen Gestaltung festhalten. So an einem terrassierten Verwaltungsbau in Düsseldorf und an dem Neubau für die Redaktion der bekannten Zeitschrift der Jesuiten (Stimmen der Zeit) (Alfred-Delp-Haus) in München. Der Architekt beider Bauten ist Paul Schneider-Eisleben. In dem Münchner Bauwerk ist der aus funktionalen Überlegungen nicht ganz überzeugende, als Komposition aber interessante und in seiner Originalität auch recht eindrucksvolle Versuch gemacht, auf einem aus Fünfecken zusammengesetzten Grundriß einen vielgestaltig aufgebauten Baukörper zu entwickeln.

Ein fruchtbares Feld für die Tendenzen zu einer freieren architektonischen Gestaltung und einer gewissen »Individualisierung« des Bauens ist der Kulturbau, im besonderen der Kirchenbau. Das Beispiel, das Le Corbusier in der Kapelle von Ronchamp gegeben hat, hat auch auf den deutschen Kirchenbau anregend gewirkt. Seit Rudolf Schwarz und Otto Bartning, die beide Meister des Kirchenbaus, der eine des katholischen, der andere des protestantischen, waren, ist gewiß mancher eindrucksvolle Kirchenbau in Deutschland entstanden. Gerade aber an dieser Aufgabe hat sich gezeigt, wie schwer es ist, einen sinnbildlichen Raum in einer Zeit zu schaffen, die so wenig Organ für Sinnbilder hat. Eine eindrucksvolle Lösung ist dem Würzburger Dom-Baumeister Hans Schädel und Friedrich Ebert in der dem Gedächtnis der Opfer der Hitler-Diktatur und des Krieges geweihten

Berliner Kirche *Maria Martyrium* gelungen. Hier tritt auch die moderne bildende Kunst (mit Werken von Hayek, Fritz König und Georg Meistermann) mit der Architektur in eine sehr harmonische Verbindung. Neben dieser Berliner Kirche möchte man als eine der bemerkenswertesten Schöpfungen moderner Kirchenarchitektur die evangelische Versöhnungskirche auf dem Gelände des ehemaligen Konzentrationslagers Dachau (Architekt Helmuth Striffler) hervorheben. Ohne viel Aufwand an stimulierenden Symbolen ist hier ein Raum der Stille geschaffen, der zur Besinnung zwingt, und ein Ort für eine ernste menschliche Begegnung.

Im allgemeinen hat gegenüber der großen problematischen Vielgestaltigkeit der modernen deutschen Kirchenarchitektur das seltenere Einfache, konstruktiv und räumlich Klare mindestens in architektonischer Hinsicht, aber wohl auch darüber hinaus die größere Überzeugungskraft. Das gilt unter den Kirchen von Rudolf Schwarz vor allem für die *Fronleichnamskirche in Aachen* (1928/30), und *St. Antonius in Essen* (1957). Es gilt ebenso von Eiermanns *Mathäuskirche* in Pforzheim und *Gedächtnis-Kirche* in Berlin, von der kleinen Klosterkirche, die Groethuysen und von Branca in München gebaut haben, und von dem gerade durch seine Einfachheit feierlichen *Kirchenzentrum* in Düsseldorf-Western von Emil Steffan und Nikolaus Rosing.

Auch von den Theaterbauten sind die überzeugendsten und festlichsten Schöpfungen keineswegs die mit phantasievoller Akrobatik im Konstruktiven und mit großem dekorativem Aufwand prunkenden. Es sind vielmehr die schlichteren, deren Architekten auf Sensationen und gekünstelte Feierlichkeit verzichtet haben (Fritz Bornemanns Bau der Berliner Volksbühne, Gerhard Webers Mannheimer Theater, das im »Kleinen Haus« auch die Verwandlung in ein Arenatheater und Seitenauftritte ermöglicht. Das originalste Theater der Bundesrepublik ist wohl das vielleicht kleinste, das in Ingolstadt (H.-W.-Hämer). Hier sind auch die Wände der Räume in grauem Sichtbeton gelassen. Das Foyer ist festlich nicht durch eine Vielfalt von Akzessorien, sondern durch eine phatasievolle, dennoch zuchtvolle Gestaltung des großen Raumes. Was vielen Architekten heute als Ziel vorschwebt, ist hier erreicht: eine »plastische« Architektur. Sie ist aber nicht das Ergebnis bloßer Imagination. Die »Plastik« ist funktional determiniert.

Die der modernen Architektur so häufig abgesprochene Möglichkeit zum Repräsentativen ist in zwei Staatsbauten offenbar geworden: in dem Bau für den Baden-Württembergischen Landtag in Stuttgart (Horst Linde, Erwin Heinle, 1961) und dem Empfangs- und Wohngebäude für den Bundeskanzler in Bonn (Sep Ruf, 1964). Beide Bauten stehen in der guten Tradition, die das Neue Bauen gerade in Deutschland begründet hat. In dem Stuttgarter Bau wird das große Vorbild, das Mies van der Rohe gab, so deutlich und großartig spürbar wie in keinem anderen deutschen Bau nach dem zweiten Weltkrieg.

Da alle Baukunst Interpretation der Strukturen ist, die sich aus den funktionalen und technisch-konstruktiven Bedingungen ergeben, sich in ihr also stets das konstruktive Wissen und Können der Zeit spiegelt, ist das Architekturbild unsrer Zeit selbstverständlich auch durch die neuen Erfindungen der Ingenieure bereichert worden: durch die Seilnetz-, Stabtragwerk- und Schalenkonstruktionen. Sie sind alle schon lange, zum Teil schon im vorigen Jahrhundert angewandt, theoretisch und praktisch begründet und entwickelt worden. Für die Architektur aber sind die erst seit den zwanziger Jahren (wie die DIWIDAG-Schalen), zum Teil erst in den fünfziger und sechziger Jahren von solcher Bedeutung geworden, daß sich mit ihnen zum mindesten für viele Bauaufgaben eine neue, das Strukturbild völlig verändernde Entwicklung anzubahnen begann. Die neuen Formen, die sich daraus ergeben, führen von der strengen Geometrie und kubischen Gestalt weg. So scheint ein sich aus den technisch-konstruktiven Notwendigkeiten sich ergebender Gestaltwandel mit einer vom Imaginativen kommenden Bewegung in der Architektur zusammenzutreffen. Damit gewinnt aber das von dieser herkommende, nur dekorative Formenspiel noch nicht den gesicherten Boden, auf dem das Neue Bauen der zwanziger Jahre und seine Weiterentwicklung gewachsen ist. Ihre großartigste, kühnste, eindrucksvollste Verwirklichung hat die Hängedach-Architektur in dem deutschen *Pavillon der Weltausstellung in Montreal* 1967 (Frei Otto und Rolf Gutbrod) gefunden. Dieser Ausstellungspavillon, der demontabel und wiederverwendbar ist, wie Paxtons Kristallpalast es war, ist nicht nur eine große Sensation. Er ist auch ein wesentlicher Baustein für die weitere Entwicklung mindestens eines Zweiges der modernen Architektur, wie ja seit jenem Londoner Ausstellungsbauten öfter von wegweisender Bedeutung waren.

Die Frage, welchen Beitrag Deutschland für die Entwicklung der Architektur nach dem zweiten Weltkrieg geliefert hat, ist nicht so klar zu beantworten, wie das um 1930 möglich gewesen war. Damals war Deutschland eine Pionierstellung zugekommen. Nach der unfruchtbaren Öde, in die die Hitler-Diktatur die deutsche Kulturlandschaft verwandelt hatte, war es für die deutsche Architektur am wichtigsten, wieder an der Tradition der zwanziger Jahre anzuknüpfen, in denen das Neue Bauen fast die Chance hatte, zum Baustil (nur mit Vorbehalt wird hier dieser Ausdruck gebraucht) der Weimarer Republik zu werden. Denn mit Ausnahme einiger rückständiger Landesteile wie Bayern hatte das Neue Bauen das Gesicht aller wesentlichen Architektur, die damals entstand, bestimmt. In den fünfziger Jahren ist der Anschluß an das Neue Bauen der zwanziger Jahre und eine gute Weiterentwicklung der seinerzeit begründeten Tradition im großen Ganzen gelungen. So reiht sich heute die deutsche Architektur der internationalen Entwicklung wieder ein, eine so viel bescheidenere Rolle als ehedem ihr nun auch hinsichtlich der von ihr ausgehenden Anregungen zugewiesen sein mag.

Deutsche Plastik des 20. Jahrhunderts

Eduard Trier

Über die Bildhauerkunst der Gegenwart unter nationalen Aspekten zu berichten, ist schon deswegen ein etwas fragwürdiges Unternehmen, weil sich der Gegenstand des Berichtes keineswegs an nationale Grenzen hält, sondern diese unbekümmert überschreitet. Mit dieser, von vornherein einschränkenden Bemerkung will ich jedoch nicht meine Mitteilungen sozusagen widerwillig beginnen; es geht mir vielmehr darum, gleich am Beginn meiner Darstellung zu betonen, daß auch die deutschen Bildhauer des 20. Jahrhunderts, von einer Epoche erzwungener Isolation abgesehen, sich als Glieder eines größeren Ganzen betrachten, daß sie mit den Bildhauern anderer Völker zusammen auf den gleichen Grundlagen aufbauen und – von einigen, dem fremden Betrachter vielleicht mehr auffallenden »nationalen« Eigentümlichkeiten abgesehen – Glieder in einer Kette sind, die von den prähistorischen Idolen zu den vielgesichtigen Erscheinungen der Plastik unserer Tage führt. Man wird daher in den meisten großen Publikationen zur Plastik des 20. Jahrhunderts kaum noch nationale Unterscheidungen finden, und wenn das geschieht, z. B. in Michel Seuphors *Die Plastik unseres Jahrhunderts*, bleibt es bei höchst allgemeinen Anmerkungen (wie dem »Gotischen« etwa), mit denen nichts gesagt wird. Wer die heutigen Phänomene der Bildhauerkunst in Deutschland beobachtet, wird natürlich mancherlei Einflüsse aus anderen Ländern und Erdteilen, auch aus früheren Epochen erkennen, so wie es auch in der französischen, italienischen, englischen oder amerikanischen Plastik der Fall ist. Entscheidend ist daher eigentlich nur, was der einzelne daraus macht, wie er die ungeheure Last einer bildnerischen Tradition, die seit der prähistorischen *Venus von Willendorf* bis heute angewachsen ist, zu tragen und in sein Eigenes zu verwandeln versteht. Ich werde daher im folgenden weniger von deutscher Plastik im allgemeinen sprechen, als von einigen ausgewählten Bildhauern in Deutschland. Nur zum Eingang einige allgemeine Bemerkungen vorwiegend historischer Art: Während die gegenwärtige Bildhauerkunst in Deutschland – und nicht nur bei uns – in mehrere, oft einander widersprechende Richtungen aufgesplittert ist, (davon wird später noch die Rede sein), erscheint das Bild in den ersten Jahren unseres Jahrhunderts einheitlicher. Wenn Verallgemeinerungen erlaubt sind, meine ich, daß die deutsche Plastik, im Gesamten gesehen, auf lange Zeit sehr traditionsgebunden war und sich mehr konservativ als neuerungssüchtig verhielt. Das gilt zumindest für die offiziell anerkannte Kunst, die in die Museen kam und die Denkmäler schuf. Aber das ist vielleicht kein nationales und auch kein vergangenes Charakteristikum.

Im Schatten der anerkannten Bildhauerei, die sich je nach Lage der historisierenden Interessen neoklassizistisch oder neobarock, in den dreißiger Jahren vor allem gigantomanisch gebärdete, wurden auch fruchtbare Experimente getrieben, die aber erst post festum erkannt und anerkannt worden sind. Ich will hier keinen Katalog von Namen wie Alexander Archipenko, Làszlò, Moholy-Nagy, Rudolf Belling, Hermann Obrist u. a. geben, zumal die meisten dieser Experimentatoren nur zeitweilige Gäste in Deutschland waren oder während der Diktatur aus ihrer Heimat vertrieben wurden; aber auf eine wesentliche und viel zu wenig bekannte Erscheinung möchte ich nachdrücklich hinweisen: auf die Versuche der modernen Maler, auch die Bildhauerkunst zu erneuern, was ja ebenfalls in Frankreich durch Matisse, Derain, Picasso und andere geschehen ist. Ich denke an die exotisierende Holzskulptur der *Brücke*-Expressionisten E. L. Kirchner, Erich Heckel, Karl Schmidt-Rottluff und Max Pechstein, an die kubistischen Skulpturen von Franz Marc und Otto Freundlich, an die phantastischen Figuren von Paul Klee, an die polychromen Reliefs und abstrahierten Figuren Oskar Schlemmers, an die Dada-Objekte von Max Ernst und Kurt Schwitters, – überhaupt an die aufregenden Erforschungen künstlerischen Neulandes der »peintres-sculpteurs« jener Pionierjahre vor und nach dem ersten Weltkrieg, deren Bedeutung für die Gesamtentwicklung der Plastik erst lange hinterher gesehen worden ist, – eigentlich erst angesichts dessen, was heute, in einer Blütezeit der Bildhauerkunst, an Neuem und Umwälzendem geschieht.

Am Anfang des 20. Jahrhunderts stand die deutsche Bildhauerkunst im Zeichen der Klassik – Nachfolge. Rom war der traditionelle Ort, an dem die Bildhauer ihre Kunst erlernten. Adolf von Hildebrand (1847–1921) und seine Zeitgenossen bzw. Schüler August Gaul (1869–1921) Georg Kolbe (1877–1947) und Richard Scheibe (1879–1964) können als die bedeutendsten Interpreten einer Kunstauffassung angesehen werden, die J. W. Goethe zu Anfang des 19. Jahrhunderts in der Einleitung zu den »Propyläen« folgendermaßen definiert hat: »Der Hauptzweck aller Plastik ist, daß die Würde des Menschen innerhalb der menschlichen Gestalt dargestellt werde«.

Bei Adolf von Hildebrand klingt aber auch ein neues Thema an, »Das Problem der Form«, das dem vorwiegend Literarischen der Bildhauerkunst im späten 19. Jh. als Antithese entgegengesetzt wird. In dieser kunsttheoretischen Veröffentlichung findet sich der in seiner Wirkung weitreichende Satz, daß Bildhauerei »geklärter Raum« sei. Dem darin angestimmten Thema – Plastik als Gestaltung des Raumes – werden wir in den Arbeiten der Jüngeren wiederbegegnen.

Vorerst aber noch ein kurzer Rückblick auf die Situation der Plastik in Deutschland während des zweiten und dritten Jahrzehnts, auf die Bildhauer Ernst Barlach und Wilhelm Lehmbruck. Für beide ist bezeichnend, daß sie sich nicht mehr nach Rom orientierten, sondern nach Paris. Selbst Ernst Barlach (1878–1938), dessen Kunst alles andere als »lateinischen« Ursprungs ist, hat in Paris Ausbildung und Anregung empfangen. Dieser Umstand sei vermerkt, um die Abkehr vom klassischen Körperideal und das Verlangen nach neuem Ausdruck zu beleuchten. Barlach kümmerte sich nicht um die Schönheit des menschlichen Körpers nach dem Kanon der Antike; seine Figuren sind bekleidet, nach außen abgeschlossen und grüblerisch in sich versenkt. Formal ergibt sich daraus die für Barlach charakteristische Betonung des Volumens, das sich nirgends öffnet, sondern blockartig, kantig und schwer die Last verkörpert, die dem Menschen auferlegt ist.

Wilhelm Lehmbruck (1880–1919) hingegen, der von 1910 bis 1914 in Paris gelebt hat, entwickelte nach einer ersten, durch Hans von Marées beeinflußten Orientierung zum antikisch-mediterranen Körperideal, wie es auch Maillol verkündet hatte, in seiner Plastik eine offene raumhaltige Form. Das Volumen öffnet sich zu einer streng gebauten Gliederarchitektur, in der konkrete (aber stark reduzierte) Körperformen und Binnenraum zusammenwirken. In diesen beiden Vertretern des Expressionismus in der Plastik werden – auf die einfache Formel eines Gegenübers gebracht – die bewegenden Kräfte innerhalb der Bildhauerkunst unseres Jahrhunderts sichtbar: Plastik als Körperkunst und Plastik als künstlerische Formung des Raumes.

Diese Konfrontation ist natürlich eine Vereinfachung, aber sie hat den Vorzug, eines der künstlerischen Hauptprobleme zu klären, dem wir immer wieder begegnen werden, wenn wir den Sprung in die Gegenwart machen. Ein Sprung ist tatsächlich notwendig, denn die Kontinuität der Entwicklung innerhalb der deutschen Bildhauerkunst ist durch die Diktatur und ihre Folgen empfindlich unterbrochen worden. Barlach und Lehmbruck hatten keine unmittelbare Nachfolge. Gerhard Marcks (*1889) ist zwar in der Mentalität und gelegentlich auch in der Formensprache mit Barlach verwandt, aber er unterscheidet sich auch erheblich von dem Älteren, da er viel mehr an individuellen Lösungen interessiert ist als an der Prägung von Typen. In seinen späteren, nach dem zweiten Weltkrieg entstandenen Arbeiten wie dem »Gefesselten Prometheus« ist Marcks zu räumlich-tektonischen Kompositionen vorgedrungen, die seinen Sinn für das Feste, beziehungsreich Geordnete, Einfache und Klare bezeugen. Neben Marcks wäre Ewald Mataré (1887–1965) zu nennen, aber nicht, weil beide künstlerisch miteinander zu tun hätten, sondern weil sie, historisch gesehen, fast die einzigen Bildhauer ihrer Generation sind, die die Kluft zwischen der Kunst vor 1933 und der nach 1945 durch ihre Präsenz überbrücken. (Man könnte hierfür noch andere Künstler derselben Generation zitieren, etwa Alfred Lörcher, Edwin Scharff, Emy Roeder, Hermann Blumenthal, Ludwig Kaspar und Toni Stadler, aber eine Beschränkung auf wenige Namen ist wohl angezeigt). Auch Mataré steht außerhalb der klassizistischen Tradition. Er hat engere Beziehungen zur archaischen und primitiven Kunst, zumindest in seinen Anfängen, als er durch Abstraktion und Reduktion Tierformen von emblematischem oder magischem Charakter gestaltete. Unter der vorhin erwähnten Unterbrechung der künstlerischen Kontinuität haben am meisten die Bildhauer gelitten, die jetzt zwischen 50 und 60 Jahre alt sind. Karl Hartung (1908–1967) wandte sich schon 1936 zur Abstraktion, ohne aber in jenen Zeiten Gelegenheiten zu haben, mit seinen Arbeiten vor die Öffentlichkeit zu treten. Wie viele seiner Generation konnte er sich erst nach 1945 frei entfalten. Seither hat Hartung ein umfangreiches Werk geschaffen, das – vom Porträt bis zur dekorativen Bauplastik vielseitig facettiert – in den freien Erfindungen von vegetativen Formen am stärksten überzeugt.

Was sich in Karl Hartungs Plastik als Zusammenspiel von Körper und Raum manifestiert, verschiebt sich in Hans Uhlmanns Arbeit zugunsten des Räumlichen. Uhlmann, 1900 in Berlin geboren, benutzt nicht die traditionellen Werkstoffe; er ist der erste deutsche Plastiker, der mit Stahl und Schweißbrenner zu arbeiten begann. Plastik bedeutet für ihn nicht Körperkunst, auch keine gleichgewichtige Relation von Körper und Raum, sondern in erster Linie ein offenes Raumvolumen, dessen Begrenzung zum umgebenden Freiraum nicht überall festgelegt wird, also offen bleibt. Uhlmann war anfangs Ingenieur. Das konstruktive Formgefühl des Technikers verbindet sich bei ihm mit dem künstlerischen Wollen, Raum und Dynamik in assoziierbaren Zeichen auszudrücken.

Uhlmann und Hartung haben als Hochschullehrer in Berlin auf viele

Künstler der jüngeren Generation einen starken Einfluß ausgeübt, was sich nicht unbedingt formal zu äußern braucht. Ich will jedoch hier nicht ihre sämtlichen Nachfolger vorstellen, zumal auch andere Lehrer wie Gustav Seitz und A. Gonda nicht weniger bestimmend gewesen sein mögen. Meine Absicht ist, die selbständigen Künstler unter den Jungen, von denen manche wie Bernhard Heiliger (*1915) und Otto Herbert Hajek (*1927) schon selbst in gewisser Weise wieder maßgeblich und schulbildend geworden sind und mit großen Aufträgen bedacht werden, hier vorzustellen. Der einzige unter den jüngeren Bildhauern, der noch Kontakt zum Expressionismus hatte, ist Wilhelm Loth (*1920). Käthe Kollwitz hatte ihn 1938 zur Bildhauerkunst gewiesen. Aber über diese biographische Notiz hinaus bezeugen auch die früheren Arbeiten Loths eine »expressionistische« Tendenz, die erst in der langsamen Entwicklung des Künstlers mehr und mehr zugunsten einer eigenen Formvorstellung verschwindet. Loths Thema ist der Mensch. Seine Arbeit beginnt mit zeichnerischen Studien nach der Natur. Das Beobachtete verwandelt sich dann während des bildnerischen Prozesses in Parallelen zur Natur, die keine »Verfremdungen« der Wirklichkeit, vielmehr neue Wirklichkeit sind, – organische Gebilde mit sich hebenden und senkenden Flächen, die den Menschen als Teil der Natur, als Erde oder Landschaft, identifizieren. Aus dieser Sicht könnte man bei Wilhelm Loth auf eine »romantische« Konzeption schließen, auf seine Absicht, den Menschen in einem größeren Ganzen aufgehen zu lassen. Aber das ist nur eine Möglichkeit im Werk des Bildhauers. Gegen die Interpretation als »Romantiker«, die vielleicht als eine typisch deutsche Variante des künstlerischen Ausdrucks gelten wird, spricht andererseits der strenge Objektcharakter der Loth'schen Plastik. In ihr gibt es kein Verströmen, keine Grenzenlosigkeit, sondern eine sehr präzise Definition der plastischen Objekte, die als »Reliefkörper« bezeichnet wurden und durch ein genaues Ordnungsgefüge bestimmt werden.

Auch Fritz Koenig (*1924) ist ein figürlicher Bildhauer. Aber während Loth nur ein Thema kennt – die menschliche Gestalt in der Form des Torso – beschäftigt sich Koenig mit zahlreichen Themen, vor allem mit Darstellungen von Menschen- und Tiergruppen, aber auch mit Architekturformen. Das Inhaltliche ist bei ihm auch keineswegs untergeordnet. Koenig wurde im Anfang seiner Karriere durch ein sehr attraktives Thema bekannt: *die Rinderherden und Reitergruppen aus der Camargue*. Später schuf er Familiengruppen, plastische Kompositionen wie *Manhattan*, viele Variationen einer *Quadriga*, *Kentauren*, ein *Derby* und eine Flotte von *Gondeln*, – lauter unterlebensgroße Bronzen mit abbildender Bedeutung.

Aber sie waren eben nicht nur plastische Reproduktionen der Wirklichkeit oder eines Ausschnittes daraus, sondern auch plastische Objekte von eigenem Wert. Das wurde schon bei den *Camargues* deutlich, jenen rhythmisch geordneten Gliedern einer Vielzahl von Tierzeichen, die sich zu einer neuen (nun »abstrakten«) Gesamtfigur zusammenschließen. Noch deutlicher mag seine Bildvorstellung in einer jüngeren, großen Komposition erkennbar werden, in der *Pietà* für die Kirche »Maria Regina Martyrum« in Berlin-Plötzensee, in der die Figuren der trauernden Mutter und des toten Sohnes zu einer einzigen Gestalt zusammenwachsen. Von allen inhaltlichen Bezügen abgesehen, ist dies das künstlerische Thema von Fritz Koenig, dem er in vielen Abwandlungen immer wieder nachgeht, darin ein Nachkomme der älteren bayerischen Bildhauerkunst, in der das Erzählerische ebenso wichtig ist wie die formale Bewältigung des Gegenstandes. Der internationale Erfolg ist Koenigs rustikalem Charme nicht abträglich gewesen. Unbeirrt von der großstädtischen Welt ist er weiterhin damit beschäftigt, dem Menschen als Einzelwesen und als Kollektiv einen behausten »Ort« zu sichern. Allerdings sollte man sich, wenn man Künstler unserer Zeit betrachtet und analysiert, nicht darauf verlassen, sie im Koordinatenkreuz ihrer Beziehungen zur Vergangenheit und ihrer derzeitigen Aufgaben genau »erfassen« zu können. So verführerisch die Methode auch gelegentlich ist, weil sie in manchen Fällen (wie bei F. Koenig) funktioniert, – sie läßt sich eben doch nicht bei allen anwenden. Auch nicht, wenn es sich auf den ersten Blick anbietet, etwa bei Emil Cimiotti (*1927). Wenn man seinen Namen vernimmt und dazu die *Römischen Landschaften* sieht, drängt sich natürlich die Erinnerung an Barockes auf, und man ist geneigt, einen großen verbindenden Bogen zum Erlebnis des römischen Barock (den Cimiotti als Stipendiat der Villa Massimo in Rom studieren konnte) zu schlagen. Aber Cimiotti stammt, trotz seines italienischen Namens, aus Göttingen, und seine Formvorstellungen bewegen sich weniger im Bereich einer barocken Architektur, als in dem modernen Zwischenreich von vegetativer und menschlicher Natur. Cimiotti ist ein Bildhauer der Metamorphosen. Das zeigten schon im Anfang seiner Laufbahn die *Figurengruppen* mit ihrer Ambivalenz von menschlicher und pflanzlicher Ableitung, später auch andere, in cire perdue gegossene Plastiken von doppelter oder mehrfacher Bedeutung, die letzlich offen bleibt, weil Cimiotti keine Illustrationen zu einer Naturgeschichte erfindet, sondern als Bildhauer primär an seinen plastischen Problemen interessiert ist, nämlich an der Komposition von Massen- und Leervolumina, an der Durchdringung von Körper und Raum. Die Titel, die Cimiotti seinen plastischen

Bildungen gibt, haben daher nur eine ganz allgemeine poetische Bedeutung; sie sollen das Komplexe und Vieldeutige evozieren, aber nicht beschreiben. Während des römischen Aufenthaltes fesselte Cimiotti vor allem die römische Landschaft. Er modellierte *Südliche Inseln, Wälder* aus Pinien, *Baumbestandene Hügellandschaften* und als eine der künstlerisch stärksten Kompositionen *Felsen und Wolken,* die aber nicht Landschaftsporträts im Sinne der Malerei sind, sondern plastische Gleichnisse ihrer konkreten Körperlichkeit und ihrer immateriellen Räumlichkeit. Von diesem Stadium ist er dann in den letzten Jahren, die »Themen« hinter sich lassend, zu den schwebenden Ballungen von Volumina vorgestoßen. Diese Arbeiten veranschaulichen nicht mehr die Polarität von »Himmel und Erde« (oder Raum und Körper); sie sind nur noch »Himmel« – oder weniger symbolisch ausgedrückt – schwebende Formen von einer unendlich erweiterten Bedeutsamkeit. Seine neuesten Figuren interpretieren umgekehrt den Menschen als jugendstilhaftes, glattes Gemälde.

Günter Ferdinand Ris (*1928) kam vor einigen Jahren von der Malerei zur Plastik, weil er einsah, daß die drei Dimensionen seinen formalen Absichten besser entsprachen als der Bildraum der Malerei. Seine Kunst mutet auf den ersten Blick als außerhalb jeder deutschen Tradition an: sie ist nicht »expressionistisch« und sie bevorzugte eine Zeitlang ein Material, das bei unseren Bildhauern nie besonders gern gebraucht wurde, den weißen Marmor. Neben den Skulpturen entstanden selbstverständlich auch Bronzen und Steingüsse, aber das Material, das seiner Formvorstellung in der Mitte der 60er Jahre am besten entsprach, war der reine makellose Marmor von Paros. Wie ich vorhin sagte, ging Ris als Maler von der räumlichen Bewegung von Flächen aus. Das erkennt man auch in seinen Reliefs, in der die Flächen in reicher Modulation bewegt werden und scharfkantige Grate als lineare Abläufe ineinanderschwingen. Diese Arbeiten haben, im Gegensatz etwa zu den Plastiken der vorher betrachteten Künstler, kein Thema von »draußen«. Ihr Thema ist ihre künstlerische Existenz.

Ris sucht in der Kunst die Gesetze von Schönheit und Harmonie. Bei ihm gibt es keine »glücklichen Zufälle«, sondern nur Nachdenken und die Erfahrungen der formenden Hand. Denk- und Arbeitsprozeß sind langsam und gründlich. Bezeichnend für ihn, daß er, als er die Notwendigkeit sah mit Marmor zu arbeiten, auf die griechischen Inseln reiste, in den Marmorbrüchen Blöcke aussuchte und sich deren Bearbeitung selbst beibrachte.

Nach den ersten, weit und tief geöffneten Freiraumplastiken hat sich Ris der Aufgabe zugewandt, aus der reinen Kugelform Skulpturen zu schneiden, die ihre Herkunft von der Kugel nicht verleugnen und dennoch den Außenraum einbeziehen. Die jüngste Entwicklung führte ihn zur »Figur« und zum »Torso«, – geharnischten Gestalten, die durch expansive Bewegungen charakterisiert werden.

Die Kugel spielt auch bei einem der jüngsten meiner Auswahl, bei Jochen Hiltmann (*1937) eine wichtige Rolle. Hiltmann war ebenfalls ursprünglich Maler; als Plastiker ist er Autodidakt. Er bringt also weder Traditionen, noch Konventionen mit. Das ist in der Bildhauerkunst, insbesondere der deutschen, ein wesentliches Kriterium. Hiltmann konnte sich gleichsam Hals über Kopf in das Neuland plastischer Methoden und der daraus resultierenden Formen stürzen. Dabei entschied er sich für Stahl und Schweißbrenner. Das ist nach González und anderen Stahlplastikern noch nicht originell, allenfalls zeitgemäß. Aber seine Anwendung dieser Mittel bezeugt eine persönliche Sicht. Schweißen ist für ihn nicht Skulptieren, d. i. wegschneiden, sondern eine Variation des Gießens, – ein Guß ohne Gußform! Hiltmann bringt den Stahl zum Fließen und lenkt mit der Flamme dessen Weg. Aber der feurige Stahl nimmt auch seinen eigenen Lauf. Hiltmanns bildnerischer Vorgang ist also ein Zusammenwirken von Künstler und Werkstoff, von bildnerischer Intention und vom Glücksspiel mit dem Feuer. Dieser Prozeß des Entfesselns und Bändigens bleibt noch sichtbar, auch wenn das Metall längst vom flüssigen Aggregatzustand in den festen zurückgegangen ist. Wir lesen noch das Fließen des glühenden Stahls und verfolgen sein allmähliches Erstarren, wir sehen Übergänge vom Harten zum Weichen, vom Spröden und Rauhen zum Glatten. Diese Kontraste machen einen großen Teil der Spannung aus, die sich in den Formen der Hiltmannschen Stahlplastik ausdrückt. Mit anderen Worten: die Genesis bleibt sichtbar. Hiltmann schrieb einmal, daß er seine Plastik zwischen die Pole »Kugel« und »Schlacke« spanne, – also zwischen der vollkommenen Form und der amorphen. Von dieser Polarität ist Hiltmann fasziniert und ihr versucht er in seinen Gebilden Ausdruck zu verleihen.

Erich Hauser (*1930), ein anderer unserer jungen Stahlplastiker, geht einen ganz anderen Weg. Als gelernter Instrumentenmacher und Graveur hat er ein besonders vertrautes Verhältnis zum Stahl und seiner Verarbeitung. Hauser schweißt aus starken Stahlblechen mächtige kristallische Volumina, die wie massive Quader wirken und in der rhythmischen Ordnung der Flächen zuerst an eine Nachwirkung des Kubismus denken lassen. Aber bei näherem Zusehen zeigt sich, daß diese mächtigen Gebilde doch keine festen und geschlossenen Körper sind, daß Einschnitte und Öffnungen ihre Körperlichkeit und Festigkeit in Frage stellen. Das saubere und klare

Gefüge wird unterbrochen und in der Kontinuität des Rhythmus gestört. Das Feste, Stabile und Unerschütterliche, das von Stahl suggeriert wird, wird dadurch wieder negiert. Symbolisch kommt also etwas vom Gefährlichen und vom Gefährdeten in diesen Stahlplastiken zum Ausdruck, die Otto Mauer einmal »Megalometalle« genannt und in ihrer elementaren Wucht als beispiellos hervorgehoben hat. Der expressive Charakter seiner kristallinen Formen ist in letzter Zeit zurückgetreten. Hauser bevorzugt jetzt die auf einfache Elemente reduzierte Form (z. B. Zylinder), in deren makellose Glätte tiefe Schnitte hineinführen, die das Volumen spürbar werden lassen.

Der letzte in meiner persönlichen Auswahl ist ebenfalls ein Stahlplastiker: Norbert Kricke (*1922). Von allen genannten ist er wohl der international bekannteste der deutschen Bildhauer. Kricke war schon als figürlicher Bildhauer (er studierte bis 1949 bei Scheibe in Berlin) mehr an den Armierungen interessiert als an dem darüber aufzubauenden Körpervolumen aus Gips. Ihn fasziniert vor allem der Raum. Alles, was Plastik im traditionellen Sinne bezeichnet und bei den vorangegangenen Künstlern, wenn auch reduziert, noch beobachtet werden kann, ist hier anders. Es gibt nicht mehr das kompakte Massenvolumen mit den Eigenschaften der Statik, der Dauerhaftigkeit, der Stabilität, Ruhe und Schwere, stattdessen Bewegung, Räumlichkeit, Verringerung des Körperlichen bzw. Materiellen auf ein Minimum, und es gibt keine Abgrenzung zwischen Plastik und Freiraum, auch keinen Anfang und kein Ende.

Diese künstlerische Auffassung wir an Gonzalez, innerhalb des deutschen Bereiches auch an Uhlmann oder an Brigitte Meier-Denninghoff erinnern, aber diese Beziehungen sind hier nur als oberflächliche Vergleichsmomente zu verstehen; denn Krickes Raumplastik ist in ihrer Art einmalig, und nicht wiederholbar, weil sie Ausdruck einer ganz bestimmten Künstlerpersönlichkeit ist.

Krickes Ziel ist, unserem modernen Raumgefühl sichtbare Gestalt zu geben. Er tut das nicht mit tastbaren Körpern, sondern mit Mitteln, die vorwiegend optisch erlebbar sind. Seine Raumplastik ist also bildnerischer Ausdruck des »space age«, plastische Metapher des zeitgenössischen Raumerlebnisses, das nicht mehr mit den überlieferten Kategorien meßbar ist. Krickes stählerne Raumplastiken veranschaulichen das Grenzenlose des Raumes, in dem sich viele Bewegungen simultan ereignen.

Damit wäre ich am Ende meines Überblicks, in dem ich – gestützt auf einleitende Anmerkungen zur älteren Generation – einige Mitteilungen zu zehn Jüngeren zu geben versuchte. Mehr als Randnotizen können es nicht sein, das verbietet schon die Kürze meines Berichtes, der dem Leser vermutlich viele Namen, die ihm besser bekannt sind, vorenthält, um stattdessen andere in den Vordergrund zu rücken. Vielleicht ist das eine Verfälschung des wahren Bildes, aber was ist Wahrheit, wenn wir versuchen, unseren Zeitgenossen gerecht zu werden und das Bleibende vom Vergänglichen zu unterscheiden?

Ich habe eine persönliche Wahl getroffen, und ich muß mich am Schluß fragen, ob das Ergebnis als »choix d'un critique« vor anderen Augen standhält, und ob man es als einen echten Einblick in die Bildhauerkunst des 20. Jahrhunderts in Deutschland annimmt? Ohne Frage würde die Auswahl eines anderen Kritikers anders aussehen, und vielleicht sieht der Kunstfreund aus der Distanz des Nachbarlandes verschiedene Tendenzen. Wahrscheinlich wird er sagen, daß das alles gar nicht so typisch deutsch sei und mutatis mutandis auch in Paris, New York oder Mailand geschaffen sein könnte. Diesem letzteren Einwurf würde ich mich – mit wenigen Vorbehalten – sogar anschließen können; aber eben mit Vorbehalten, weil sich in den plastischen Phänomenen, die ich mit Worten und dem unzulänglichen Mittel der photographischen Reproduktion vorzustellen versuchte, doch auch etwas von den Erfahrungen und Hoffnungen ausdrückt, die man im 20. Jahrhundert vor allem in Deutschland machen könnte. Das Verlangen nach Freiheit, nach Verströmen im Raum, nach Einswerden mit der Natur, das brennende Interesse an der bildnerischen Vorstellung menschlichen Wesens und nicht zuletzt die Mannigfaltigkeit der künstlerischen Sprachen (als Reaktion auf die befohlene Uniformität) können dies bezeugen.

Der 1963 geschriebene Beitrag wurde vom Autor für diese Ausgabe mit folgendem Nachtrag ergänzt:
Wenn ich bei der Nachlese des 1963 geschriebenen Aufsatzes meine, daß die damalige Auswahl stichhaltig geblieben ist und keiner eingreifenden Korrekturen bedarf, so ist das für den kritischen Leser vielleicht ein Beweis der uneinsichtigen Rechthaberei des Autors, der sich auf den Glücksfall beruft, vor der Geschichte (denn vier Jahre bedeuten in der Entwicklung moderner Kunst bereits historischen Abstand!) recht behalten zu haben. Aber der Skeptiker wird mir wenigstens darin zustimmen, daß ich einen ergänzenden Nachtrag für notwendig halte, um den Anschluß an die Situation von heute herzustellen.
Die vergangenen vier Jahre haben tatsächlich neue Sach- und Tatbestände

in der Bildhauerkunst und den ihr benachbarten Künsten geschaffen. Was die materiellen Aspekte betrifft, so haben die Kunststoffe und die bisher nicht kunstwürdigen Stoffe (z. B. Fett, Eternit, Leder, Karton) begonnen, den überlieferten Materialien wie Bronze, Stein und Holz das Feld streitig zu machen. Das wirkt sich nicht nur auf die bildnerischen Techniken, sondern auch auf die Formen und nicht zuletzt auf die Möglichkeit der Reproduktion aus. Neben das »einmalige« oder doch in der Auflage begrenzte Kunstwerk tritt das »multiplizierbare Objekt«, das in großer Zahl auf den Markt geworfen werden kann wie die neue Graphik.

Daneben beobachten wir, wie sich plastische Formen mit der Farbe verbinden. Die polychrome Plastik, in der Grundsubstanz oft aus Polyester, Holz oder Blech, stellt nicht nur neue Verbindungen zur Malerei und Graphik her; sie hebt auch ein jahrhundertealtes Tabu auf, daß Plastik materialgerecht sein soll und die Eigenschönheit oder den Charakter ihres Stoffes mitwirken lassen müsse.

Die neuen Werkstoffe und die Polychromie haben zweifellos dazu beigetragen, der Plastik den Bereich des multiplizierbaren »Kunstobjekts« zu erschließen. Als dritter Faktor kommt eine formale Entwicklung hinzu: die Beschäftigung mit Formen aus dem technischen Bereich (Verkleidungen von Maschinen oder serielle Gegenstände aus der industriellen Fertigung) und die Hinwendung zu einfachen geometrischen Grundformen. Fügen wir diesem summarischen Überblick noch die Beobachtung hinzu, daß den reduzierten oder minimalen Formen als Antithese die absurden oder schockierenden Gegenstände einer surrealistisch »verfremdeten« Pop-Kunst gegenüberstehen, und daß sich jene vorhin erwähnte Tendenz zur Vereinfachung der bildnerischen Prozedur gleichsam antipodisch verhält zur Entwicklung einer höchst verfeinerten kinetischen Kunst, so haben wir damit nicht nur die deutsche Situation skizziert, sondern gleichzeitig auch den internationalen Status der Bildhauerkunst (im weitesten Sinne des Wortes) angesprochen.

Es hieße freilich die Lage verkennen und den »nationalen Beitrag« der Deutschen überschätzen, wollte ich in allen erwähnten Bereichen den Anspruch der originalen oder wenigstens gewichtigen Beteiligung erheben. Was die kinetische Kunst betrifft, könnte zwar auf die Mitglieder der ehemaligen Gruppe ZERO Günther Ücker, Otto Piene und Heinz Mack hingewiesen werden, aber es wäre wenig gerechtfertigt, sie allesamt der Bildhauerei zuzurechnen. Das gilt ebenfalls für Hermann Goepfert, Gerhard von Graevenitz und andere, die an den Problemen von »Licht und Bewegung« arbeiten. Kinetische Plastik im eigentlichen Sinne machen

Harry Kramer (geb. 1925), dessen tänzerische und schnurrende Maschinen schon länger bekannt sind, und Günter Haese (geb. 1924), der erst 1964 »entdeckt« worden ist. Haeses Konstruktionen haben allerdings keinen motorischen Antrieb. Sie geraten durch einen Luftzug, durch die Erschütterung des Fußbodens in eine vibrierende Bewegung, denn sie sind aus Uhrenfournituren zu räumlichen Gebilden von hauchdünner Körperlichkeit zusammengebaut. Mit dem Charme zweckfreier Technik und minutiöser Handfertigkeit ausgestattet, halten sie sich mitsamt Form und Bedeutung in der Schwebe. Hinter dieser artistischen Equilibristik verbirgt sich auch die doppeldeutige Mimik eines Harlekins und Jongleurs. Das Feld der »reduzierten Formen« ist zahlreicher besetzt. Ernst Hermanns (geb. 1914), der früher informelle Plastik modellierte, hat sich inzwischen darin angesiedelt und Zylinder oder Kugeln im präzisen Zuschnitt des industrial design geschaffen. Kaspar-Thomas Lenk (geb. 1933) gehört in diesen Zusammenhang, da er aus gleichmäßigen, runden oder annähernd quadratischen Scheiben Raumformen seriellen Charakters addiert. Erwin Heerich (geb. 1922), bisher noch am wenigsten bekannt, aber einer der konsequentesten und besten Erfinder von einfachen und wandelbaren Formen, baut seine Würfel und Walzen aus Pappe. Das ist insofern konsequent gedacht, als das Material nur noch eine untergeordnete Rolle spielt und sich nicht so aufspielen soll, als könnte es eine einfache Sache interessanter machen. Wesentlich aufwendiger, sowohl in der Formensprache als im Einsatz von Farben, erscheint das Werk von Utz Kampmann (geb. 1935), dessen Arbeiten aus Holz jedoch der »anonymen Schalthebelwelt« (Nizon) nicht analog, sondern untergeordnet sind.

Von den jüngeren Bildhauern möchte ich noch Detlef Birgfeld (geb. 1937) erwähnen. Seine Torsi (Arme, Knie) und Harnische zeigen gelegentlich surrealistische Effekte, vielleicht auch Nachwirkungen von POP-Kunst oder »neuem Realismus«, die sein Engagement in zeitgenössischen Problemen beweisen. Man sollte ihm zukünftig Aufmerksamkeit schenken, was man – um einen wesentlich älteren Künstler, Horst Egon Kalinowski (geb. 1924), in die Debatte zu bringen –, zur rechten Zeit versäumt hat, denn seine Objektbilder, Caissons und Stelen aus Leder und Holz entstanden sozusagen unter Ausschluß der deutschen Öffentlichkeit und haben sich von Paris aus in der Welt Geltung verschafft.

Ich schließe meinen Nachtrag mit einem anderen Bildhauer, den es schon lange »gibt«, aber nur den Eingeweihten etwas galt: Joseph Beuys (geb. 1921). In den letzten Jahren wurde er durch Happenings unter dem Namen »Fluxus« bekannt, aber wenige sahen seine Fettplastiken oder die Arrangements aus filzüberzogenen Objekten, die zur zeitgenössischen Kategorie des »Environments« gehören. Filz und Fett deuten schon an, daß es Beuys nicht auf Schönheit im herkömmlichen Sinne ankommt. Er will weder feine noch edle Materialien, und auch die komplizierten Inhalte sind nicht seine Sache. Am besten hat Franz Josef van der Grinten formuliert, worum es Beuys geht: »Mit geringem Aufwand, mit der Beschränkung auf wenige unerläßliche Elemente, mit einer aufs äußerste getriebenen Ökonomik der Mittel werden Gebilde geschaffen, die zugleich zart und spröde, poetisch, aber ohne Sinnenreiz sind . . . Fast unwägbare Klänge werden zur Resonanz gebracht, innerste Reize im einzelnen Teil aufgespürt und in seinem Zusammenleben mit benachbarten Dingen offenbart.«

Der deutsche Film nach 1945

Dieter Krusche

»Wir sind wieder wer!« – diese viel zitierte und viel kritisierte Feststellung des früheren Bundeskanzlers Ludwig Ehrhard führen heute die, die sich beruflich mit dem deutschen Film beschäftigen, gern und oft im Munde. Natürlich formulieren sie ihre Stellungnahmen in Artikeln und Interviews ein wenig anders; aber im Grunde wollen sie doch eigentlich das Gleiche sagen. Hoffnungsfroh signalisieren sie den Beginn eines neuen und besseren Zeitalters, in dem deutsche Filme im eigenen Land nicht nur ein Wirtschaftsfaktor, sondern ein Bestandteil des geistigen Lebens sind, in dem sie auf internationalen Festivals nicht nur als Lückenbüßer goutiert werden, sondern sogar Preise erwerben.

Diese Hoffnung kommt vom »jungen deutschen Film«; und man faßt unter diesem Schlagwort so verschiedenartige Talente und Temperamente wie Alexander Kluge, Volker Schlöndorff, Ulrich und Peter Schamoni zusammen, Haro Senft, Edgar Reitz, Roger Fritz, Franz Josef Spieker, Johannes Schaaf, Christian Rischert usw. Sie alle haben unterdessen abendfüllende Spielfilme gedreht, wohl alle sind dafür in den einschlägigen Fachzeitschriften mit Schlagzeilen belohnt worden. Aber für die meisten von ihnen steht die Bewährungsprobe des »zweiten Films« noch aus. Unentschieden ist mithin auch bisher noch die Frage, ob der »junge deutsche Film« ein Neubeginn ist oder nur eine Episode bleibt, ob die Debütanten sich künstlerisch behaupten können, ob im Sog der Neuentdeckungen auch weiterhin neue Regisseure eine Chance erhalten. Im Augenblick jedenfalls beherrschen junge Regisseure die Szene; und der eingangs zitierte Optimismus scheint verständlich – besonders, wenn man die gegenwärtige Situation mit der Misere der jüngsten Vergangenheit vergleicht.

In den rund zwei Jahrzehnten seit der Beendigung des Krieges nämlich hatte der deutsche Film eine Kette von Enttäuschungen bereitet. Es hatte in dieser Zeit zwar nicht an Ansprüchen wohl aber an Leistungen gefehlt; und während die Film*wirtschaft* hierzulande immerhin eine vorübergehende Blütezeit erlebte, wurde die Film*kunst* von einer langen Dürreperiode heimgesucht, die nur sehr selten von wenigstens achtbaren Leistungen unterbrochen wurde. Zwanzig Jahre lang sprach man auf internationalem Parkett vom deutschen Film bestenfalls mit höflicher Zurückhaltung, und im eigenen Land mußten ihm mehr als einmal bereitstehende offizielle Preise vorenthalten bleiben, weil beim besten Willen nichts Preisgünstiges zu entdecken war.

Das Versagen war total, und vielen Pessimisten schien es endgültig. Aber wie hatte das geschehen können? Kritiker, Künstler und Kaufleute versuchten, einander die Schuld aufzubürden. Und wären sie ehrlich, so würden wohl alle Betroffenen – das Publikum eingeschlossen! – einen Teil der Verantwortung auf sich nehmen müssen. Denn sie alle hatten Anteil daran, daß die Chancen des Jahres 1945 nicht genutzt wurden, daß vom Nullpunkt des totalen Zusammenbruchs kein zielbewußter Aufbau erfolgt ist.

Das Versagen wurde bald nach Kriegsende deutlich; seine Wurzeln allerdings reichen zurück bis in das Jahr 1933. Damals vertrieb hirnlose Brutalität eine Legion von Künstlern und Gelehrten aus dem »Tausendjährigen Reich« der Germanen. Andere gingen freiwillig, um sich von der Schreckensherrschaft der Nationalsozialisten zu distanzieren. Eine ganze Generation bedeutsamer Filmschöpfer war dem deutschen Film gleichsam über Nacht verloren.

Für die Zurückgebliebenen aber begann die Zeit der künstlerischen Inzucht, der »Filmpolitik« und der gelenkten Propaganda. Abgeschnitten vom Ausland und ohne rechten Kontakt mit den allgemeinen Zeitströmungen und ihren Auswirkungen entwickelten sie jenen Stil seelenloser Perfektion, der die Welt nur mehr als »Wille und Vorstellung« der Nationalsozialisten und nicht mehr als Wirklichkeit des Menschen zu fassen vermochte. Viele beugten sich dem Zwang und leisteten ihren Beitrag zur politischen und weltanschaulichen Gleichschaltung, andere versuchten, sich dem staatlichen Zugriff durch die Flucht in die Historie, die Idylle und die Unverbindlichkeit zu entziehen. Und es festigte sich dabei im Verlauf der Jahre gerade bei den Wohlmeinenden und Wohlgesinnten vielfach die Ansicht, die politische Abstinenz – wobei Politik im weitesten Sinne begriffen wurde – sei für den Künstler eine Tugend, die Beschäftigung mit Tagesfragen hingegen diskreditiere ihn.

Die Extreme der Meinungen und Möglichkeiten berührten sich noch einmal auf seltsame Weise: Im Inferno des Zusammenbruchs wurde Veit Harlans Durchhalte-Film *Kolberg* uraufgeführt, in der technischen Perfektion und der propagandistischen Raffinesse einer der »größten« und wirkungsvollsten Filme des »Dritten Reiches«. Zur gleichen Zeit arbeitete

Helmut Käutner an seiner ganz im privaten Bereich angesiedelten Romanze *Unter den Brücken,* wohl der künstlerisch geschlossenste und beste Film, der in den zwölf Jahren der Diktatur entstand.

So also sah das Erbe des deutschen Films im Jahr 1945 aus: Eine durch Exil und Krieg dezimierte Generation von Filmschöpfern, von deren verbleibendem Rest ein nicht unbeträchtlicher Teil sich politisch allzu sehr engagiert hatte, als daß er noch glaubwürdig hätte sein können. Ihnen gegenüber stand eine Gruppe von Filmkünstlern, die die Korrumpierung künstlerischen Bemühens durch die Politik schmerzhaft erfahren hatte und ihre Abneigung gegen das »Engagement« vielfach aus der Vergangenheit in die Gegenwart übertrug.

Es war zweifellos ein schweres Erbe für die, die einen neuen deutschen Film zu schaffen trachteten. Und es war vielleicht ihr Fehler, daß sie dieses Erbe überhaupt zu verwalten suchten, anstatt es abzulehnen und einen völlig neuen Anfang zu wagen. Aber es ist wohl psychologisch verständlich, daß man inmitten der Trümmer eher an Restauration als an Revolution dachte, daß man aus der Umwertung aller Werte möglichst viel zu retten suchte.

So wurde also als erster Film nach dem Krieg in Deutschland kein *Paisa* und kein *Rom, offene Stadt* uraufgeführt, keine bittere Reportage und schon gar keine nüchterne Bilanz. Den Neubeginn markierte vielmehr das beziehungslose Lustspiel *Sag die Wahrheit,* das man bereits kurz vor Kriegsende zu drehen begonnen hatte, nun aber gänzlich neu inszenierte. Man glaubte offenbar, einfach da wieder anfangen zu können, wo man kurz zuvor aufgehört hatte. Inzwischen war Deutschland zusammengebrochen, die Schreckensherrschaft Hitlers liquidiert, ein blutiger Weltkrieg beendet worden – nichts davon fand seinen Niederschlag in diesem Film. Er nahm von der Zeit und ihren Problemen einfach keine Notiz. Und auch sein Titel erwies sich keineswegs als verheißungsvolles Omen. Der deutsche Film nämlich sagte auch in Zukunft nicht die Wahrheit, – wenigstens nicht die ganze Wahrheit ...

Zunächst freilich gab es ermutigende Ansätze. In Westdeutschland drehte Helmut Käutner seinen Film *In jenen Tagen* (1947), in sowjetischer Lizenz entstand Wolfgang Staudtes *Die Mörder sind unter uns* (1946), beides trotz einiger Mängel doch ehrliche Versuche zur Bewältigung der Vergangenheit. Und fast schien es nun, als wolle der deutsche Film sich wirklich mit der Zeit und ihren Problemen auseinandersetzen. Es kam die Flut der »Trümmerfilme«. Ruinen und ausgemergelte Gesichter erschienen auf der Leinwand, zerstörte Städte und heimatlose Menschen.

Doch schon im Ansatz verfehlten fast alle diese Filme ihr Ziel, da es ihnen an Konsequenz mangelte, da sie nicht Einsichten vermittelten, sondern sich mit sentimentalem Selbstmitleid begnügten. Ähnlich wie der Heimkehrer Beckmann in Wolfgang Borcherts Nachkriegs-Drama *Draußen vor der Tür* stets auf der Suche nach einem Anderen ist, der bereit wäre, »die Verantwortung« zu übernehmen, wurde auch hier – wenngleich auf niedrigerem Niveau! – der einzelne nur als Opfer der Zeitläufte gesehen. Auch hier versuchte man, die Verantwortung gleichsam zu delegieren. Aber während Beckmann an seiner Suche noch zerbrach, wollten die handelnden Personen dieser Filme sich eher unauffällig arrangieren. Sie suchten keinen neuen Anfang, sondern einen Anschluß an ihre frühere Existenz. Und dabei wurde auch der Zusammenbruch Deutschlands nicht als politisches, sondern als höchst privates Problem gesehen. Der Verlust von Hab und Gut wog schwerer als der Verlust an moralischer Glaubwürdigkeit, die Sorge um das tägliche Brot schien drängender als die Abrechnung von Schuld und Mitschuld; und da die Zukunft so düster drohte, scheute man die Schatten der Vergangenheit. Eine weltweite Katastrophe wurde so im deutschen Film allgemach auf ein handliches Mittelmaß reduziert.

Diese Filme nun mußten konkurrieren mit einem überreichlichen ausländischen Angebot. Es kamen die Erfolgsfilme aus aller Welt, die dem deutschen Publikum zwölf Jahre lang vorenthalten worden waren. Es kamen die technisch perfekten Filme Hollywoods und die düsterpoetischen aus Frankreich, und sie überrollten den deutschen Film auch in der Gunst des Publikums.

Ein weiteres Ereignis allerdings kam hinzu: Die Währungsreform in Deutschland machte vorübergehend das Geld zur Mangelware; die wirtschaftliche Entwicklung ließ ein großes Angebot von Konsumgütern beim Publikum in Konkurrenz zum Film treten. Die Filmwirtschaft reagierte schnell: Kurz entschlossen erhob sie den Publikumsgeschmack zum obersten Gesetz ihres Handels – einen Publikumsgeschmack indessen, den man wohl allzu leichtfertig vereinfacht und verallgemeinert hatte.

Sehr bald verebbte so die Welle der »Trümmerfilme«, die immerhin einige Ansätze zur Selbstbesinnung gebracht hatte, und man widmete sich der beziehungslosen Unterhaltung. Und auch wo ernsthafte Probleme doch noch angesprochen wurden, da war das Interesse am »positiven Ausgang«, an der oberflächlichen Beruhigung deutlich spürbar.

Die großen geschäftlichen Erfolge der Zeit kurz nach der Währungsreform waren der operettenhafte Film *Schwarzwaldmädel* (1950) und Harald

Brauns Thesenstück *Nachtwache* (1949). Wurden in dem einen Film die üblichen Schaueffekte seines Genres routiniert dargeboten, so versprach der andere in der Zusammenarbeit der evangelischen und katholischen Christen einen neuen Anfang, der wenig oder gar nicht durch Erinnerungen an die Vergangenheit belastet war, der keine Frage nach der Schuld stellte und dennoch Erlösung verhieß.

Während also der Film in Westdeutschland sich teils freiwillig und teils von den Umständen gezwungen den Gesetzen der Ökonomie und des Publikumsgeschmacks beugte, hätte die staatseigene DEFA im Osten Deutschlands die Möglichkeit gehabt, unberührt von finanziellen Erwägungen konsequent die Linie künstlerischen Bemühens und zeitkritischer Redlichkeit zu verfolgen. Doch auch dort nutzte man die Chancen schlecht. Die DEFA verschrieb sich mehr und mehr dem »sozialistischen Realismus«, der abermals Phrasen an die Stelle der Diskussionen und markige Monumente an die Stelle des Menschen setzte. Eindrucksvolle Filme wie *Rotation* und *Der Untertan* von Wolfgang Staudte, wie *Lissy* und *Sterne* von Konrad Wolf blieben auch dort die Ausnahme. In beiden Teilen Deutschlands triumphierte lange Jahre die Mittelmäßigkeit.

In der Bundesrepublik schienen allenfalls die Geschmacksrichtungen zu wechseln: Der sentimentale Heimatfilm wurde vom verlogenen Kriegsfilm abgelöst, zu Zeiten stand das melodramatische Seelengemälde ganz oben in der Publikumsgunst, dann waren es die aufwendigen Revuen. Zwischendurch erinnerte man sich auch der jüngsten Vergangenheit; aber der deutsche Film destillierte aus dem historischen Geschehen vornehmlich abenteuerliche Anekdoten um prominente Personen der Zeitgeschichte, um bekannte Soldaten mit Vorliebe, deren persönliches Schicksal alsbald den Blick auf das politische Geschehen verdeckte. Zum Synonym für die Vergangenheit wurden nicht die Namen Hitler, Himmler und Eichmann – sondern Canaris, Rommel und Prien. Der Krieg erschien im deutschen Film als düstere Geißel des Schicksals, das blind und unerbittlich waltet. Und entsprechend zeichnete man auch den Nationalsozialismus gleichsam als eine Krankheit, die das hilflose Volk heimtückisch überfallen hatte – ähnlich so, wie unsere Vorväter von der Pest heimgesucht wurden: unerwartet, unausweichbar und unverschuldet.

Die Jahre von 1933 bis 1939 und die Frage »Wie konnte es geschehen?« interessierten den deutschen Film nicht sonderlich. Man schilderte lieber die Kriegszeit, da brave Soldaten für's Vaterland und keineswegs für den Führer kämpften, da die Redlichen »alles« schon durchschauten, verachteten und bekämpften und doch nichts mehr ändern konnten, weil eine

Handvoll brutaler Untermenschen auf höchst geheimnisvolle Weise die Macht behauptete.

Für erwähnenswerte Ausnahmen sorgten vor allem zwei Hollywood-Heimkehrer. Der Schauspieler Peter Lorre inszenierte 1951 in Deutschland *Der Verlorene*, seine erste und einzige Regie-Arbeit, 1957 drehte Robert Siodmak den Film *Nachts, wenn der Teufel kam*. In beiden Filmen wird an Hand eines spektakulären Kriminalfalles die Rechtsunsicherheit und die Menschenverachtung im »Dritten Reich« eindringlich beschworen. Aber während Lorres Film auch für das Publikum offensichtlich zu früh kam und an den Kinokassen einen katastrophalen Mißerfolg erlitt, konnte Siodmak im Jahr darauf für seinen Film gleichsam im Alleingang die wichtigsten Bundesfilmpreise einheimsen.

Ansonsten aber unternahm es der deutsche Film nur selten, sich ernsthaft mit der jüngsten Vergangenheit auseinanderzusetzen; und ähnlich blind war er leider auch für die aktuellen Probleme. Die deutsche Spaltung etwa, zweifellos das gewichtigste und drängendste Problem der Nachkriegszeit, wurde nur selten in diskutabler Form behandelt: im *Weg ohne Umkehr* (1953) des Deutsch-Amerikaners Victor Vicas etwa, in *Zwei unter Millionen* (1961) von Victor Vicas und Wieland Liebske, in Helmut Käutners *Himmel ohne Sterne* (1955) und Will Trempers *Flucht nach Berlin* (1961). Dreimal allerdings ist dabei die Zonengrenze wesentlich ein Hindernis für die Verwirklichung privater Gefühle und gewinnt nur dadurch bedrohliche Wirksamkeit und Realität. Lediglich Tremper versteht sich zur Argumentation, zur dezidiert politischen Stellungnahme; bei ihm will der Protagonist nicht aus privaten, sondern aus ideologischen Gründen in den Westen fliehen. Aber Tremper verspielt leider sein Thema später durch reißerische Effekte.

Das politische Engagement also war keineswegs die Sache des deutschen Films. Aber auch andere ernsthafte Themen, die eine entschiedene Stellungnahme verlangt hätten, vermied man nach Möglichkeit. Dafür tobte sich die Kritik nach Herzenslust auf den Randgebieten des öffentlichen Lebens aus. Man hielt sich für ungemein engagiert, wenn man den Unternehmern hämisch ihre Parties vorhielt, und glaubte einen wesentlichen Beitrag zur Reform des Justizwesens geleistet zu haben, wenn man fanatische Staatsanwälte karikierte. Kurz, der deutsche Film genügte sich allzuoft mit einem Surrogat der Wirklichkeit. Von den echten Problemen erhaschten die Autoren, Regisseure und Produzenten hierzulande gewöhnlich gerade ein Zipfelchen, das ihnen flugs als Alibi diente.

Man heuchelte soziales Engagement, wenn man die luxuriöse Welt der

Fabrikherren schwelgerisch darbieten wollte; die Probleme der Jugend dienten als Vorwand für das Arrangement freizügiger Lustbarkeiten und spektakulärer Kriminalfälle, so wie die Auseinandersetzung mit der Zeitgeschichte zum buntfarbenen historischen Bilderbogen degradiert wurde. Und trotzdem ging man auch mit diesen Restbeständen von Wahrheit noch ungewöhnlich behutsam um. Man griff zwar vielleicht ein Problem auf, legte es dar, kokettierte mit dem eigenen Mut – und ließ dann das lautstark angepriesene Anliegen unter den Tisch fallen und entfernte sich gleichsam still durch die Hintertür. Wie immer auch ein sogenannter kritischer Film in Deutschland sein Thema anpackte, er endete in den meisten Fällen mit einer Liebesgeschichte – ob es sich nun um Staudtes *Rosen für den Staatsanwalt* (1959) handelte oder um den Kriegsgefangenen-Film *Taiga* (1958) von Wolfgang Liebeneiner.

Und genauso unecht wie die Konflikte auf der Leinwand war meistens auch die Welt, in der man sie ansiedelte. Ganz offensichtlich wollte es den deutschen Regisseuren nicht gelingen, ein überzeugendes Verhältnis zur sozialen Wirklichkeit zu erlangen, Milieu und Umwelt realistisch darzustellen. Nach ihrer Vorstellung waren offenbar Ehekonflikte und sonstige Probleme nur unter Grafen, Großkaufleuten und Chefärzten üblich. Unheil lauerte nur in 11-Zimmer-Villen. Fröstelnde Flüchtlinge hüllten sich scheu in Pelzmäntel. Und wer sein Schicksal beweinte, der tat es in einer feudalen Club-Garnitur. Das Wunsch- und Leitbild des deutschen Films war das Großbürgertum!

Dabei kam es zu so grotesken Mißverständnissen, daß etwa ein Film unser Mitleid für ein mittelloses Studenten-Ehepaar aktivieren wollte, daß er dessen Misere aber in einer modern möblierten Wohnung im obersten Stockwerk eines feudalen Hochhauses ansiedelte. Und auch ein ambitionierter Regisseur wie der verstorbene Harald Braun stellte die Handlung seines zeitkritischen Films *Der gläserne Turm* (1957) vor eine Kulisse, von der das Presseheft später stolz berichten konnte, sie sei so phantasievoll ersonnen, daß es etwas Vergleichbares in ganz Deutschland noch nicht gebe.

Nun könnte man vielleicht meinen, der deutsche Film sei insgesamt aus der rauhen Realität in eine Welt der reinen Poesie geflüchtet, er habe auf die realistische Reportage nur zugunsten einer durchaus literarischen Einstellung verzichtet und besondere geistige Kost für das »Volk der Dichter und Denker« verfertigt. Doch weit gefehlt! Es wurde fast als Sensation gewertet, als Herbert Vesely Heinrich Bölls *Das Brot der frühen Jahre* (1961) und Helmut Käutner Alfred Anderschs Roman *Die Rote* (1962) verfilmten, als Hansjürgen Pohland sich für das Werk von Günter Grass zu interessieren begann. Und es scheint fast, als habe man damals die dezidierte Stellungnahme der jungen Autoren gescheut, die sich eben nicht mit unverbindlicher Plauderei zufrieden geben, die nicht nur private Probleme behandeln, sondern am Beispiel des Individuums die Schwächen und die Fehler der Gesellschaft diagnostizieren.

Aber man scheute darüber hinaus auch wohl ganz allgemein den Qualitätsanspruch, der ja eine Verpflichtung für die filmische Gestaltung gewesen wäre. Wie sonst ließe sich erklären, daß die Produzenten die gleiche Abneigung offenbar auch gegen so beliebte Autoren wie Ernst Wiechert und Hans Carossa zum Beispiel hegten, daß Ina Seidel und Werner Bergengruen genauso radikal übersehen wurden.

Natürlich gab es auch Ausnahmen! Mit unterschiedlichem Erfolg bemühten sich einige Regisseure etwa um das Werk Thomas Manns, wobei Kurt Hoffmann (*Die Bekenntnisse des Hochstaplers Felix Krull*, 1957) und Rolf Thiele (*Wälsungenblut*, 1965) dem Geist ihrer Vorlage wohl am nächsten kamen. Es gab akzeptable Kästner-Verfilmungen von Josef von Baky und Kurt Hoffmann; und wiederum Kurt Hoffmann wagte sich – wenngleich weit weniger erfolgreich – auch an Werke von Friedrich Dürrenmatt (*Die Ehe des Herrn Mississippi*, 1961) und Kurt Tucholsky (*Schloß Gripsholm*, 1963). Helmut Käutner hat, wie es scheint, eine Vorliebe für den Schriftsteller Carl Zuckmayer und verfilmte gleich mehrere seiner Werke. Und sogar das dramatische Werk Gerhart Hauptmanns erlebte im deutschen Nachkriegsfilm eine kurze Blütezeit. Aber gerade das Beispiel Gerhart Hauptmann kehrt sich gegen seine Regisseure. Denn da wurde das Milieu sozial aufgeforstet und damit verfälscht, der Tod der *Rose Bernd* (1956) unterschlagen, der Selbstmord des *Fuhrmann Henschel* (1956) in eine Art Unglücksfall mit spektakulären Begleiterscheinungen verwandelt. Es wurde – alles in allem – die Dichtung hier genauso verfälscht wie andernorts die Wirklichkeit.

Trotz einiger Erfolge also sind Film und Dichtung in der Vergangenheit keine echten Partner geworden. Vor allem fühlten sich die Autoren wohl nur selten zu direkter Zusammenarbeit ermutigt, zur Entwicklung eines Original-Drehbuches etwa, oder gar dazu, selbst einmal statt der Schreibmaschine die Kamera zur Hand zu nehmen. Es läßt sich kaum bestreiten, daß auch die Literatur nicht eben das Feld war, auf dem der deutsche Film sich glänzend bewährt hätte. Dafür konnte allerdings kaum eine Illustrierten-Kolportage den Späherblicken der Dramaturgen entgehen. Ob es sich dabei um reißerische Reportagen oder um spekulativ-sentimentale

Romane handelte – hier glaubte man, die Hand am Pulsschlag der Zeit zu haben. Und also wurden die Bewältigung der Vergangenheit, die Auseinandersetzung mit Zeitproblemen und menschlichen Konflikten vornehmlich auf dem Niveau der Massenblätter durchgeführt.

Rund zwei Jahrzehnte lang hat der deutsche Film nicht gewagt, die Existenz des Menschen in Frage zu stellen, sondern höchstens über sein augenblickliches Glücksempfinden diskutiert. Er hat keine abenteuerlichen Expeditionen in das Reich der Kunst unternommen, sondern allenfalls versucht, risikolose Gesellschaftsreisen zu organisieren. Er hatte kaum Anteil an den geistigen Problemen unserer Zeit, und weder der Umbruch der Kunst noch die Konflikte des politischen und sozialen Lebens spiegelten sich in ihm wieder. Ja, es wollten ihm schließlich nicht einmal mehr das kleine Drama aus dem Alltag oder das lebensnahe Lustspiel glaubwürdig gelingen.

Lichtblicke waren selten in dieser Zeit, und sie konzentrierten sich vor allem auf drei Regisseure:

Helmut Käutner, der unter den Nationalsozialisten vornehmlich die leichte Muse und das Kammerspiel gepflegt hatte, begriff nach dem Krieg die Notwendigkeit der Stellungnahme und des Engagements. Ihn beschäftigten u. a. das Phänomen des prominenten NS-Mitläufers (*Des Teufels General*, 1954), die deutsche Spaltung (*Himmel ohne Sterne*, 1955) die Problematik des Partisanenkriegs (*Die letzte Brücke*, 1953) und die geistige Verfassung der Remigranten (*Der Rest ist Schweigen*, 1959). Aber es scheint, als sei der begabte Stilist Käutner nicht im gleichen Maße prädestiniert zur Zeitkritik. Ganz offensichtlich interessiert ihn das Individuum mehr als die Gesellschaft, und so demonstriert er das Allgemeine auch gewöhnlich am allzu privaten Schicksal. Ihm scheint das Kammerspiel eher angemessen zu sein.

Wolfgang Staudte kam von der Ostberliner DEFA über Holland (*Ciske*, 1955) in die Bundesrepublik, wo er in seinen besten Filmen bissige Zeitkritik betrieben hat. Immer wieder hat er es unternommen, den satten Wohlstandsbürger, so wie er ihn sah, mit den Problemen der Vergangenheit zu konfrontieren – in *Rosen für den Staatsanwalt* (1959), *Kirmes* (1960) und *Herrenpartie* (1963). Aber sein kritischer Impetus verführt ihn oft zu einer Schärfe der Polemik, die Handlung und Motivationen seiner Filme nicht mehr recht glaubwürdig erscheinen läßt. Er karikiert und übertreibt so stark, daß er seinen Gegnern allzu viele Argumente an die Hand gibt.

Der gebürtige Schweizer und ehemals vielbeschäftigte Schauspieler Bernhard Wicki schließlich kam erst mit 39 Jahren zur Regie. Bereits mit seinem ersten abendfüllenden Spielfilm, *Die Brücke* (1959), verschaffte er dem deutschen Film einen seiner damals überaus seltenen internationalen Erfolge. Diese Ballade vom sinnlosen »Heldentod« einiger Jungen in den letzten Stunden des Krieges fand auch im Ausland Beifall und Anerkennung. Mit seinem nächsten Film – *Das Wunder des Malachias* (1961) nach dem gleichnamigen Roman von Bruce Marshall – holte er sich einen Regie-Preis bei den Berliner Filmfestspielen; dann wurde er selbst geholt – nach Hollywood.

Angesichts dieser doch recht ernüchternden Bilanz scheint es kaum verwunderlich, daß 1962 anläßlich der Kurzfilmtage in Oberhausen einige deutsche Kurzfilm-Regisseure – vom Unmut gepackt – in einer Pressekonferenz kurzerhand verkündeten, »Papas Kino« sei tot, und dazu in einem Manifest erläuterten, nunmehr sei es an ihnen, »den neuen deutschen Spielfilm zu schaffen«.

Ihr Anspruch entbehrte nicht der Berechtigung; denn jahrelang hatten allein die Kurzfilmer Deutschlands Filmschaffen auf internationaler Ebene angemessen vertreten. Sie allein hatten konsequent nach neuen Formen gesucht und sich mit der Realität unseres Lebens auseinandergesetzt. Doch ihrem Manifest schien weniger Erfolg beschieden als ihren Filmen. »Papas Kino« – was immer man unter dieser etwas kabarettistischen Formulierung verstehen will – überlebte seine Todeserklärung. Es blühte mit Hilfe des Briten Edgar Wallace, nach dessen Kriminalromanen hierzulande bisher rund zwei Dutzend Erfolgsfilme gedreht wurden, und des Sachsen Karl May, dessen Bücher den Stoff für etwa fünfzehn publikumswirksame Filme lieferten, zum Teil sogar recht kräftig auf. Der Nachwuchs blieb weiterhin in den Schmollwinkel verbannt; und Einzelgänger wie Herbert Vesely (*Nicht mehr fliehen*, 1955; *Das Brot der frühen Jahre*, 1961) und Hansjürgen Pohland (*Tobby*, 1961), denen der Sprung vom Kurzfilm zum Spielfilm geglückt war, schienen auch Einzelgänger zu bleiben.

Erst das Jahr 1966 brachte die Wende. Ulrich Schamoni *(Es)* und Volker Schlöndorff *(Der junge Törless)* stellten ihre Erstlingswerke vor. Sie überzeugten die Kritik, die Filmbewertungsstelle, wo beide Filme das Prädikat »Besonders wertvoll« erhielten, und sogar das Publikum. Dieser »Drei-Fronten-Sieg« schien den Bann gebrochen zu haben. Es folgten Filme von Peter Schamoni *(Schonzeit für Füchse)*, Franz Josef Spieker *(Wilder Reiter GmbH)*, Christian W. Rischert *(Kopfstand, Madam)*, Alexander Kluge *(Abschied von gestern)* und Edgar Reitz *(Mahlzeiten)* u. a. Insgesamt haben in einem guten Jahr ein rundes Dutzend neuer Regisseure ihre Erstlingswerke vorgestellt. Weitere Debütfilme sind in Arbeit; und es rührt sich – vornehmlich in München – bereits eine Gruppe »jüngster«

Regisseure, denen die Stürmer und Dränger von Oberhausen schon zu konservativ sind.

Die Jüngsten heißen Marran Gosov, Eckhart Schmidt, Klaus Lemke, Herbert Rimbach u. a. Ihnen scheinen viele Filme ihrer Vorgänger »reaktionär und pubertär« (Schmidt), nur ein »Vehikel für die Literatur« (Lemke); und statt der »miesen Gesichter« aus dem Alltag verheißen sie mannigfache andere Attraktionen. Die erste dieser Attraktionen bot Klaus Lemke in *48 Stunden bis Acapulco:* eine eher karge Variation amerikanischer Gangsterfilme. Weitere Filme dieser Verfechter spielerischer Naivität sind Anfang 1968 auf den Markt und in die Kinos gekommen.

Die solcherart unversehens bedrängten Revolutionäre von gestern aber können unterdessen bereits auf internationale Erfolge verweisen: Schlöndorffs *Der junge Törless* erhielt 1966 in Cannes den Fipresci-Preis, Alexander Kluges *Abschied von gestern* einen »Silbernen Löwen« in Venedig, Peter Schamonis *Schonzeit der Füchse* einen »Silbernen Bären« in Berlin; und 1967 holte sich Edgar Reitz in Venedig mit *Mahlzeiten* den »Preis für das beste Erstlingswerk«, wurde Ulrich Schamonis zweiter Film, *Alle Jahre wieder*, bei der Berlinade mit dem Fipresci-Preis und einem Sonderpreis der Jury für die Idee und Drehbuch (Michael Lentz) ausgezeichnet. Das Publikum reagierte unterschiedlich auf das neuartige Angebot. Neben ausgesprochenen Kassenerfolgen wie *Es* gab es natürlich auch Versager. Schwer tat man sich vor allem dort, wo neue Inhalte auch konsequent in neuen Formen vorgetragen wurden. Und hier wird sich noch erweisen müssen, ob der Sprung in die kinematographische Gegenwart, den die Regisseure gewagt haben, vom Publikum auch honoriert wird. Zweierlei dürfte immerhin feststehen: Anders als die Werke der glückloseren Vorgänger dringen diese Filme über Filmclubs und intellektuelle Debattierzirkel hinaus in die Kinos vor. Sie werden gespielt; und man setzt sich mit ihnen auseinander. Und kein Zweifel besteht wohl darüber, daß es den neuen Regisseuren gelungen ist, das Filmklima in der Bundesrepublik entscheidend zu verbessern. Sie haben Erwartungen geweckt und die Zuversicht, daß jedes Debüt, jede Premiere im Stande sein könne, dieser kritischen Bilanz neue Akzente zu setzen.

Denn sie allein repräsentieren hier und heute die künstlerischen Möglichkeiten und den geistigen Anspruch des Films. Sie vertreten den deutschen Film auf internationalen Festivals, ihnen überreicht man die nationalen Preise. Und ihnen ist es zu verdanken, daß man aufgehört hat, über die Situationen des Films hierzulande nur mehr verdrossen zu klagen, daß man wieder beginnt, ernsthaft über ihn zu diskutieren.

Diese Diskussion dürfte allerdings ergeben, daß der junge deutsche Film nicht nur ein künstlerisches, sondern auch ein psychologisches Faktum ist, daß das rauschhafte Glücksgefühl des Erfolges auch Filme überstrahlte, die sich von denen der Vergangenheit eher durch die Produktionsmethoden, allenfalls noch durch die »schicke« Machart, aber kaum durch Qualität und Substanz unterscheiden. Und mancherorts ist man offenbar geneigt, Filme nur deshalb schon zu preisen, weil sie »anders« sind als die von »Papas Kino«. Es besteht gewiß durchaus kein Anlaß, sämtliche Debütfilme mit Dank und Anerkennung zu begrüßen, wenn auch die Filmbewertungsstelle in Wiesbaden sie nahezu alle großzügig – zu großzügig sogar! – mit Prädikaten bedachte.

Immerhin gelang Lobenswertes. Da hat etwa Ulrich Schamoni in *Es* auf sehr unprätentiöse Weise ein Stück Alltag eingefangen, die Probleme eines jungen, unverheirateten Paares nämlich, dessen scheinbar problemlose Zweisamkeit durch die Schwangerschaft der jungen Frau jäh gestört wird.

Volker Schlöndorf hat mit *Der junge Törless* (nach Robert Musil) eine einfühlsame und angemessene Literatur-Verfilmung geliefert, die sehr geschickt den Geist und die Atmosphäre der Vergangenheit beschwört und ohne aufgesetzte Effekte, ohne aufdringliche Symbole Parallelen zu Erscheinungsformen des modernen Totalitarismus ermöglicht. Alexander Kluge machte in *Abschied von gestern* Zeitgeschichte und Zeitprobleme auf höchst interessante Weise anschaulich und diagnostizierte mit kühler Intelligenz am Beispiel eines Einzelschicksals Schwächen und Fehlentwicklungen unserer Gesellschaftsordnung.

Haro Senft schließlich schilderte in seinem überaus redlichen, sehr behutsam argumentierenden Film *Der sanfte Lauf* (1967) die Anpassung einer Generation junger Leute, deren zorniges und zielloses Aufbegehren Peter Schamoni zuvor in *Schonzeit für Füchse* (1966) behandelt hatte.

Einige der jungen Regisseure zum mindesten haben also in knapp zwei Jahren offenbar erreicht, woran der deutsche Film zuvor zwanzig Jahre lang gescheitert war: das präzise Alltagsdrama, die angemessene Literaturverfilmung, das ehrliche Zeitbild. Darf man da unzufrieden sein? Natürlich sollte man das nicht; aber man darf doch sanftes Unbehagen artikulieren und einige Tendenzen charakterisieren, die nicht ungefährlich scheinen.

Es soll nicht nur darauf verwiesen werden, daß dem verheißungsvollen Auftakt eine Steigerung bisher vornehmlich in quantitativer, nicht aber in qualitativer Hinsicht gefolgt ist. Namhafte und erfolgreiche Vertreter des jungen deutschen Films kultivieren außerdem einen Stil, der sie sehr schnell wieder von der Wirklichkeit entfernen könnte, die einzufangen sie sich doch offenbar bemühen. Sie exemplifizieren sehr allgemeine Thesen – die soziale Anpassung, die Emanzipation der Frau, das gefräßige Glücksverlangen des Menschen – an sehr speziellen Fällen, denen gleichwohl oft das Spezifische einer überzeugenden Psychologie, eines bestimmbaren Milieus und eines exakten sozialen Status abgehen. Man weicht aus in die klischeehaft vorgezeichnete und dem Publikum vertraute Welt des Besitzbürgertums, lädt sich bei Fabrikanten und Großgrundbesitzern zu Gast und benutzt die bildwirksamen Attribute dieser Welt selbst dort noch, wo eigentlich schon der Handlungsablauf sie desavouieren sollte.

Schon gibt es wieder Erfolgsrezepte, deren Bestandteile heute u. a. die aufsässige Unlust der Jungen, die entnervende Dummheit der Älteren und Besitzenden und nicht zuletzt die schick fotografierte Erotik sind.

Man verbannt dabei oft den Alltag aus dem Bild, weil er unerheblich für die Entwicklung einer These zu sein scheint. Aber man trennt damit abermals den Menschen als Ideenträger von der Welt, in der er lebt. Mögen die Ideen heute intelligenter konzipiert und konsequenter verfolgt werden als in der Vergangenheit – die Diskrepanz bleibt.

Und mag es vielleicht mit diesem Prinzip zusammenhängen, daß fast alle diese Filme in einer Großstadt spielen, daß man sie aber auch dort nur durch die Autokennzeichen und durch gelegentlich auftauchende repräsentative Bauwerke lokalisieren kann? Fast immer bleibt die Umwelt Schablone. Häuserfassaden, so glaubt man offenbar, sind in München genauso kalt und trist wie in Hamburg und Berlin; Ideen sehen sich hier wie dort genauso an. Aber stimmt das wirklich? Und genügt es, »München« zu sagen, wenn man aus irgendeinem Grund dartun möchte, daß eine bestimmte Szene in München spielt?

Daß es auch anders geht, zeigt zum Beispiel Ulrich Schamoni, der sich anscheinend konsequent bemüht, die Umwelt in seine Filme einzubeziehen. Sein *Es* spielt unverwechselbar in Berlin; *Alle Jahre wieder* ist unter anderem auch eine Auseinandersetzung mit der westfälischen Stadt Münster und der Lebensart ihrer Bewohner. Und auch dem Film *Tätowierung* (1967) von Johannes Schaaf rühmte die Filmbewertungsstelle neben mannigfachen anderen Qualitäten nach, hier scheine Berlin »im Wesen seiner Existenz begriffen, in dem spannungsvollen Gegensatz von Sentimentalität und Sensation, von Schaulust und zwingendem Lebensverhalten. Wenn in diesem Film Milieu eine Rolle spielt, dann . . . in dem Sinne, daß gerade Berlin . . . sinnvoller Hintergrund jener Geschichte ist.«

Aber könnte es nicht sogar einmal ein nützliches Unterfangen sein, auch die Welt der Dörfer und Kleinstädte mit ihren ganz spezifischen Problemen zu behandeln? Man kennt dieses Milieu aus den Filmen der Franzosen, Italiener, Amerikaner usw. Aber das deutsche Dorf, so scheint es, hat nur im kitschig verlogenen Heimatfilm Existenzberechtigung. Deutschlands Jungfilmer sind an ihm nicht interessiert; obwohl die soziale Umschichtung auf dem Lande auch für anspruchsvolle Autoren und Regisseure genügend lohnende Probleme bieten würde.

Hans Rolf Strobel und Heinz Tichawsky haben in einem Kurzfilm pointiert satirische »Notizen aus dem Altmühltal« gesammelt. Könnte man dort nicht vielleicht auch den Stoff für einen Spielfilm finden? Und ist es wirklich konservativ, wenn man statt der Generationsprobleme, statt der wiederholten Konflikte um des Lebens Überfluß und Überdruß auch die Kohlenkrise an der Ruhr zur filmischen Behandlung empfehlen möchte? Derartige Filme brauchten keineswegs in plattem Naturalismus zu ersticken. Einige der Debütanten haben bereits bewiesen, daß sie sehr wohl über die künstlerischen Mittel verfügen, um dieser Gefahr zu entgehen. Sie haben Intelligenz, Sensibilität und kritisches Bewußtsein investiert; und sie sollten sich nicht scheuen, ihre Sorge um den Menschen auch am konkreten und aktuellen Beispiel zu demonstrieren. Denn der Mensch ist ganz offenbar wieder in den Mittelpunkt der filmischen Bemühungen gerückt. Nicht mehr um »Licht-Spiele« geht es den meisten jungen Regisseuren, sondern eher um Beispiele, die Auskunft geben sollen über menschliche Situationen, Möglichkeiten und Verpflichtungen.

Einige von ihnen mögen nur neuen Wein in alte Schläuche gefüllt haben (was im Einzelfall auch nicht einmal gar so unverdienstlich sein mag!); andere haben einen radikalen Neuansatz gewagt. Und niemand wird hinwegdiskutieren können, daß sie alle zusammen die filmische Landschaft hierzulande gründlich verändert haben.

Diese Feststellung beinhaltet auch, daß sie ihre Erfolge nicht nur für sich selbst erreicht, sondern ganz allein die Möglichkeiten der Filmkunst wieder ins Gespräch gebracht haben. Und da ist die Hoffnung vielleicht nicht abwegig, daß in diesem veränderten Klima, unter dem Eindruck eines gesteigerten Selbstbewußtseins derer, die mit dem Film zu tun haben, auch einige der »alten« Regisseure den Mut zu neuen Experimenten gewinnen. Denn es wäre sicherlich töricht, wollte man das Wort »jung« zu einem Qualitätsbegriff ummodeln.

Auch besteht kein Anlaß, nur das Erreichte bewahren zu wollen, anstatt danach zu trachten, überall und allenthalben Neuland zu gewinnen. Und da könnte es verhängnisvoll sein, würden Vorurteile oder Gruppenideologien Anregungen – von welcher Seite auch immer sie kommen mögen! – blockieren.

Vor einigen Jahren stellte ein junger Filmpublizist im Titel eines Buches ironisch fest: »Der deutsche Film kann gar nicht besser sein«. Heute kann man dem hoffnungsvoll entgegensetzen: Der deutsche Film kann noch besser werden!

Dieser Unterschied scheint mir sehr bemerkenswert – und erfreulich!

Die deutsche Literatur nach 1945

René Wintzen

Die deutsche Literatur ist wieder im Gespräch. Und das nach einer langen Zeit des Schweigens und Verschweigens, die nach Ansicht mancher Beobachter bis in die dreißiger Jahre zurückreicht und auch unmittelbar nach dem Zusammenbruch nicht gebrochen wurde, wie man erwartet hatte und erwarten durfte. Die Wiederbelebung der deutschen Literatur hat, wie überraschend oder schockierend es klingen mag, erst vor kurzem begonnen, jedenfalls ist sie erst in jüngster Zeit einem Publikum bewußt geworden, das außerhalb der deutschen Grenzen im allgemeinen wenig vertraut ist mit deutschen Angelegenheiten.

Zweifellos begann sich schon gleich nach Kriegsende eine neue deutsche Literatur zu regen. Aber man begegnete ihr – und das nicht nur außerhalb Deutschlands – mit Vorsicht, sogar mit einem gewissen Mißtrauen. Wolfgang Borchert, dessen erste Arbeiten in Zeitungen und Zeitschriften erschienen, Günter Weisenborn *(Memorial)*, Hans Werner Richter *(Die Geschlagenen)*, Wolfgang Koeppen *(Tauben im Gras)* und Theodor Plievier *(Stalingrad)* waren die ersten, die das Gesicht des anderen Deutschland enthüllt haben, das mit jenem Deutschland nichts gemein hatte, das von der NS-Zeit geprägt worden war. Durch diese wenigen Werke hindurch konnten die Leser etwas von der dramatischen Situation ahnen, in der sich Deutschland befunden hatte und immer noch befindet: das Drama der Besiegten und Kriegsgefangenen, der innere Widerstand gegen den Nationalsozialismus und schließlich die unendlich vielen kleinen und großen Schwierigkeiten der Besatzungszeit. Zu diesem Zeitpunkt – und das erscheint uns heute schon weit entrückt – wurde das Mißtrauen in Frankreich zum Beispiel durch die Tatsache noch verstärkt, daß wir uns wenig um unsere Nachbarn, um die anderen gekümmert haben.

Vor dem Krieg übersetzte man in Frankreich ausländische und besonders auch deutsche Literatur nicht mit wirklichem Interesse. André Gide hat einmal gesagt, Übersetzungen seien nicht dazu da, ihn der Heimat zu entfremden, sondern im Gegenteil ihn der Heimat enger zu verbinden. Heute ist das anders. Heute ist die Neugierde der französischen Leser so groß, daß manches – vieles sogar – ins Französische übersetzt wird, was allerdings noch nicht bedeutet, daß auf diese Weise die Neugier auch immer befriedigt wird.

Bis zu der Zeit, als die Bücher von Heinrich Böll erschienen, konnten sich viele ausländische Beobachter von der deutschen Nachkriegsliteratur kein klares Bild machen. Innerhalb kürzester Zeit wurde Böll dann als ihr profiliertester Vertreter angesehen. Man sprach von ihm sogar im Zusammenhang mit dem Nobelpreis für Literatur, als wollte man durch diese offizielle Auszeichnung, die bisher allerdings ausgeblieben ist, einen ganzen Abschnitt der deutschen Literatur, der auch dadurch als endgültig definiert galt, seine Achtung erweisen. Dieser Vorgang erweckte den Eindruck, von der ersten Epoche der deutschen Nachkriegsliteratur sei nunmehr Neues nicht zu erwarten.

Dann aber war es eine ehemalige deutsche Jüdin, die verfolgte, nach Schweden emigrierte Nelly Sachs, der 20 Jahre nach einem anderen Emigranten – Hermann Hesse – die internationale Auszeichnung des Nobelpreises zuteil wurde. Die Preisverleihung an Nelly Sachs stellte wieder alles in Frage, sie forderte eine neue Auseinandersetzung mit der deutschen Literatur heraus und zwang uns beispielsweise dazu, bei jeder Gelegenheit, fast bei jeder Neuerscheinung unser vermutlich vorschnelles Urteil über die deutsche Literatur nach dem Krieg und ihren historischen Rahmen zu revidieren.

In Frankreich war Arno Schmidt noch unbekannt, als 1961 die *Blechtrommel* von Günter Grass und ein Jahr später *Mutmaßungen über Jakob* von Uwe Johnson erschienen. Es überraschte das Neue, der neue Ton in der deutschen Literatur. Erst von diesem Zeitpunkt an hat die deutsche Literatur wieder begonnen, auch in Frankreich von sich reden zu machen. Nach und nach konnten wir uns dann davon überzeugen, daß sie nun in das Stadium der Reife eingetreten war.

Mit Rolf Hochhuth und seinem Stück *Der Stellvertreter*, mit Günter Grass und seinem Roman *Hundejahre*, mit Peter Weiß und seinen Erzählungen *Abschied von den Eltern, Fluchtpunkt*, seinem Stück *Marat-Sade*, seinem Oratorium *Die Ermittlung*, mit Uwe Johnson und seinem Roman *Das dritte Buch über Achim* durchbrach die deutsche Literatur das Schweigen, das sie umgeben hatte. Auch im andern Teil Deutschlands regte es sich wieder, wo es nach den Jahren des sozialistischen Realismus, der die besten Schriftsteller verstummen ließ, für kurze Zeit möglich war, sich frei zu äußern. Jedenfalls fanden einige Autoren auch außerhalb der DDR Aufmerksamkeit und Leser: Wolf Biermann mit seinen Chansons, gegenwärtig darf er nicht veröffentlichen; Manfred Bieler, der nach Prag über-

siedelte, mit seinem Roman *Bonifaz oder der Matrose* in der Flasche; Johannes Bobrowski (1965 mit 48 Jahren gestorben), mit seinem Buch *LEVINS MÜHLE*; Hermann Kant mit dem Roman *Die Aula.*
In der Zeit, da wir in Frankreich, paradox und anachronistisch, Arno Schmidt und Wolfgang Borchert zugleich entdeckten, gab es in Deutschland Schriftsteller, die den politischen und sozialen Problemen den Rücken kehrten und sich am französischen »Nouveau Roman« orientierten, den sie an Kühnheit nicht selten übertrafen.
Sie begannen, mit formalen, inhaltlichen, stilistischen Mitteln zu experimentieren. Jürgen Becker, Reinhardt Lettau, Erich Fried, Jacov Lind, Ernst Augustin, Alexander Kluge und Helmut Heissenbüttel versuchten, die allgemein gültigen Regeln der Sprache zu durchbrechen; sie komponierten Texte mit Hilfe neuer Erkenntnisse vor allem der linguistischen Wissenschaft, in denen sich manchmal Imaginäres mit Dokumentarischem mischte.
Es ist eigenartig – aber wie könnte es anders sein –, daß die deutsche Literatur die Vergangenheit, aus der sie notwendigerweise hervorgehen mußte, nicht verleugnen kann. Die beiden Pole, zwischen denen sie entstand, sind die vollkommene Katastrophe auf der einen, die Prosperität, das sogenannte Wirtschaftswunder, auf der anderen Seite. Die Katastrophe bleibt sichtbar beispielsweise im geteilten Land; das wirtschaftliche »Wunder« ist schon längst nicht mehr fähig, das Unbehagen an der Unsicherheit der Lebensbedingungen zu überdecken. Bedingt durch die geschichtliche Entwicklung mußte die Literatur verschiedene, gegensätzliche Phasen rückblickend verarbeiten, sich mit ihnen auseinandersetzen oder sie gar – rückblickend – wenigstens im Bewußtsein zu meistern versuchen: Den Nationalsozialismus, das Exil, die Judenvernichtung, die Widerstandsbewegung, die Besatzung durch die Alliierten, den politischen und wirtschaftlichen Wiederaufbau.
In gewisser Weise mußten die deutschen Schriftsteller von vorn beginnen, mußten wieder lernen, was Literatur ist, mußten Proust, Kafka, Faulkner, Miller und Sartre für sich erst entdecken. Und wenn sie sich heute entschlossen der Zukunft zuwenden, so können sie doch nicht umhin, tief in die historische Vergangenheit ihres Landes hinabzutauchen, dort die Motive für ihre Fragen und Auseinandersetzungen mit der Welt zu holen. Sie hatten ein schwieriges Erbe zu übernehmen und mußten sich gleichzeitig wieder in die Welt eingliedern, sich wieder einen Platz auf ihr erobern, um den Versuch machen zu können, diese Welt in Worte zu fassen; vor allem mußten sie aus einer negierenden oder gar nihilistischen Haltung

heraustreten und sich vom Solipsismus und einem unverkennbaren Selbstmitleid lösen.

Man braucht sich also nicht zu wundern, wenn die Werke junger deutscher
Schriftsteller der Nachkriegszeit auf uns noch einen wenig gefestigten
Eindruck machten. Selbst die Literatur, die in der Emigration entstanden
war, kann davon nicht ausgenommen werden. Viel hatte sie nicht zu bieten; denn die großen deutschen Schriftsteller dieses Jahrhunderts, Thomas
und Heinrich Mann, Döblin oder Musil, waren ja schon weitläufig bekannt,
als sie in die Emigration gingen. Und was emigrierte Schriftsteller unmittelbar nach dem Krieg hervorbrachten, erwies sich im Sinne des Neuen als
nicht eben repräsentativ. Literatur läßt sich halt nicht aus dem Boden
stampfen wie ein Wirtschaftsgefüge, und man konnte nach den Jahren der
Diktatur, in denen die Literatur erstickt worden war, kein literarisches
»Wunder« erwarten.

Der Schriftsteller Horst Lange schrieb 1947 in der Zeitschrift *Der Ruf*:
»Bücher nach dem Krieg – wie haben wir darauf gewartet, wie ungedul-
dig sind wir gewesen, mit welcher Erregung und Unruhe haben wir nach
ihnen gegriffen! Wir waren nicht darauf gefaßt, so vielen Bekenntnissen
schöner Seelen zu begegnen, so viele retrospektive Talente und Pansflöten-
bläser zu finden – wenn schon die Zukunft unserer Literatur in die Vergangenheit verlegt werden muß, so hoffen wir doch wenigstens darauf (um
nur ein naheliegendes Beispiel zu nennen) etwas von der Besessenheit und
der Intensität Strindbergs wiederzufinden – dessen Werk zu großen Teilen
viel moderner ist als das meiste von dem, was heutzutage in Deutschland
geschrieben und publiziert wird! Bücher nach dem Krieg – es scheint, als
seien die Städte umsonst zerstört, die Hekatomben umsonst geopfert worden, als sei das Gefüge der europäischen Ordnung umsonst zerborsten.«
Die deutschen Schriftsteller, das wissen wir jetzt, haben sich ans Werk gemacht. Um sich davon zu überzeugen, genügt es, sich die Bemühungen der
Mitglieder der »Gruppe 47« um die Auseinandersetzungen mit diesen
neuen, historischen und literarischen Gegebenheiten ins Gedächtnis zu
rufen. Man kann sagen, daß fast alles, was von Wert ist, was Aussicht darauf hat, internationale Geltung zu erlangen (die Ausnahmen werde ich
andernorts zitieren) durch die Feuerprobe dieser Gruppe gegangen ist.
Heute können wir in Deutschland eine Vielzahl von Tendenzen und ver-
lockenden Versuchen erkennen, die von der Wiederbelebung des Expressionismus oder des Barock bis zu einer Rückkehr zum Realismus oder zu
einem magischen Realismus und zur Suche nach neuen Formen reicht.
Aber Expressionismus, Barock, Realismus und die Suche nach neuen For-

men sind nicht mehr, was man früher darunter verstand: Sie sind härter, weniger weitschweifend, sie sind das Produkt von Einzelgängern, die das Engagement ablehnen oder von literarischen Gruppen, die sich für ein Tätigkeitsfeld im politischen, sozialen oder ästhetischen Bereich entschieden haben.

Hinter all diesen verschiedenen Ausdrucksformen steht ein gemeinsames Wollen: Die Absage an eine zu schwer belastete, oft in Frage gestellte Vergangenheit, die zum Gegenstand brennender und leidenschaftlicher Diskussionen wird; die Absage auch an den Nihilismus, den Ernst Jünger oder Gottfried Benn verkörperten; und schließlich die Absage an eine allzu selbstgefällige Gegenwart, deren Mythos in einer nachgiebigen, mit der Sorge um Wohlstand, Komfort und Zerstreuung vollauf beschäftigten Gesellschaft verankert ist. Hans Werner Richter, der Gründer und »Chef« der »Gruppe 47« antwortete auf die Polemik, der die um ihn versammelten Schriftsteller ausgesetzt waren: »Wir sind keine Nihilisten. Man kann uns nicht einfach als Nihilisten behandeln, weil wir brutale Geschehnisse brutal wiedergeben. Die Vitalität ist nicht nihilistisch.«

Die Zeit der Rechtfertigungen und der Selbstbezichtigungen ist vorbei, auch die Zeit der Berichte über die Nazizeit, den Krieg und seine Folgen. Walter Höllerer sagte schon vor mehreren Jahren voraus, daß wir das Erscheinen von Romanen erleben würden, die er als notwendig bezeichnete, Romane, die versuchen würden, den Gegensatz zwischen einer Literatur des Trostes und einer Literatur der Kälte zu überbrücken und F. J. Raddatz behauptete zynisch, aber nicht ganz zu unrecht – wenngleich wir mit vollem Recht sagen dürfen: Es hätte nicht anders kommen können, und wie es gekommen ist, war es richtig –: »Die wichtigen Autoren Nachkriegsdeutschlands haben sich allenfalls mit dem Alp der Knobelbecher und Spieße beschäftigt; die Säle voll Haar und Zähnen in Auschwitz oder die Pelztier-Mentalität des tagebuchführenden SS-Professors Kremer wurden nicht zu Gedicht oder Prosa.«

Der Nonkonformismus ist ein Wesenszug der Literatur. Das akzeptiert, wird man verstehen, warum die meisten deutschen Schriftsteller der Nachkriegszeit in dem Rahmen, der durch die geschichtlichen, ideologischen, politischen, wirtschaftlichen und sozialen Gegebenheiten vorgezeichnet ist, die ich hier lediglich andeuten konnte, nur ihre Opposition inkohärenten Strukturen gegenüber ausdrückten. Ob sie westlich oder östlich der Elbe lebten, sie schrieben die gleiche deutsche Sprache, die sich in Folge der jeweiligen Einflußsphäre weniger veränderte, als der oberflächliche Blick vermuten ließ. Aber sie lebten und arbeiteten unter verschiedenen Voraussetzungen, hier im System eines kapitalistischen Liberalismus, dort in dem eines sozialistischen Dirigismus.

Die Schriftsteller östlich der Elbe mußten einen Teil ihres Lebens opfern im Dienst am Staat. Das war den Schriftstellern im Westen nicht auferlegt, aber sie setzten sich heftigem Tadel oder gar der Diskriminierung aus, wenn sie gewisse Erscheinungen der Bourgoisie oder die konfessionelle Einmischung in den weltlichen Bereich kritisierten. Die Schriftsteller im „Arbeiter- und Bauernstaat riskierten Schreibverbot oder gar Inhaftierung, wenn sie nicht bereit waren, die Errungenschaften des Sozialismus deutlich zu preisen. Hier war die Freiheit des Schriftstellers bedroht, dort sein Ruf und damit auch die Wirkung dessen, was er zu sagen hatte.

Daß eine »Gruppe 47« existieren konnte, daß sie sich versammeln konnte ohne Statuten, ohne Vorstand, ohne Kassierer, ohne Schriftführer, ohne eine offizielle Mitgliederliste, ohne Beiträge zu erheben und ohne über ein Bankkonto zu verfügen – war das nicht eine Beleidigung für die Lust am Organisieren, an der Organisation, an der hierarchischen Ordnung und für das Gewinnstreben, das für die heutige deutsche Gesellschaft so überaus charakteristisch ist? Daß Schriftsteller sich über den Gegensatz von Ost und West hinwegsetzen, daß sie zusammenkommen, diskutieren und abseits wie ungeachtet der politischen Stagnation versuchen, in der gemeinsamen Sprache miteinander zu sprechen – war das denkbar, war das überhaupt zulässig? Daß Dramatiker, Romanschriftsteller und Lyriker in ihren Werken die Ehrenhaftigkeit ihres Volkes in Frage stellten, den Virus der Vergangenheit und das Krebsgeschwür der Erinnerung benannten – konnte das denn geduldet werden?

Ich bin geneigt zu glauben, daß man für viele politische und psychologische Erscheinungen, die nicht nur dem ausländischen Beobachter einigermaßen rätselhaft vorkamen, Erklärungen hätte finden können, wenn man die deutsche Literatur der Nachkriegszeit aufmerksamer gelesen hätte. Das Auftauchen der NPD zum Beispiel hätte eigentlich niemanden überraschen dürfen, weder die gutmeinenden Deutschen selbst noch die Nachbarländer, die sich recht schnell über Ereignisse jenseits ihrer Grenzen aufregen, aber vom eigenen Gleichgewicht und der eigenen Unberührbarkeit so sehr überzeugt sind. Die Keimzellen alter und neuer nazistischer oder faschistischer Strömungen sind in Werken sorgfältig bezeichnet worden, die in Deutschland zu einem ungünstigen Zeitpunkt erschienen und im Ausland – obwohl zum Teil übersetzt – nicht genügend beachtet wurden.

In *Engelbert Reineke* von Paul Schallück, in *Vor den Mündungen* von Hermann Lins, in *Landschaft in Beton* von Jacov Lind, um nur einige aus der Vielzahl der entsprechenden Bücher zu nennen, begegnet man einem wie unter einem Zwang immer wiederkehrenden Thema: dem Thema des Deutschland, das kein Staat ist, das nicht zur Einigung finden kann, das sich nicht von der ehemaligen Aufteilung in Stammeslandschaften trennen kann und das daran krankt, sich keinen Namen, keine Einheit mehr geben zu können oder zu wollen, dem es vielleicht sogar gefällt, in der Teilung zu verharren, das es vorzieht, über seine Herkunft im unklaren zu bleiben, statt den Versuch zu machen, eine Gruppe und eine Nation zu bilden. So überläßt man das Feld politischen Abenteurern. In seiner Literatur spiegelt sich Deutschland wider. Sie zeigt die Vergangenheit und durchforscht die Gegenwart. Aber Deutschland wendet sich ab von einem Spiegel, der die Wahrheit unverzerrt zeigt.

Die bedeutende Stellung, die das Dokument seit einiger Zeit in der gesamten deutschen Literatur einnimmt, ist also kein Zufall, sie ist kennzeichnend für das Verlangen nach Exaktheit, nach historischer Genauigkeit und drückt den Willen aus, didaktisch zu verfahren, Lehrstücke etwa im Sinne Bert Brechts hervorzubringen. Unter dem Einfluß der dokumentarischen Methode wird das Theater zu einem Demonstrations- und Agitationstheater, nur äußerlich vergleichbar mit den Agitpropstücken der zwanziger Jahre. Da werden Modelle erstellt und Exempel statuiert. Die Dokumentations-Literatur hat die Geschichte zum Stoff und liefert durch sie hindurch den gegenwärtigen Menschen seinem eigenen Urteil aus.

Der Stellvertreter von Rolf Hochhuth, *Die Ermittlung* von Peter Weiß, *Die Plebejer proben den Aufstand* von Günter Grass, *Joël Brand* von Heinar Kipphardt werfen Kernfragen auf, die der Ehrlichkeit halber ohne verschönernde Färbung, ohne Heuchelei beantwortet werden müssen, selbst auf die Gefahr hin, Traditionen zu brechen, Sitte und Anstand zu verletzen, Urteile umzustoßen, ob sie von einzelnen aus eigener Erfahrung erworben oder übernommen wurden. Skrupel müssen überwunden werden, um der Wahrheit näher zu kommen.

Uwe Johnson schreibt in seinen Romanen über das geteilte Deutschland, über das Land mit den zwei Köpfen; er zerstört das Tabu vom sogenannten guten und bösen Deutschland, zeigt die Realität der Grenze quer durch das Land, die gegnerischen Standpunkte, die sich befehdenten Ideologien. Die deutsche Literatur der Gegenwart ist wachsam und ihre Schriftsteller setzen sich mit einer kranken Gesellschaft auseinander, die ihre Vergangenheit vergessen möchte, die ihre Wachstumskrise nicht überwunden hat und die nicht weiß, welche Unsicherheiten die Zukunft bringen wird. Weil sie eine Gesellschaft kritisieren von deren Wohltaten sie ohne Scheu leben, weil sie freimütig ihren Nonkonformismus, ihre Unabhängigkeit von bestimmten Richtungen proklamieren, ist man schnell bereit, die Schriftsteller als gefährliche Progressisten, Anarchisten oder Revisionisten zu diffamieren. Und wenn sie gar noch die Kühnheit besitzen, am öffentlichen Leben teilzunehmen, wie Günter Grass, wenn sie zu den großen Problemen der deutschen und der internationalen Politik Stellung nehmen, wie Hans Magnus Enzensberger, Peter Weiß und Paul Schallück, wenn sie sich kritisch zur Struktur, zum intellektuellen und geistigen Hintergrund der Konfessionen, vor allem des deutschen Katholizismus äußern, wie Heinrich Böll, dann werden sie der Agressivität, der Auflehnung, des Zynismus', der Undankbarkeit bezichtigt. Trotz der Suche nach neuen formalen Ausdrucksmöglichkeiten bleibt die deutsche Literatur mehr denn je »engagiert«, reich an Substanz und an Stoffen, die sowohl der Geschichte als auch der Aktualität entnommen sind.

»Wir sind die Generation ohne Bindung und ohne Tiefe. Unsere Tiefe ist Abgrund. Wir sind die Generation ohne Glück, ohne Heimat und ohne Abschied. Unsere Sonne ist schmal, unsere Liebe grausam und unsere Jugend ist ohne Jugend. Und wir sind die Generation ohne Grenze, ohne Hemmung und Behütung« . . . (Wolfgang Borchert, *Generation ohne Abschied*, Das Gesamtwerk, Hamburg 1949).

Dieser Ausruf Wolfgang Borcherts (1921–1947) wurde von Millionen Verzweifelter wiederholt und setzte der Literatur einen Akzent, die zunächst einmal Inventur machen mußte, die eine Bilanz zog und berichtete von einem ausgelaugten Land ohne Hauptstadt, von einem ausgehungerten Volk, das in Lumpen durch seine zertrümmerten Städte zog. Ein tausendjähriges Reich hatte man diesem Volk versprochen, und nun hauste es in Erdlöchern und Bombentrichtern. In den Gedichten von W. Borchert, seinen Aufsätzen *(Die traurigen Geranien)* und vor allem in seinem Stück *Draußen vor der Tür* fand eine ganze Generation von Menschen, krank geworden in der Diktatur und durch den Krieg, ihre eigene Erfahrung ausgesprochen.

Einige Monate nach dem Tode Wolfgang Borcherts, im Jahre 1947, trafen sich in Bannwaldsee ein paar Schriftsteller und hielten auf Initiative von Hans Werner Richter eine Tagung mit Lesungen und Kritik ab und gründeten so die »Gruppe 47«. Das war kurz nach dem Verbot ihrer Zeitschrift *Der Ruf* durch die amerikanische Besatzungsmacht. Wolfgang

Bächler, Friedrich Minnsen, Walter Kolbenhoff und Nicolaus Sombart, Wolfgang Weyrauch, Walter Maria Guggenheimer und Wolfdietrich Schnurre formulierten, was sie vorhatten, folgendermaßen:
Bildung einer demokratischen Elite auf dem Gebiet von Literatur und Presse;
Anwendung demokratischer Methoden im Rahmen einer Vereinigung von Individualisten;
Hoffnung auf eine literarische, dauerhafte Wirksamkeit auf die verstörten Bürger.
Diese Ziele wollten sie erreichen, ohne sich auf ein detailliertes literarisches oder politisches Programm, auf eine Organisation und den schwerfälligen Ballast deutscher Vereins-Methoden festzulegen.
Die »Gruppe 47« existiert in einem Zwischenbereich: hier der Auftrag, literarische Werke hervorzubringen, dort die als notwendig erkannte politische und soziale Tätigkeit. Von dieser Spannung lebt sie seit mehr als zwanzig Jahren. Ein unaufhebbarer Zwiespalt, der die Verhaltensweise dieser Gruppe, die nach wie vor eine lose Verbindung von einzelnen ist, notwendigerweise bestimmt. Sie, die Gruppe, nicht die einzelnen, muß folgerichtig immer wieder zum Kompromiß bereit sein.
Zieht man indessen Bilanz, muß man zugeben, daß die Tätigkeit der Gruppe 47 sowohl im Politischen wie im Literarischen überwiegend positiv zu bewerten ist. Durch ihre Umsicht haben die Schriftsteller dieser literarischen Gruppe in Presse, Rundfunk und Fernsehen, wo sie bisweilen bedeutende Stellungen einnehmen, die Öffentlichkeit aufmerksam gemacht auf Gefahren, die der noch immer auf wackeligen Füßen stehenden Demokratie drohen. Es genügt, einige Namen von preisgekrönten Mitgliedern der »Gruppe 47« zu nennen, um ihre Bedeutung und zugleich auch ein skizziertes Bild der literarischen Strömungen im heutigen Deutschland sichtbar werden zu lassen: Günter Eich (1950), Heinrich Böll (1951), Ilse Aichinger (1952), Ingeborg Bachmann (1953), Martin Walser (1955), Günter Grass (1958), Peter Bichsel (1965).
Vierzehn Jahre später schlossen sich andere Schriftsteller in einer anderen Gruppe zusammen. Max von der Grün *(Irrlicht und Feuer)*, *(Männer in zwiefacher Nacht)* und der Dortmunder Bibliothekar Fritz Hüser gründeten die »Gruppe 61«. Sie proklamierten eine Wiederbelebung der Arbeiterliteratur, die in Deutschland auf eine Tradition von fast hundert Jahren zurückblicken kann, wenn man vom »Dritten Reich« absieht, das die Arbeiterdichtung pervertierte und in den Dienst des Regimes stellte. Diese Wiederbelebung hatte in den Jahren 1954/55 im Bergbau begonnen.

1956 arrangierte ein junger Bergarbeiter ein Treffen zwischen Schriftstellern des Kohlenreviers. Man richtete ein Archiv für Arbeiter- und Gesellschaftsliteratur ein. Man veröffentlichte Essays über Paul Zech, Max Barthel und Heinrich Lersch. Auf die Frage von Alfred Andersch, warum die industrielle Wirklichkeit in der zeitgenössischen Literatur nicht vertreten sei, und auf die Frage von Walter Jens: »Wo ist das Portrait des Arbeiters, des Maurers, des jungen Mädchens in der Fabrik?« gaben die Schriftsteller der »Gruppe 61« engagierte Antworten, die einigen von ihnen den Verlust des Arbeitsplatzes einbrachten. Politisch stehen sie in der Opposition, sie verurteilen die Kulturpolitik der Regierungskoalition, die sich nach ihrer Meinung damit zufriedengibt, die momentane soziale Ordnung in der Bundesrepublik zu verteidigen. Für sie gibt es keinen Sozialstaat, und die Mitbestimmung ist nichts als ein Köder. Diese Schriftsteller – u. a. Bruno Gluchowski *(Der Durchbruch, Der Honigkotten)*, Josef Reding *(Nennt mich nicht Nigger, Wir lassen ihre Wunden offen)*, Hildegard Wohlgemuth *(Gedichte)*, Günter Herburger *(Eine gleichmäßige Landschaft, Ventile)* – drücken die Auflehnung des arbeitenden Menschen gegen eine Gesellschaft aus, der nach ihrer Meinung jegliche Würde fehlt. Diese Literatur aus der Welt der Industrie macht der Entfremdung den Prozeß, deren Opfer die Arbeiter sind.

Sie wird zur politischen Waffe. Man kann sich fragen, ob die »Kulturrevolution«, von der wir in Frankreich kürzlich einige Beispiele geliefert bekamen, nicht auch von ihr beeinflußt wurde.

Es bleiben noch die Schriftsteller zu nennen, die keiner Gruppe angehören – weder der »Gruppe 47« noch der »Gruppe 61«, die übrigens beide nicht den Anspruch erheben, die gesamte deutsche Literatur zu repräsentieren. Als Beweis hierfür mag gelten die Grußadresse Hans Werner Richters »Deutsche Literatur minus Gruppe 47 gleich wieviel?« an die Autoren, die im Werk »Außerdem« von Heinz Dollinger zusammengefaßt sind: Man findet dort Romanschriftsteller wie Ulrich Becher *(Kurz nach 4)*, Walter Matthias Diggelmann *(Freispruch für Isidor Ruge)*, Christian Geissler *(Anfrage)*, Peter Härtling *(Niembsch oder der Stillstand)*, Günter Seuren *(Das Gatter, Lebeck)*, Thomas Valentin *(Hölle für Kinder)*, *(Die Unberatenen)*, Lyriker wie Christa Reinig *(Die Steine von Finisterre)*, Dramatiker wie Karl Wittlinger *(Kennen Sie die Milchstraße?)*, Hans Günter Michelsen *(Stienz, Lappschiess)*, Heinar Kipphardt *(In der Sache J. Robert Oppenheimer)*, *(Die Nacht in der der Chef geschlachtet wurde)*, ohne dabei zwei Schriftsteller einer ganz anderen Generation zu vergessen, die in Paris leben: Joseph Breitbach *(Bericht über Bruno)* und

Manès Sperber *(Der verbrannte Dornbusch)*. Es muß allerdings nachgetragen werden, daß Härtling, Seuren und Reinig inzwischen auch an Tagungen der »Gruppe 47« teilgenommen und dort aus ihren Arbeiten vorgelesen haben. Sie gehören also fälschlicherweise in Dollingers »Außerdem«. Die Liste ist lang und wir könnten sie noch fortsetzen. Mehrere literarische Tendenzen sind in diesem Buch vertreten: Sie reichen vom reinsten Klassizismus, von der gesicherten Tradition bis zur Suche nach der Form. Dennoch haben sie eines gemeinsam: Das mehr oder weniger in der Gegenwartsgeschichte zurückliegende Ereignis, von dem man sich inspirieren läßt oder den Willen, eben dieses Ereignis durch Esoterik zu ignorieren.

II.

Nach dem Krieg macht die deutsche Literatur zunächst einmal Inventur. Die Schriftsteller beschreiben, was sie erlebt haben. Vor allem sind sie leidenschaftliche Zeugen, die sich von ihren jüngsten Erlebnissen befreien wollen, während im Gegensatz zu ihnen ältere Kollegen wie Ernst Jünger (1895) und Gottfried Benn (1886–1956) den Krieg und die Ereignisse von der Höhe ihres Olymps aus durchlebten, indem sie in den Zynismus, in die Bitterkeit oder die Ironie flüchteten, in die aristokratischen Formen der Emigration. Zeugnisse, dokumentarische Berichte voller pathetischer humanitärer Erklärungen, deren Überzeugungskraft häufig durch noch mangelhaft beherrschte Lyrik beeinträchtigt wird, und Bordbücher sind zahlreich, ebenso heftige Anklagen gegen den Krieg, gegen Kadavergehorsam. Gleichzeitig wird mehr oder weniger erfolgreich das Bild der Tragödie entworfen, durch das Deutschland hindurchgegangen ist, das Epos seines Martyriums. Das Gute und das Schlechte liegen in dieser Produktion eng nebeneinander.

Der Krieg, die Vergangenheit wurden allerdings auch von skrupellosen Erfolgsautoren geschickt ausgenutzt, die sich derart ein Vermögen zusammenschrieben: Hans Heinrich Kirst mit seiner Serie *08/15* und seinen Feuilleton-Romanen über den deutschen Widerstand gegen den Nazismus, Willi Heinrich, dessen Bücher *Das geduldige Fleisch*, *Der goldene Tisch* das Niveau von Illustrierten-Romanen oder von Sensationsfilmen haben.

Romanschriftsteller einer anderen Art wissen die Verfahren eines berechneten und gewollten Realismus anzuwenden, der die Vorstellungskraft und das Gefühl des Lesers ansprechen soll. Allein die Tatsache muß das Geschehen tragen, ihr Schrecken muß sich selbst genügen.

Barras von Opitz, *Woïna, Woïna* von Curt Hohoff, *Die unsichtbare Flagge* von Peter Bamm, *Die sterbende Jagd* von Gerd Gaiser, *Die Stalinorgel* von Gerd Ledig, um nur einige zu nennen, berichten von den mörderischen Schlachten, dem Gemetzel, den Opfern des verbrecherischen Krieges. In Wahrheit sucht jeder dieser Autoren sich selbst zu rechtfertigen, zu erklären, was sein Krieg war; während er ihn durchlebte, wurde ihm der Krieg zum privaten Abenteuer. Ein gewisser Kriegssnobismus fehlt diesen Werken nicht. Dies trifft ebenfalls zu für *Haie und kleine Fische* von Wolfgang Ott.

Zur gleichen Zeit bemühen sich andere Autoren, der Erinnerungsliteratur Bewußtheit hinzuzufügen; sie heben die Erinnerung an das Ereignis auf eine Ebene, die im Inneren liegt, beim Leser Unruhe und Fragen wachzurufen. Theodor Plievier (1892–1955) schildert in seiner Trilogie *Stalingrad, Moskau, Berlin* anhand von offiziellen Dokumenten und Berichten die großen europäischen Schlachten dieses Krieges. Die Sinnlosigkeit des Schicksals, das den Soldaten aller Fronten erwartet, gibt diesem Werk einen Akzent tragischer Hoffnungslosigkeit. Der Roman *Die Geschlagenen* von Hans Werner Richter, der über die Schlacht von Monte Cassino berichtet, gibt unverbrämt den Geisteszustand des einfachen Soldaten wieder, der weiß, daß er ausgenutzt wird und dazu verurteilt ist, als Kanonenfutter zu dienen, wie es bereits Walter Kolbenhoff in seinem Roman *Von unserem Fleisch und Blut* beschrieben hatte. Hermann Kasack (1896–1966), der zwar den Krieg nicht als Soldat mitgemacht, ihn aber in seiner Heimatstadt miterlebt hat, ließ in seinem Werk *Die Stadt hinter dem Strom* mittels surrealistischer Imaginationen die wahnsinnige Atmosphäre der Nazizeit wieder aufleben. Die visionär gesehene deutsche Katastrophe wird ihm zur Katastrophe ganz Europas, zur Katastrophe einer Menschheit, die nicht fähig ist, Instinkt und Vernunft zu unterscheiden. In der apokalyptischen Beschreibung der Zerstörung seiner Heimatstadt Hamburg schafft Hans Erich Nossack phantastische Bilder, die an den Surrealismus erinnern. *Nekya – Bericht eines Überlebenden,* dann *Interview mit dem Tode* und später *Der jüngere Bruder* und *Nach dem letzten Aufstand* beschreiben das geteilte Deutschland und geben den Zeitgenossen ein grausames Bild, das wenig geeignet ist, die Menschen zu beruhigen, die doch so gern vergessen möchten. Hans Erich Nossack hatte ohne Zweifel »gute Augen«, die Heinrich Böll angesichts der Ruinen seines Heimatlandes für notwendig hielt. Über den Realismus eines Wolfdietrich Schnurre hinaus, dessen Erzählung *Das Begräbnis* die Anfänge der neuen deutschen Literatur charakterisiert, enthält Nossacks Werk den Wunsch nach Überschreitung, den Willen, ein höheres Niveau der Selbstbetrachtung und des Imaginären zu erreichen. Hans Erich Nossack ist einer der originellsten und bedeutendsten zeitgenössischen Schriftsteller.

Die Literatur der Unmittelbarkeit, die Literatur der Bestandsaufnahme, die kurz nach dem Krieg eine Notwendigkeit war, wurde bald abgelöst von einer Schreibweise, die ihre Inspiration zwar aus denselben Quellen schöpft, ihr aber eine ethische oder geistige Ausdehnung verleiht. Unabhängig davon, ob sie über die Umstände ihrer Desertion, ihres Aufbegehrens, ihres inneren Dramas, oder des Versuchs ihrer Anpassung an die neu sich etablierende Welt beschreiben, so ist doch den Vertretern dieser neueren Richtung eines gemeinsam: Sie wissen sich ausgeliefert im Namen des Gottes, den sie in der Bitterkeit wiederfinden, im Namen der Brüderlichkeit, die ihnen ihre ersten Handlungen in einer zahlenmäßig verringerten aber aufbauwilligen Gemeinschaft vorschreibt. Sie wägen das Gewicht der Katastrophen und das nicht weniger schwere des unbegreiflichen Überlebens genau gegeneinander ab. Sie schildern die geistige Not ihrer Zeitgenossen, sie beschreiben die Untaten einer verschlossenen Welt. Der Unmenschlichkeit setzen sie die Hoffnung entgegen, die keine Alltäglichkeit verächtlich machen kann.

Dies trifft zu für Heinrich Böll, der vor mehr als 20 Jahren mit einer kurzen Erzählung *Der Zug war pünktlich* debütierte, die ein Meisterwerk dieser nachkriegsdeutschen Literatur der Unmittelbarkeit bleibt. Die Erfahrungen angesichts des Todes, vor allem die Sinnlosigkeit des würdelosen Sterbens, das unglaubliche, physische und moralische Elend, das durch einen Krieg hervorgerufen wurde, dessen Folgen die Menschen heute noch leiden läßt, sie heute noch zeichnet, die Heuchelei einer Gesellschaft, die den einzelnen ihren Zwecken nutzbar machen will, das sind die wesentlichen Themen eines umfangreichen, mutigen und klarsichtigen Werkes. *Wanderer, kommst Du nach Spa, Wo warst Du, Adam?* und *Und sagte kein einziges Wort* haben noch jenen tragischen Akzent der Literatur der Ruinen, der Katastrophe, die nach dem Kriege hereinbrach. Mit *Billard um halb zehn* und *Ansichten eines Clowns* nimmt Heinrich Böll die Konsumgesellschaft, die Sitten des »anständigen« Bürgertums aufs Korn; seine Ironie ist grausam, seine Satire kraftvoll, seine Klarsicht zornig und bitter. Unentwegt sucht und findet er Vorwände für seine Anklage der politischen und religiösen Sitten des heutigen Deutschland; er versucht, den Menschen gegen die Knechtschaft, die Verwertbarkeit und die Entfremdung zu verteidigen. Die Rettung findet er nur außerhalb des Kollektivs, in der *Entfernung von der Truppe*, in der schmerzlichen Einsamkeit, wo der Mensch, der den Kompromiß nicht akzeptiert, früher oder später auf sich selbst zurückgeworfen wird. Ist die Vision dieses Schriftstellers inzwischen weniger brutal, weniger zynisch geworden? Man kann sich die Frage bei der Lektüre der Abenteuer von Vater und Sohn Grahl stellen, die am Ende einer Mission *(Ende einer Dienstfahrt)* entdecken, daß der Humor, der gesunde Menschenverstand und die Klugheit schließlich doch recht gut verteilt sind. Heinrich Böll brilliert in der Novelle, in der Satire. Hier findet man seine besten Passagen.

Die Veröffentlichung des ersten Romans von Alfred Andersch *Die Kirschen der Freiheit* im Jahre 1952 erregte großes Aufsehen. In seinem *Journal* hatte André Gide geschrieben: »Je ne compte plus que sur les déserteurs.« Ein junger deutscher Schriftsteller beschrieb in einer Antwort darauf nüchtern und knapp seine eigene Desertion, seinen »privaten 20. Juli«. Lange Zeit war das Buch Gegenstand lebhafter Auseinandersetzungen, niemals wurde dabei das Talent von Alfred Andersch angezweifelt, das sich in *Zanzibar oder der letzte Grund* und *Die Rote* bestätigte. Sein Werk analysiert das den Menschen eingeborene Bedürfnis nach Ungebundenheit, er flieht vor der politischen Verfolgung, in eine romantische Reise, vor der bedrückenden Ordnung. Auch der Schriftsteller und Journalist »Efraim« versucht die Gründe seines Versagens vor sich und der Gesellschaft herauszufinden. Aber am Ende der Flucht steht er vor neuen Engagements, anderen Behinderungen der Freiheit.

Zu gleicher Zeit wenden sich aber auch Schriftsteller, die noch von der jüngsten Geschichte inspiriert werden, vom reinen Erlebnisbericht ab, sie beginnen, die Vergangenheit und die Gegenwart in einer Art Zauberspiegel, in einer Art poetischem und symbolischem Realismus neu zuschaffen. In ihrem Buch *Die größere Hoffnung* versucht Ilse Aichinger das Geheimnis zu durchdringen, indem sie der subjektiven Betrachtungsweise eines Kindes überträgt, die Welt zu fixieren. Der Sterbende in der *Spiegelgeschichte* läßt Traum und Wirklichkeit ineinander verschwimmen. Die unter dem Titel *Eliza, Eliza* zusammengefaßten Erzählungen räumen dem Monolog und der mehr und mehr stilisierten Suche nach den Grenzen des Wahrnehmbaren und Mitteilbaren einen immer größeren Raum ein. In *Die Gesellschaft vom Dachboden* und *Die Unauffindbaren* enthüllt Ernst Kreuder die unruhige Innerlichkeit der Phantasie, die Extravaganz und das Unstete der schöpferischen Kraft, die allen Launen achgibt.

Auch epische Breite fehlt nicht in der deutschen Literatur, erwähnt sei das christliche Epos Elisabeth Langgässers (1899–1950), die in *Das unauslöschliche Siegel* und *Märkische Argonautenfahrt* Gnade und Heidentum einander gegenüberstellt, oder das barocke Epos Hans Henny Jahnns, (1894–1959), das die Frage nach dem Warum des Daseins stellt und, durch innere Visionen, Träume und Ängste, den Kern einer möglichen Wahrheit einfangen möchte. Er ist einer der letzten Expressionisten und zugleich einer seiner meisterhaften Vertreter neben Kafka und Döblin. In seinem umfangreichen Werk, das noch wenig bekannt ist und noch nicht den Leserkreis gefunden hat, den es verdient *(Fluß ohne Ufer, Die Nacht aus Blei, Das Holzschiff)* zeichnet er ein Porträt eines Mannes, »emmuré avec ses souvenirs, lié au cadavre de celui qu'il a été, jusqu'à la mort ou à la folie«. Das Werk ist eigenartig modern, führt die große Linie der Schriftsteller aus der ersten Hälfte des Jahrhunderts fort, (Hermann Broch, Thomas Mann oder Robert Musil) und läßt die epischen Versuche jüngerer, noch unerfahrener Schriftsteller weit hinter sich, die sich noch durch die Konstruktion der Erzählung oder durch die Anekdote leiten lassen.

Einer literarischen Strömung, die die magische Prosa in höhere Sphären rückt und ihr schillernde und barocke Lichter aufsetzt, kann man das Werk von Max Frisch, Wolfgang Koeppen und Arno Schmidt zuordnen. »Communiquer avec l'inexprimable«, mit sich selbst kompromißlos übereinstimmen, überall und stets die Frage nach seiner Identität stellen, was ständige Beziehung zwischen Vergangenheit und Gegenwart voraussetzt, das ist das Ziel der Romane Max Frisch' *(Stiller, Homo Faber, Die Schwierigen, Mein Name sei Gantenbein).* »Tout homme s'invente tôt ou tard . . . série d'histoires«. Wie soll man das werden, was man sein möchte, was man zu sein glaubt, ohne am Endes dieses maßlosen Unterfangens sein Leben zu verlieren?

Über die historischen und politischen Ereignisse hinaus, die an der Oberfläche seiner Bücher sichtbar werden *(Tauben im Gras, Das Treibhaus, Der Tod in Rom)* gelingt es Wolfgang Koeppen durch bilderrreiche Prosa, durch einen durchbrochenen, lebhaften, suggestiven Stil und ein Verfahren, das Zeit und Ort der Handlung voneinander löst, eine phantastische fremde, tragische und beklemmende Atmosphäre zu schaffen.

Vielleicht ist Arno Schmidt der begabteste Vertreter dieser Literaturgattung. Er löst die Bindungen der Sprache und bringt den Zwiespalt zwischen Mensch und Universum zum Ausdruck. *Leviathan, Brand's Haide, Aus dem Leben eines Fauns, Die Gelehrtenrepublik* sind die Arbeiten eines bissigen Satirikers, aber auch eines Lyrikers mit erstaunlicher Phantasie. *Das Einhorn,* wohl das abgerundetste Werk Martin Walser's, ist ein Roman der Sprache. Die Hauptperson Anselm Kristlein stellt sich Fragen nach der Literatur und der Kraft des Wortes. Die Sprache ist weit mehr als ein Mittel zur Beschreibung des menschlichen Bewußtseins, sie ist dieses Bewußtsein selbst. Schon in *Ehen in Philippsburg* und in *Halbzeit* war das Bestreben spürbar, die Grenzen der Sprache zu definieren. Walser räumt ihr in einem wahren Worttaumel alle Rechte ein und macht aus ihr schließlich die eigentliche Figur des Romans. In diesem Sinn ist das Werk Martin Walser's eines der originellsten der deutschen Gegenwartsliteratur.

Wo soll man so schwer bestimmbare Romane wie *Niembsch oder der Stillstand* von Peter Härtling, *Der Kopf* von Ernst Augustin, die Texte von Reinhardt Lettau *Schwierigkeiten beim Häuserbauen*, von Erich Fried *Ein Soldat und ein Mädchen*, von Heinz von Cramer *Die Konzessionen des Himmels*, von Franz Tumler *Nachprüfung eines Abschieds*, von Heinz Küpper *Simplicius 45* einordnen, wenn nicht in jenem Bereich, wo Menschen, Gegenstände und Ereignisse wie in einem Zerrspiegel, in einem schillernden Kaleidoskop gezeigt werden? In die wortschöpferischen Experimente mengt sich fast immer ein kalter und ironischer Ton. Wenn auch die Suche nach einem Stil, der Drang nach Klarheit, das was Walter Jens in seinem Werk *Deutsche Literaturgeschichte der Gegenwart* die topografische Genauigkeit nennt, und schließlich das Ziel des Schriftstellers, sein Wissen in Worte zu fassen, immer deutlicher werden in den zeitgenössischen, bewußt modernen Werken, die durch eine Verachtung oder Vernachlässigung des Lesers fast provozierend wirken, so bleibt doch das Ereignis immer gegenwärtig. Die Vergangenheit bestimmt das Sujet; in der Gegenwart wird die oppositionelle Einstellung sichtbar, die sich die meisten deutschen Schriftsteller zu eigen gemacht haben.

In *Wenn man aufhören könnte zu lügen* beschrieb Paul Schallück die Lage des Studenten kurz nach dem Kriege; die Personen in *Ankunft null Uhr zwölf*, wie die Hauptfigur in *Die unsichtbare Pforte* können aus ihrer Erinnerung die Schrecken des Krieges, der Bombardierungen, das dramatische Bewußtwerden der Verantwortung, die man auf sich geladen hat, nicht tilgen. Wird *Engelbert Reineke* mit der Enthüllung fertig, die ihm gemacht wurden? Sein Vater, der in einem Konzentrationslager ums Leben kam, war von seinen Kollegen denunziert worden, die wie er selbst Lehrer an einem Gymnasium waren. Wie soll man der heutigen Gesellschaft gegenübertreten, wie soll man sie veranlassen, sich zu ändern? Ähneln nicht alle Deutschen ein wenig jenem *Don Quichotte in Köln*, der an den unmenschlichen Mechanismen der Gesellschaft und an der Schlaffheit seiner Mitmenschen Anstoß nimmt? Paul Schallück ist ein großzügiger, kämpferischer Schriftsteller, der kraftvollen Stil und straffen Aufbau mit wohlmeinender Ironie zu paaren weiß.

Auch Günter Seuren in *Das Gatter* und *Lebeck*, Christian Geissler in *Die Anfrage* und Peter Faecke in *Die Brandstifter* und *Der rote Milan* untersuchen die Vergangenheit und ihre Folgen in der Gegenwart, sie erinnern sich einer Zeit, die aus den Fugen geraten ist, einer Bedrohung der Natur. Deutschland sah die Geister seiner Geschichte. Selbst die jüngsten Schriftsteller scheinen sich aus dieser Befangenheit nicht restlos lösen zu können, obwohl sie den Krieg nicht mehr miterlebt haben. Sie haben ihn nicht miterlebt, und dennoch möchten sie begreifen, was damals geschehen ist, sie möchten plausible Erklärungen jener Tragödie, die sie indirekt tangiert. In seinen Büchern *Hornissen* und *Der Hausierer* gab Peter Handke sein Debüt. Könnte die Geschichte eines Mordes, die von einem Zeugen berichtet wird, nicht die Geschichte aller möglichen Morde sein? Heinz Piontek, der spät zum Roman gefunden hat, stellt das Versagen derer fest, die der Generation der heute 40-jährigen angehören *(Die mittleren Jahre)*. Dieter Lattmann ist kaum optimistischer in seinem Buch *Ein Mann mit Familie*. *Freispruch für Isidor Ruge* von Walter Matthias Diggelmann zeichnet das Bild des Opfers einer despotischen und geschäftstüchtigen Gesellschaft, die die Menschen, die für sie arbeiten, ausnützt. In einem frühen Roman *Der Nämlichkeitsnachweis* behandelt Rolf Roggenbuck die Identität des Menschen, jenes Ich, das unfaßbar ist und das sich auf widersprüchliche Art äußert; in diesem Werk ist der Einfluß des »Nouveau Roman« spürbar. Nach seinen beiden Romanen *Der Löwengarten* und *Hausmusik* veröffentlicht Reinhard Baumgart eine Sammlung von Erzählungen unter dem Titel *Panzerkreuzer Potjomkin*, wo er den Dialog zwischen den Personen dazu verwendet, sie ihre Persönlichkeit, das Wunder ihres Daseins und ihres Wesens entdecken zu lassen. In seinem ersten Roman *Bödelstedt oder Würstchen bürgerlich* lernen wir Kay Hoff mit einer scharfen Satire auf das bürgerliche Milieu einer Kleinstadt kennen. In *Die Zelle* läßt Horst Bienek einen Häftling sprechen, der versteckt gehalten wird; die Art wie er seine Gedanken zum Ausdruck bringt, spiegelt treffend die grausame, unfreie Situation der Menschen im allgemeinen wieder.

In diese Aufzählung gehören noch Werke von Schriftsteller wie Hubert Fichte, Rolf Dieter Brinkmann, Ernst Herhaus, Walter Helmut Fritz, Jürg Federspiel, Fritz Rudolf Frier, Klaus Stiller. Unabhängig von ihren literarischen Methoden – Collage, Zusammenstellung von Dokumenten, Satire, Verzicht auf logische Handlung, auf das Vorhandensein von Personen, die miteinander reden – geben alle diese Schriftsteller von der Welt eine gewissermaßen molekulare, fragmentarische Schilderung; sie sind nur im Besitz kleinster Teilchen davon und legen sie den Lesern bescheiden zur Prüfung vor. Wie andere Literaturen auch, so kennt die deutsche Literatur ihre Grenzen und weiß sich daran zu halten.

Man kann nach dem Wert einer solchen literarischen Haltung fragen, die eine Methode mancher Schriftsteller zum Ausdruck bringt, wenn man an Günter Grass denkt, der zweifellos der kraftvollste, am wenigsten konformistische Schriftsteller seiner Generation ist. Er hat die Naivität, die Urwüchsigkeit, den etwas grobschlächtigen, gesunden Menschenverstand, den Spaß und die Grobheit wieder zu Ehren gebracht; er schockiert bewußt, und unter seiner Führung springt der Leser vom Tag in die Nacht, von heiß zu kalt, vom Lachen zum Weinen und zur Entrüstung. In der Parodie ist er in seinem Element. Er jongliert mit Menschen, Ereignissen und Situationen. In Günter Grass steckt etwas von einem Puppenspieler, einem Exhibitionisten, einem Raubtierdompteur. Er ist der Herr einer Menagerie von burlesken und gleichzeitig tragischen Figuren: Oskar Matzerath, der Zwerg aus *Die Blechtrommel*, Mahlke, der durch seinen Kropf so lächerlich wirkende Jüngling aus *Katz und Maus*, Brauxel und Amsel, diese beiden Dunkelmänner aus *Die Hundejahre*. Das Werk von Günter Grass ähnelt einem riesigen Jahrmarktstand, wo sich die Auswüchse der Natur eng zusammendrängen, deren Fehler und Laster durch die boshafte Absicht des Autors hervorgehoben und verstärkt werden.

Uwe Johnson war einer der ersten, den die Lage des geteilten Deutschland so beschäftigte, daß er sie zum einzigen Thema seiner Bücher machte. *Mutmaßungen über Jacob* ist die Geschichte eines Mannes, der zwischen Ost und West hin und hergeworfen wird und schließlich den Tod findet. Auch *Das dritte Buch über Achim* beschreibt ein Versagen. Zwischen den beiden Teilen Deutschlands ist kein Dialog mehr möglich, die aufgerissene Kluft kann nicht mehr geschlossen werden. Der lakonische Titel, *Zwei Ansichten* präzisiert die Geisteshaltung des Autors. Die in diesen Werken latent enthaltene Verzweiflung bleibt jedoch verborgen unter der Maske einer kühlen, objektiven, konzessionslosen Romantechnik. Uwe Johnson tritt hinter seinen Personen zurück, deren Geheimnis, um nicht zu sagen deren Anonymität, er nicht durchdringen und deren Handlungen er nicht beeinflussen will. Er geht vor wie ein Autor des »nouveau roman.«

Auch Alexander Kluge gibt der Sprache ihre Originalität und vor allem ihre Funktion zurück. Durch die Sprache denunziert und demaskiert er die Nazis; dadurch, daß er sie in ihrer Art sprechen läßt, zeigt er, wie sie wirklich sind. *Lebensläufe* und besonders *Stalingrad* führen das Dokument in die Literatur ein. Es handelt sich nicht mehr darum, die Phantasie sprechen zu lassen, zu interpretieren, sondern Tatsachen zu reproduzieren und sich dabei auf die Fülle vorhandenen offiziellen schriftlichen Materials zu stützen. Die dokumentarische Literatur löst hier die Literatur der subjektiven Zeugnisse, die Vorstellungsliteratur ab. Hinsichtlich der Information scheint ihre Rolle wirksamer zu sein. Sie wird zur Provokation mit didaktischer Absicht. Dichtung und Theater haben in reichem Maße die aufrüttelnde Kraft jenes informativen Verfahrens bewiesen.

III.

Den deutschen Lyrikern wurde nach 1945 die Zersplitterung der Welt nicht unmittelbar bewußt. Sie nahmen nicht wahr, daß eine Geschichtsepoche beendet und eine neue begonnen hatte, die den radikalen Bruch mit der Vergangenheit vollziehen sollte. Noch ist der Einfluß des Expressionismus vor allem aber der Naturlyrik spürbar; Loerke, Lehmann, Langgässer finden noch Nachfolger. Die klassizistische Tradition, die von der christlichen Zivilisation und vom Humanismus ihre Ideen lieh, wirkt nach. Lyriker wie Werner Bergengruen, Friedrich Georg Jünger, Albrecht Goes, Rudolf Alexander Schröder, Albrecht Haushofer *(Moabiter Sonette)* suchen einen Anknüpfpunkt zur Tradition. Der Mensch wird trotz des Krieges immer noch entsprechend dem konventionellen Bild vom Gegensatz zwischen den moralischen und physischen Kräften dargestellt. Dazu gehört auch die Bewunderung der Natur, die bestaunt und passiv betrachtet wird. Die Verurteilung der Vergangenheit und der Hitlerzeit vollzieht sich im Namen des Christentums oder einer humanitären Philosophie, deren Bankrott man nicht zu kennen vorgibt. Marie-Luise Kaschnitz, Oda Schaefer, Christine Lavant, Gertrud von Le Fort, Christine Busta – die Dichtung dieser Frauen nimmt im historischen und literarischen Zusammenhang einen hervorragenden Platz ein –, bringen das Unglück des Menschen, der auf Abwege geraten ist, mit den Einflüssen teuflischer Mächte und ihrem Verständnis von Nächstenliebe und Brüderlichkeit in Verbindung. Rudolf Hagelstange, noch jung und nicht vom Krieg verschont, versuchte, in seinen Sammlungen *Venezianisches Credo* und *Strom der Zeit* die Bilanz der Barbarei zu ziehen. Er suchte eine neue Definition für den Menschen.

> *»Was heißt denn das: ein Mensch? Ist Gang und Rede*
> *genug, um sich als Herr der Welt zu meinen,*
> *als Ebenbild des Ahnen und des Einen,*
> *der uns berufen hat und dem jewede*

der Kreaturen lebt, ihm Lob zu sagen?
Was wiegt der Dank, den unser Mund beteuert?
Der Atem gilt, der unsere Brust befeuert,
das Opfer, das wir ohne Arglist wagen.

Denn uns beschämt der Vogel und die Blume,
der Käfer und der Fisch, ja selbst der tote
und kalte Stein im Bach, der dem Gebote

der Strömung still gehorcht, wenn wir nicht wissen,
Licht zu gewinnen aus den Finsternissen
und Mehrer sein an unserem Menschentume.«

Dann entdeckt man das lyrische Werk von Bertolt Brecht. Er zeigt den deutschen Lyrikern, daß große Gedichte dokumentarischen Wert haben können, daß der lyrische Ausdruck ebenso wirksam sein kann wie der romanhafte, der theatralische oder bildliche. Die Welt ist nüchterner geworden, genauer genommen aber hat sich nur die Funktion des Gedichtes gewandelt. Sie schöpft nicht mehr aus der Natur, aus den Liebesbeziehungen der Menschen, aus Ideologien und metaphysischen Quellen. Sie schlägt eine Umkehr des Menschen auf der realen Basis seiner Existenz vor: Arbeit, Straße, Lärm, Politik, Rhetorik, Handlung und Öffentlichkeit. Die Sprache des Lyrikers entsteht in einem Laboratorium, das in keiner Weise mehr vergleichbar ist mit dem elfenbeinernen Turm, in dem sich einstmals der Dichter isolierte. Er ist Teil der Massengesellschaft, in die er vollkommen integriert ist. Seine Arbeitsweise entspricht der des Ingenieurs oder Technikers. Er spricht die Sprache seiner Zeitgenossen und er-findet Kollagen, um seine Teilhabe an der Welt und der Gesellschaft deutlicher zu machen.

Die private Dichtung, deren nahes Ende Gottfried Benn in *Morgue* und Kurt Pinthus in der berühmten Anthologie *Menschheitsdämmerung* schon zu Beginn des Jahrhunderts prophezeit hatten, wird mit der Ballade vom *Verschütteten Leben* von Rudolf Hagelstange verabschiedet, 1952. Eine Sammlung *Ergriffenes Dasein* zieht die Bilanz einer Poesie, die nach dem Krieg eine gewisse Wiederbelebung erfuhr. Es ist jedoch bezeichnend, daß in dieser Anthologie vornehmlich Autoren wie Werner Bergengruen, Georg von der Vring, Hans Egon Holthusen, Rudolf G. Binding, Georg Britting, Stefan George, Hermann Hesse, Ricarda Huch, Else Lasker-Schüler, Oskar Loerke viel Platz eingeräumt wurde, Autoren, die alle die traditionalistischen Züge der Dichtung repräsentieren. Man findet dort weder die

berühmte *Todesfuge* von Paul Celan noch das Gedicht *Inventur* von Günter
Eich noch einen einzigen Vers von Nelly Sachs. Der Kritiker Paul Konrad
Kurz schrieb kürzlich, daß die poetische Tradition in Deutschland protegiert wurde, fern von allen konkreten Versuchen der Erneuerung und der
Anpassung an die moderne Welt lyrischer Inspiration.
Dennoch hatten Wolfgang Weyrauch *(Von des Glückes Barmherzigkeit)*
und Karl Krolow *(An den Frieden,* Ode 1950*)* versucht, mit der Tradition
zu brechen. Die Ruinendichtung und die Dichtung der Rückkehr in ein
geschlagenes Land fand in ihnen ihre ersten Zeugen. Sie waren bemüht,
eine Sprache zu erarbeiten, die wirklich den Gegebenheiten angepaßt war,
indem sie die Metapher, die Beredsamkeit und die Emphase vermieden.
Auch das Gedicht macht wie der Roman eine Bestandsaufnahme der gegenwärtigen Situation, entsprechend einer Äußerung von Peter Rühmkorf.
Günter Eich schafft dann in seinem Gedicht *Inventur* den Typ, der für
lange Zeit die Generation der neueren Dichter beeinflussen sollte.

> *Dies ist meine Mütze*
> *dies ist mein Mantel*
> *hier ist mein Rasierzeug*
> *im Beutel aus Leinen.*
>
> *Konservenbüchse:*
> *Mein Teller, mein Becher,*
> *ich hab in das Weißblech*
> *den Namen geritzt.*
>
> *Geritzt hier mit diesem*
> *kostbaren Nagel,*
> *den vor begehrlichen*
> *Augen ich berge.*

Dieses Gedicht ist Bestandsaufnahme. Die Realität wird mit äußerster
Sparsamkeit und Einfachheit benannt und wiedergegeben in einer beinahe
dokumentarischen Art. Auch Brecht hat in seinem Gedicht *Rückkehr* bewiesen, daß die Worte des täglichen Lebens ein tragisches Echo haben
können. Ist es nicht das Wesentliche, wieder bei der Banalität anzuknüpfen?
Der Dichter muß von dem sprechen, was er kennt, von der Verbraucher-
gesellschaft, in der er lebt, von der Börse, von den Aktien, von Immobilien,
von der Straße, vom Automobil, von den Autobahnen, von den Fabriken.
Er wird es mit Humor tun, indem er sich an Christian Morgenstern, an

Kurt Tucholsky oder Erich Mühsam erinnert, und zwar mit kühlem Blut und Überlegung.

Diese Dichtung wurde dem großen Publikum Dank der »Gruppe 47« bekannt. 1952 in Niendorf hörten die von Hans Werner Richter zusammengerufenen Schriftsteller zum ersten Mal Texte von Paul Celan und Ingeborg Bachmann. Für Walter Jens kündigt diese Entdeckung eine neue Richtung an: Die junge deutsche Literatur der Moderne erlebt eine Wiedergeburt. Walter Höllerer veröffentlicht *Der andere Gast*, Ingeborg Bachmann *Die gestundete Zeit*, Eugen Gomgringer *Konstellation*, Paul Celan *Mohn und Gedächtnis*, dann von *Schwelle zu Schwelle*, Helmut Heissenbüttel *Kombinationen*. Zur selben Zeit erscheint die Zeitschrift *Akzente*, herausgegeben von Walter Höllerer und Hans Bender. Die deutsche Poesie öffnet sich den ausländischen Lyrikern, anglo-amerikanischen, französischen und dann auch russischen.

Die Technik der Sprache bedient sich ebenso surrealistischer wie dadaistischer Elemente, sie arbeitet mit Reihenkompositionen und Dekompositionen, mit der Reduktion von Satz und Syntax, mit Wortspielen, mit Konstruktionen, Strukturen und typographischen Kompositionen, die mit Bedeutungsgehalt geladen sind. Helmut Heissenbüttel löst in *Textbuch 1, 2, 3* usw. und in *Topographien* das Gedicht aus den bisherigen Gesetzmäßigkeiten, es wird zum Gegenstand von Laboratoriumsversuchen. »Ein Gedicht entsteht nicht, es wird gemacht«. Diese Formel von Gottfried Benn erklärt den Versuch von Schriftstellern wie Hans Magnus Enzensberger *(Verteidigung der Wölfe, Blindenschrift)*, Peter Rühmkorf *(Irdisches Vergnügen, Kunststücke)*, Günter Grass *(Ausgefragt)*, Franz Mon *(Lesebuch)* oder Günter Kunert *(Verkündigung des Wetters)*. Die Gesellschaftskritik, die Verurteilung der christlichen und humanistischen Zivilisation, die permanente Aggression gegen überholte Werte, die Anleihe bei der Alltagssprache, bei Menschen, die arbeiten, ins Kino gehen oder auf den Fußballplatz, Phrasen, Klischees, die Parodie klassischer Texte und die Benutzung von Kollagen, die von der Existenz der Massengesellschaft ein karikaturistisches Bild geben, sind das Material, das Arsenal dieser Lyrik. Aber der Dichter weist es zurück, Zeugnis abzulegen von einer Welt, deren Untergang er verkündet. »Ich zeuge für nichts« schreibt Peter Rühmkorf.

Bietet Ostdeutschland, wo Günter Kunert lebt, noch eine Chance für den Menschen, nicht an seiner Bestimmung zu zweifeln, ist ihm die Möglichkeit geboten, ein »Trotzdem« oder ein »Indessen« zu sagen, wo durch die Resignation ausgeschlossen werden könnte?

Fliegen ist schwer:
Jede Hand klebt am Gashebel von Maschinen:
Geldesbedürftig . . .
Fliegen ist schwer . . .
Dennoch breite die Arme aus und nimm
Einen Anlauf für das Unmögliche . . .

Denn Tag wird.
Ein Horizont zeigt sich immer.
Nimm einen Anlauf.

Die Resignation, die latente Hoffnungslosigkeit einer Dichtung, die sich
den Gegebenheiten der Dunkelheit stellen muß, hat Theodor W. Adorno
verurteilt, weil er glaubte, nach Auschwitz habe sie keine Existenzberechtigung mehr. Lange Zeit war Paul Celan mit seiner *Todesfuge* der einzige,
der die Wahrheit dieser Behauptung in Frage stellte. Aber Nelly Sachs
hatte noch vor ihm, schon 1947, mit ihrer Sammlung *In den Wohnungen
des Todes* und dann in *Sternverdunklung* dem Gedicht eine unübersehbare,
eine überzeugende Kraft zurückgegeben.
Die Felder des Todes stehen in Blüte; Nelly Sachs hört nicht auf, an
Israel zu erinnern, den Opfern errichtet sie ein Denkmal aus Asche, Staub
und Rauch; aber ihre Stimme ruft nicht nach Rache oder Strafe. Sie zeigt
im Gegenteil die Wege einer Erlösung durch die Liebe, sie markiert die
Möglichkeiten einer Versöhnung und versichert in der wiedergefundenen
Freiheit, daß die Erde kein Wesen entstehen läßt, ohne daß es geliebt
würde.

Verzeiht ihr meine Schwestern
ich habe euer Schweigen in mein Herz genommen
Dort wohnt es und leidet die Perlen eures Leides
Klopft Herzweh
So laut so zerreißend schrill
Es reitet eine Löwin auf den Wogen Oceanas
eine Löwin der Schmerzen
die ihre Tränen längst dem Meer gab.

Die Erinnerung ist eines der wichtigsten Themen im Werke Paul Celans.
Auch er ist Jude, auch er hat sämtliche Mitglieder seiner Familie verloren.
In *Sprachgitter* und vor allem in *Atemwende* jedoch wird die Sprache zum
Hauptgegenstand des Gedichts. Was sind die Worte wert? Was können

sie bezeichnen? Enthalten sie noch Bruchstücke der Welt, die sie zu beschreiben vorgeben? Auch Paul Celan zweifelt an der bezeichnenden Kraft der Wörter. Er klopft sie ab, führt sie auf ihren eigentlichen Sinn zurück, fragt nach dem Ur-Sinn des Wortes und findet keinerlei Rechtfertigung. Was das Wort betrifft, so gibt es für ihn nichts:

> *Das geschriebene höhlt sich, das*
> *Gesprochene, meergrün,*
> *brennt in den Buchten,*
>
> *in den*
> *verflüssigten Namen*
> *schnellen die Tümmler,*
>
> *im geewigten Nirgends, hier*
> *im Gedächtnis der über-*
> *lauten Glocken in – wo nur?*
>
> *Wer*
> *in diesem*
> *Schatten geviert*
> *schnaubt, wer*
> *unter ihm*
> *schimmert auf, schimmert auf*
> *schimmert auf?*

Die radikale Entäußerung, die Rückkehr zu einem kalkulierten Realismus, das permanente Mißtrauen gegenüber der Kraft des Wortes, der ängstliche Zweifel an der Funktion der Sprache drückt in der modernen deutschen Dichtung eine überreizte Form aus, die neben der Logik und dem Nachdenken über das Engagement auftaucht.

IV

Ich habe in den vorhergehenden Kapiteln, die von Roman und der Lyrik handelten, nur ein skizzenhafte Vorstellung geben können. Den Bereich des Theaters vermag ich nicht erschöpfender oder vollständiger zu behandeln. Das deutsche Theater ist wie nirgendwo sonst auf der Welt eine Institution, die auf einem festen Fundament steht und von Staat und Gesellschaft gestützt und geschützt wird. Zweifellos wird der Schriftsteller, wie in allen anderen Ländern, durch das Theater auf die Probe gestellt. Aber er hat doch gegenüber seinen Kollegen im Ausland viele Vorteile.

Dem Theater vorgebaut ist sozusagen der Rundfunk, der allein auf das Wort angewiesen ist und das szenische Hörspiel verlangt (es ist nicht selten, daß ein für den Rundfunk geschriebenes Stück vom Autor für die Bühne umgeschrieben wird). Sodann verfügt er über mehr als 200 reguläre Theater, die auf 80 Städte verteilt sind, über ein Publikum, das jedes Jahr über zehn Millionen Zuschauer ausmacht (während der Saison 1965/66 wurden allein 35 662 Vorstellungen in der Bundesrepublik registriert). Ferner steht ihm ein Gesamtbudget für das Theater und die Oper von 386 Millionen (zum Teil Subventionen, die von Staat und Gemeinden 1965 ausgegeben wurden) zur Verfügung.

Was läßt sich über die Schauspieler, was läßt sich über die Regisseure des deutschen Theaters sagen? Für Kenneth Tynan sind es die besten Europas. Erklärt sich daher der Traum vieler Schriftsteller, für das Theater zu schreiben? Der Rundfunk, mit dem sie aktiv zusammenarbeiten, sichern zum großen Teil das Leben, doch erst das Theater macht sie berühmt. Als Beweis mögen die Zahlen der Aufführungen und Inszenierungen gelten, die einem guten Stück sicher sind: *Kennen Sie die Milchstraße?* von Karl Wittlinger erlebte 73 Aufführungen und 7 Inszenierungen, *Eiche und Angora* von Martin Walser 48 Aufführungen und 3 Inszenierungen, *Der Stellvertreter* von Rolf Hochhuth 117 Aufführungen, *Zeit der Schuldlosen* von Siegfried Lenz 238 Aufführungen und 12 Inszenierungen, *In der Sache J. Robert Oppenheimer* von Heinar Kipphardt 598 Aufführungen und 27 Inszenierungen. Man könnte diese Liste ohne weiteres fortführen; sie legt Zeugnis dafür ab, daß die deutschen Dramatiker keine Außenseiter mehr sind auf der deutschen Bühne. Zugleich werden die Namen vieler von ihnen allmählich auch außerhalb der Grenzen Deutschlands immer bekannter, ja berühmter. Dies ist beispielsweise der Fall bei Peter Weiß, Rolf Hochhuth, Heinar Kipphardt, Martin Walser, Hans Günther Michelsen und selbstverständlich bei den deutschsprachigen Schweizern Max Frisch und Friedrich Dürrenmatt.

Der kritische Beobachter wird einwenden, daß sich das zeitgenössische deutsche Theater, das seine Hauptstadt Berlin verloren hat, zu sehr aufsplittert; selbst die internationalen Festivals können dieser Stadt ihren einstigen Glanz nicht wiedergeben. Sie weisen auf die vorhandenen finanziellen Schwierigkeiten hin; die Zuschauer allein können die Belastungen natürlich nicht tragen. Aber sonderbarerweise richtet sich die Kritik in der Hauptsache gegen das Repertoire: es sei praktisch nicht vorhanden. Das deutsche Theater sei ein Theater ohne Autor. Nur zu gern wird wiederholt, daß die Glanzzeit vorüber sei; man erinnert an Namen wie Brecht, Toller, Wedekind, Hasenclever, Horvath, Sorge, Barlach, Weisenborn, Kaiser, Lasker-Schüler und Jahnn, die bisher keine Nachfolger gefunden hätten. Das deutsche Theater gehöre der Vergangenheit an. Das heißt jedoch vorschnell urteilen, denn es heißt, Max Frisch und Dürrenmatt vergessen, die zwar Schweizer sind –, aber was ist mit Peter Weiß, der in Schweden lebt, mit Rolf Hochhuth, der in der Schweiz lebt, mit dem Lyriker Enzensberger, der lange Zeit in der Nähe von Oslo wohnte, mit Paul Celan und Friedrich Hagen, die in Paris leben, mit Jakov Lind und Erich Fried, die sich in London niedergelassen haben? Ein nicht unerheblicher Teil der deutschen Literatur hat die Emigration bzw. das Leben im Ausland gewählt), das hieße auch Carl Zuckmayer vergessen, der große Theatererfolge in der Nachkriegszeit mit *Des Teufels General* und *Der Gesang im Feuerofen* errungen hat. Leichthin wird behauptet, das deutsche Theater habe weder einen Beckett, noch einen Audiberti oder einen Billetdoux, keinen Arman Gatti, keinen Harold Pinter, keinen Edward Albee und keinen John Arden. Das bleibt abzuwarten. Was wahr ist und was somit auch in gewissem Maße die negative Einstellung und die Kritik der deutschen und teilweise auch ausländischen Beobachter erklärt ist dies, daß sich die deutschen dramatischen Werke – wie der Roman und das Gedicht – mit der Vergangenheit und ihren Folgen auseinandersetzen: Aufstieg des Nationalsozialismus, Krieg, Konzentrationslager, Rückkehr aus der Kriegsgefangenschaft, Widerstand, Gewissenskonflikte, denen sich der freiwillig oder unfreiwillig einem unmenschlichen Schicksal verhaftete Mensch gegenübergestellt sah, das Wiederaufleben einer deutschen Rechtspartei und der blinde Materialismus einer Wohlstandsgesellschaft. Schon 1947 hatte Wolfgang Borchert den ersten Anstoß gegeben; allerdings war sein Stück durchdrungen von einem Expressionismus, dem realistische und romantische Elemente beigemischt waren, die heute kaum noch akzeptiert werden. Lange bevor das deutsche Theater sich dem Dokumentarischen zuwandte, unterlag es jenen Versuchungen, bei denen das Deklamatorische, die Emphase und der Überschwang über die Dialektik, den ausgewogenen Realismus, die methodische Ausschöpfung der Sprache und die verschiedenen politischen und sozialen Verhaltensweisen triumphierten. Allerdings sollte man nicht vergessen, daß auch das expressionistische Theater von solchen Übertreibungen keineswegs frei war. In *Das Gesicht des Menschen*, einem Stück, das das Attentat auf Hitler vom 20. Juli 1944 zum Inhalt hat, stellt Peter Lotar die Frage nach dem Schicksal der

Menschheit und nach dem Bild, das wir uns von Märtyrern machen; *Der Tod des Präsidenten* greift die Ermordung von Präsident Abraham Lincoln auf, zieht Parallelen zwischen diesem Mord und der Ermordung von Präsident Kennedy und verwendet dabei schon die Technik der Dokumentarstücke. An Hand der Sage von *Philemon und Baucis* möchte Leopold Ahlsen die Gefahren, die unter bestimmten Umständen aus der Verpflichtung zur Brüderlichkeit erwachsen können, in unsere Zeit verlegen. Konkret behandelt das Stück die Schwierigkeit, einen deutschen Soldaten vor dem Tod zu retten, der von griechischen Partisanen verfolgt wird; das sowohl historische wie dokumentarische Stück *Der arme Mann Luther* läßt die Zeit der Reformation wieder aufleben; *Sie werden sterben, Sire,* erinnert zuweilen an Ionescos *Le Roi se meurt;* es ist eine makabre Farce am Rande des Abgrunds, ein in Szene gesetzter Spaß vor erschreckendem metaphysischen Hintergrund; so jedenfalls charakterisiert die Kritik das Stück. In *Triumph in tausend Jahren* stellt Peter Hirche seine Personen in Grenzsituationen und analysiert ihr Verhalten. *Der Hauptmann und sein Held* und *Die Festung* von Claus Hubalek stellen in Form einer Parodie die Sinnlosigkeit des Krieges dar. Kriegsgefangenschaft und Lageratmosphäre werden in *Die Gefangenen* von Stefan Barcava wiedergegeben; die Judenvernichtung und das Rassenproblem behandeln Mattias Braun *(Das Haus unter der Sonne)*, Wolfgang Altendorff *(Thomas Adamsohn)* und Ingeborg Drewitz *(Ameisen)*.

Diesen Themen folgten zwangsläufig die Probleme der Nachkriegszeit und die Teilung Deutschlands. Die Liebe zwischen zwei Menschen, die durch die Grenze und unterschiedliche politische Ansichten getrennt werden, die Konflikte zwischen Deutschen und Deutschen, der sinnlose Mord, der durch eine Situation der Teilung verursacht wird, haben den Werken von Gerd Oelschlegel *Romeo und Julia in Berlin,* von Dieter Meichsner *(Besuch aus der Zone),* von Wolfgang Altendorff *(Die Schleuse)* die Stoffe geliefert. Dieses Theater ist kathertisch; es analysiert, enthüllt, untersucht, fragt, es rüttelt das Gewissen wach. Es zwingt dem Zuschauer eine innere Prüfung auf, entfesselt die Gefühle, will von Verdrängungen und Komplexen befreien. Es ist bedingtes Theater, ein durch die Zeit bedingtes Theater, zu dem Deutschland selbst durch seine innere Unruhe den Stoff liefert.

In seinem Essay über das absurde Theater stellt Martin Esslin Wolfgang Hildesheimer und Günter Grass neben Adamov, Beckett, Genet und Dino Buzzati. Ich füge Martin Walser hinzu. In *Spiele in denen es dunkel wird* bedient sich Wolfgang Hildesheimer der Parabel, um die Heuchelei einer bestimmten Gesellschaftsschicht in Deutschland, ihre Unzulänglichkeit, ihre Anmaßung und die Leere ihres Daseins anzuklagen. Günter Grass zieht der Parabel das drastische, groteske, oft rauhe, an Rabelais erinnernde Bild vor, das an die Gemälde von Bosch oder Goya denken läßt. Grausamkeit, Blasphemie, Zynismus, zerstörerisches Spiel, das die gemeinen Bereiche des menschlichen Lebens widerspiegelt, und die Parodie verleihen Stücken wie *Hochwasser, Onkel, Onkel, Die bösen Köche, Zehn Minuten bis Buffalo* eine bisweilen grundlose und häufig fast maßlos provokatorische Note. *Hundejahre*, ein nach den Romanvorlagen desselben Titels geschriebenes Stück hat nicht den erwartenden Erfolg gehabt. Das Schicksal des Hundes Pluto, der der Gefährte des Führers wurde und der mit ebensoviel Vergnügen Mozarts Kleine Nachtmusik, die Götterdämmerung oder das Deutschlandlied hört, wirkte gekünstelt und erregte nicht die vom Autor gewünschte öffentliche Diskussion. *Die Plebejer proben den Aufstand*, ein Stück, das Bert Brecht während der Ereignisse des 17. Juni 1953 in Berlin bei der Probe am »Coriolan« zeigt, hat auch nicht sehr überzeugt, obwohl die »öffentliche Diskussion« zwar lebhaft, aber oft von der vorgefaßten Meinung des Autors verfälscht war.

In *Eiche und Angora* und *Der schwarze Schwan* greift Martin Walser das Thema der Sühne, des Generationskonflikts und des Sohnes, der Rechenschaft von seinem Vater verlangt, auf und stellt die Frage nach der Entwicklung des deutschen Volkes an Hand einer dramatischen Chronik, die Deutschland in drei Zeiten wiedererstehen läßt: 1945, 1950 und 1960. *Die Zimmerschlacht* (erweitert mit *Übungsstück für ein Ehepaar*) stellt ein bürgerliches Ehepaar auf die Bühne, das in der Gewohnheit festgefahren, durch den Alltag verbraucht ist. Das Problem der Kommunikation zwischen den Menschen ist das Thema dieser beiden neueren Werke. Nach seinem Stück *Zeit der Schuldlosen* schrieb Siegfried Lenz mit *Das Gesicht* eine Komödie der politischen Moral: In der Person seines Friseurs hat der Diktator eines Staates einen Doppelgänger; der Friseur vertritt seinen Herrn in heiklen Situationen, reißt aber schließlich alle Funktionen des Despoten an sich und verbreitet Schrecken. *Die Helden* von Jacov Lind sind junge Leute aus London, die aus der Bahn geworfen wurden, bald von Selbstmordgedanken, bald vom Faschismus in Versuchung geführt werden, die aus Vergnügen lästern, dem Leben gleichgültig gegenüberstehen, an der Grenze des Irrsinns, des Zynismus und der Brutalität landen. In *Zur Zeit der Distelblüte* und in *Der kleine Herr Nagel* enthüllt Hermann Moers humorvoll das Funktionieren eines totalitären Staates. *Große Schmährede an der Stadtmauer* von Tankred Dorst zeugten von der Lust des Autors am Parodieren und Fabulieren, die an Bert Brecht erinnert.

Der Bügermeister Wittek, der die Kanonen gegen die ausländischen Truppen richtet, aber nicht in der Lage ist, den Mörder zu entdecken, der in der Stadt sein Unwesen treibt (in *Wittek geht um*) ist eine Figur, die der Sage entsprungen scheint, aber leider nur zu wirklich ist und die Verkörperung einer Menscheit darstellt, die sich ihrer Rechte und ihrer Macht allzu sicher ist. Der Krieg und seine Schrecken sind von jungen Dramatikern zu wiederholten Malen mehr oder weniger glücklich behandelt worden; zweifellos hat aber Konrad Wünsche in *Auf Wiedersehen oder die Schlacht von Stötteritz* es am besten verstanden, das Dilemma der kleinen Leute zu zeigen und ihm das Vergnügen der Großen dieser Welt am grausamen Spiel gegenüberzustellen. Sein neues Stück *Jerusalem, Jerusalem*, schon fast ein Singspiel, ist eine kritische Auslegung der Kreuzzüge und des Heiligen Krieges.

Das dramatische Werk von Hans Günter Michelsen mit seinen bekanntesten Stücken *Stienz* und *Lappschies* stützt sich auf historische und politische Anspielungen und wurzelt in der gemeinsamen Erfahrung des deutschen Volkes während der letzten dreißig Jahre. Der ehemalige Offizier stellt sich nach der Wiederherstellung des Friedens selbst die Frage nach seinem Charakter: ist er ein Mörder oder ein Versager oder ein Angeber? Die Satire auf die deutsche Gesellschaft, übersättigt vom »Wirtschaftswunder«, aus dem – trotz einiger Schattenseiten – alle Deutschen Nutzen gezogen haben, ist der Inhalt des Stückes *Stirb und werde* von Herbert Asmodi: Ehebruch und der Tod eines Geschäftsmannes erlauben es dem Autor, auf ironische Weise ein erschreckendes Bild der heutigen Sitten zu entwerfen. Kann man die Werke von Jochen Ziem, *Die Einladung* oder *Nachrichten aus der Provinz*, in diese Gruppe einreihen? Ohne die Bedeutung der Themen – Auseinandersetzung zwischen Ost und West, symbolisch durch Gegenüberstellungen in der Familie dargestellt, oder das Verhalten verschiedener Schichten in der modernen Gesellschaft - schmälern zu wollen, so ist es doch in der Hauptsache die Kraft und Offenheit des Dialogs, die Wiedergabe des alltäglichen Wortes und sogar der niedrigsten Umgangssprache, durch die Jochen Ziem Aufmerksamkeit gefunden hat. In diesem Sinn ist auch sein Theater dokumentarisch, selbst wenn er sich nicht direkt auf historische Ereignisse stützt; er liefert eine Diagnose ohne Schönfärberei, ohne Nachsicht gegen die kleinliche geistige Einstellung, die durch den Krieg und die nationalsozialistische Vergangenheit prädestiniert erscheint. Durch einen Untertitel hat Jochen Ziem selbst den Vorwurf seines letzten Stückes definiert: »18 Verhaltensweisen aus dem Privatleben einer deutschen Republik«.

In *Jagdszenen aus Niederbayern* behandelt Martin Sperr das Thema des unmenschlichen Ineinandergreifens gesellschaftlicher Zwangsläufigkeiten; aus der Handlung, die in einem Dorf im Jahre 1949 spielt, spricht Heftigkeit und Grausamkeit. Mit *Landshuter Erzählungen*, die 9 Jahre später mit zwei Geschäftsleuten ins Gericht gehen, steigert Martin Sperr noch den naturalistischen Zug seiner Schreibweise und Personen, er schildert voller Sadismus die Exzesse, die von Menschen begangen werden, die sich von ihren Instinkten hinreißen lassen oder dazu von Ereignissen wie dem Krieg verleitet werden.

Das Werk des Ostberliners Peter Hacks ist umfangreich und schillernd. Einige seiner vor zehn Jahren im Aufbau Verlag erschienenen Werke kommen erst jetzt auf westdeutsche Bühnen. Immerhin hatte die Stadt München ihm im Jahre 1955 für sein Stück *Eröffnung des indischen Zeitalters* den ersten Schauspielpreis zuerkannt; an Hand der Abenteuer von Christoph Kolumbus stellt der Autor die Frage nach der Notwendigkeit und dem problematischen Charakter des Fortschritts und des Wissens. *Das Volksbuch vom Herzog Ernst* aus derselben Zeit stellt die sogenannten Wohltaten des Heldentums in Frage, die bei genauer Betrachtung nur Ausdruck von Machtmißbrauch sind. Peter Hacks' Theater ist didaktisch; das von Peter Weiss, Rolf Hochhuth und vor allem von Heinar Kipphardt ist dokumentarisch.

Vor kurzem tauchte mit der *Notstandsübung* von Michael Hartry das alte Agit-Prop-Stück wieder auf. Es hat den Studentenaufstand vom 2. Juni 1967 in Berlin zum Inhalt. Das Stück ist eine Mischung aus Happening, Kollage, Montage, von Zeitungsausschnitten, Augenzeugenberichten und offiziellen Stellungnahmen. *Doppelkopf* von Gerlinde Reinshagen, die es sich in ihrem ersten Stück zur Aufgabe gemacht hat, die Welt der Arbeit so darzustellen, wie sie ihr erscheint, und den schwierigen Aufstieg der Hauptfigur in dem Unternehmen zu schildern, in dem er arbeitet, ist trotz moderner Effekte, trotz aktueller Situationen ein an den Expressionismus anklingendes Werk. Das Doppelstück *Der Hundsprozeß* und *Stalin als Herakles* von Hartmut Lange analysiert auf fast mythische Weise die großen Stalinprozesse, ihre Methoden und Prinzipien der Selbstkritik. Das Stück ist zwar etwas verwirrend, es fehlt ihm aber nicht an Kraft, Phantasie und Erfindungsgabe.

Seit einigen Jahren wird das deutsche Theater, dessen Lebenskraft in jeder Saison sich neu erweist, jedoch von drei Autoren beherrscht. Rolf Hochhuth, Peter Weiss und Heinar Kipphardt. Papst Pius XII., dem Hochhuth vorwirft, er habe nichts unternommen, um die Ermordung von sechs Millionen Juden zu verhindern *(Der Stellvertreter)*; die Bombardierung

Dresdens und auf Befehl Winston Churchills die Ermordung des polnischen Offiziers Sikorski, der in London im Exil lebte *(Soldaten)*; Auschwitz *(Die Ermittlung)*, Vietnam *(Vietnam-Diskurs)* beide von Peter Weiss; der gegen den Vater der Atombombe angestrengte Prozeß, dem vorgeworfen wird, die Weiterentwicklung der Atomversuche zu Kriegszwecken behindert zu haben *(In der Sache J. Robert Oppenheimer)*; Eichmann oder der Neonazismus *(Die Nacht, in der der Chef geschlachtet wurde)* beide von Heinar Kipphardt; die Nachschöpfung der Geschichte an Hand des Dramas von Marat und des begnadeten Marquis auf barocke, zuweilen brechtische Art *(Marat-Sade)*; Angola oder der Krieg in den Kolonien *(Der Gesang vom lusitanischen Popanz)* beide von Peter Weiss – immer bleibt das Theater ein Schauspiel, das die Geschichte auf die Bühne bringt und daraus eine Lektion ableitet. Das Werk wird aufgebaut auf Dokumenten, die Stücke werden aus einfachen Aktenstenogrammen transkribiert, es werden Montagen hergestellt und Reportagen wiedergegeben. Am Ende dieses Verfahrens steht die Wahrheit: niemand darf sich an der heutigen Tragödie schuldlos glauben. Nur das totale Theater, in der Rolle des Protokollführers, kann die Wahrheit aufdecken. Die Literatur und die Phantasie sind nicht in der Lage, das was wirklich vorgefallen ist, nachzuschöpfen. Das Protokoll ist die bevorzugte Methode, die Wirklichkeit zu beschwören, wobei die dramatische Progression keineswegs verloren gehen muß.

Die Vorherrschaft der drei berühmten Dramatiker wurde vor kurzem durch das Werk eines jungen Schriftstellers, Peter Handke, angetastet. Handke hatte in Princeton bei einer Reise der »Gruppe 47« in die Vereinigten Staaten im Jahre 1966 einen kleinen Skandal verursacht. Er hatte sich erlaubt, die vorgelesenen Texte – nicht einen bestimmten – pauschal langweilig und überholt zu finden, und die akademische, kraftlose Kritik zu kritisieren. Sein erstes Stück, *Publikumsbeschimpfung*, ist ein langer, an die Zuschauer gerichteter Tadel, ein wahrer Schwall von Worten, Phrasen, Klischees, zum Widerspruch reizenden Sätzen, eine rhythmische Kollage von Allgemeinplätzen. Mit *Selbstbezichtigung* und *Weissagung*, mehr aber noch mit *Hilferufe* übt sich Peter Handke in dem subtilen Spiel, das ihm eine große Kunstfertigkeit bei der Verwendung der Worte und bei der Zergliederung der Sprache gestattet. Das Wort ist immer noch das beste Mittel, die Wahrheit aufzudecken oder sie auf immer zu verdecken. Vom jüngsten Stück Peter Handkes, *Kaspar*, wurde gesagt, daß es gleichzeitig der Triumph und der Untergang der Sprache im Mund eines Clowns sei, den die Gesellschaft terrorisiert, da sie die Wörter falsch verwendet, sie malträtiert und ihre Bedeutung entstellt. Kaspar wird ihr Opfer. Die im

Jahre 1963 geschriebene Komödie *Wie dem Herrn Mockinpott das Leiden ausgetrieben wird* von Peter Weiss, entwickelt eine andere Moral: Im Unterschied zu Kaspar befreit sich Mockinpott von allen Behinderungen; dadurch, daß ihm schwer zugesetzt wird, findet er im Leben das Mittel, sich zu begreifen, sich zu ertragen und sich zu bestimmen.

Ein Theater ohne Autor – das ist das deutsche Theater schon lange nicht mehr.

Die Mitarbeiter an diesem Band

Sabine Brandt

Geboren 1927; bis 1955 Literaturkritikerin bei bedeutenden Zeitungen und Zeitschriften in Ost-Berlin, lebt jetzt in Köln als Journalistin und Mitarbeiterin des Verlags Kiepenheuer und Witsch. Ihre Literaturkritiken erscheinen u. a. in der Zeitschrift »Der Monat« und in der »Frankfurter Allgemeinen Zeitung«.

Hans Eckstein

Geboren 1898, studierte in Heidelberg, München und Marburg Soziologie, Volkswirtschaft, Kunst und Archäologie. 1923 ist er am Staatlichen Museum in Berlin. Schriftsteller seit 1925. Veröffentlichungen über Kunst, Architektur, Städtebau und Industriebau in: »Für bildende Kunst, Kunst und Künstler, Das Kunstblatt, Werkbundzeitschrift Die Form, Schweizer Werkbundzeitschrift Das Werk, Frankfurter Zeitung, National-Zeitung« (Basel). Ab 1933 war ihm die Ausübung seiner schriftstellerischen Tätigkeit in Deutschland praktisch nicht mehr möglich. Veröffentlichungen in der Schweiz unter Pseudonym. Seit 1950 in der Redaktion der Architekturzeitschrift »Bauen und Wohnen«, seit 1955 Leiter einer neuen Sammlung im »staatlichen Museum für angewandte Kunst« in München.

Veröffentlichungen:

Psyche, 1928.
Neue Wohnbauten, 1930.
Die schöne Wohnung, 1932–34.
Vierzehnheiligen, Monographie, 1938.
Künstler über Kunst, 1938–1953.
Fünfzig Jahre deutscher Werkbund, 1957.
Hans Reinhold Lichtenberger, 1968.

Christian Ferber

Pseudonym für Georg Seidel, geboren 1919, Philologiestudium in München und Münster, Buchhändler, dann Journalist und Schriftsteller. Zur Zeit Redaktionsmitglied bei der Zeitung »Die Welt« in Hamburg.

Veröffentlichungen:

Das Netz, Roman (unter dem Pseudonym Simon Glas), 1951.

Die schwachen Punkte, Roman (unter dem Pseudonym Simon Glas), 1953.
Jeder wie er kann, Novelle (unter dem Pseudonym Simon Glas), 1956.
Bonner Patiencen, gelegt von Lisette Mullère, satirische Aufsätze, 1961.
Der Trompeter von Säckingen, Essays, 1963.
Das war's, Satiren, 1965.

Ivo Frenzel

Geboren 1924, Philosophiestudium in Göttingen (bei Nicolai Hartmann). Er war Verlagsleiter in München, ging dann zum Westdeutschen Fernsehen nach Köln. Veröffentlichungen in zahlreichen Zeitschriften, Artikel über Martin Heidegger, Karl Jaspers, Ernst Bloch, Jean-Paul Sartre und andere.

Antoine Goléa

Musikkritiker bei der Zeitschrift »Témoignage Chrétien«, Mitarbeiter bei »Carrefour«, bei der Zeitschrift »Musica« und beim »Guide du Concert«. Pariser Korrespondent für die »Deutsche Zeitung«, für die »Neue Zeitschrift für Musik«, sowie für den Süddeutschen Rundfunk Stuttgart und den Sender Freies Berlin. Als Mitglied von »La Tribune des critiques de disques« des Französischen Rundfunks (ORTF) macht er regelmäßig Sendungen in den Rundfunkstationen Berlin, Hamburg, Köln, Baden-Baden und München.

Veröffentlichungen:

Analyse poétique et musicale de Pelléas et Mélisande (Édition de l'Éducation musicale, Paris), 1952.
Esthétique de la musique contemporaine (Presses Universitaires de France, Paris), 1954.
L'avènement de la musique classique de Bach à Mozart (Éditions du Journal musical français, Paris), 1954.
Rencontres avec Pierre Boulez (Julliard, Paris), 1958.
Georges Auric (Éditions Ventadour, Paris), 1959.
Rencontres avec Olivier Messiaen (Julliard, Paris).
La musique dans la société européenne du moyen âge à nos jours (Éditions de Témoignage Chrétien).

Zusammen mit Georges Auric Autor des Balletts »Chemin de lumière«, das 1952 an der Münchner Oper uraufgeführt und 1958 an der Pariser Oper wiederaufgenommen wurde.

Horst Koegler

Geboren 1927, studierte Musik, Kunstgeschichte und Theaterwissenschaft in Kiel und Halle an der Saale. Dramaturg und Opernregisseur am Gerhart-Hauptmann-Theater in Görlitz. Seit 1951 unabhängiger Schriftsteller in Berlin, seit 1959 in

Köln. Mitarbeiter der »Welt«, »Stuttgarter Zeitung«, »Theater heute«, »Magnum«, deutscher Korrespondent für »Dancing Magazine« und »Opera News« in New York und »Dance and Dancers«, »Opera« in London.

Veröffentlichungen:

Ballett in Deutschland (zusammen mit Siegfried Enkelmann), 1957.
Bolschoi-Ballett, 1959.
Modernes Ballett in Amerika, 1959.
Ballett International, 1960.
Yvonne Georgi, 1963.
Balanchine und das moderne Ballett, 1965.
Ballet 1965 (Herausgeber, auch 1966, 1967, 1968).

Dieter Krusche

geboren 1928, Studium der Zeitungswissenschaft, Philologiestudium in Münster. Anschließend literarischer Redakteur bei der »Münsterschen Zeitung« und gleichzeitig Redakteur bei der Zeitschrift »Filmforum«. Seit 1963 Drehbuchautor beim zweiten deutschen Fernsehen in Mainz.

Mitarbeit bei Büchern:

Kino, Kunst und Kolportage, *Filmstudien I* und *Filmstudien II* sowie an mehreren deutschen und ausländischen Zeitschriften.

Jonas Lesser

geboren 1895, Studium der klassischen und modernen Philologie, anschließend Lektor beim Paul Zsolnay-Verlag in Wien. Mitarbeiter für mehrere deutsche und Schweizer Zeitschriften bei Radio Wien.
1938 Flucht von Wien nach London (seine ganze Familie wurde von den Nationalsozialisten ermordet). 1968 in London gestorben.

Veröffentlichungen:

Von deutscher Jugend, 1932 (1933 vernichtet).
Thomas Mann und die Epoche seiner Vollendung, 1952.

Übersetzung:

Die Erziehung des Henry Adams, 1952.

Paul Schallück

geboren 1922, Studium der Philosophie, Geschichte, und Theaterwissenschaft in Münster und Köln. Wird während des zweiten Weltkrieges verwundet; nach seiner Rückkehr aus Kriegsgefangenschaft wird er Theaterkritiker, dann Schriftsteller. Er lebt in Köln.

Veröffentlichungen:

Wenn man aufhören könnte zu lügen, Roman, 1952–1963.
Ankunft null Uhr zwölf, Roman, 1953.
Die unsichtbare Pforte, Roman, 1954.
Weiße Fahnen im April, Erzählung, 1955.
Qu 3 und die Hohe Straße, Erzählung, 1955.
Engelbert Reineke, Roman, 1959.
Zum Beispiel, Essays, 1962.
Lakrizza, Erzählungen, 1966.
Don Quichotte in Köln, Roman, 1967.
Orden, Satiren, 1967.
Gesichter, Collagen, 1967.
Karlsbader Ponys, Novelle, 1968.

Albert Schulze-Vellinghausen

geboren 1905, Studium der Rechtswissenschaft und Kunstgeschichte. Buchhändler, Militärdienst, bis 1953 Theaterkritiker bei der Zeitung »Der Mittag«. Seit 1953 Redakteur des Kulturteils der »Frankfurter Allgemeinen Zeitung«. Übersetzer (Giraudoux, Cocteau, Marivaux). 1967 gestorben.

Veröffentlichungen:

Experimenta typografica (zusammen mit Sandberg), 1956.
Das Abenteuer Ionesco (mit Ionesco und Sellner), 1957.
Deutsche Kunst nach Baumeister (mit Anneliese Schroeder), 1958.
Theaterkritik 1952–60, 1961.
Anspielungen, 1962.

Heinz Schwitzke

geboren 1908, Studium der Philosophie, Kunst und Musik in Berlin. Ab 1923 Rundfunksendungen, ab 1931 Rundfunkkritiker, seit 1932 Autor und Dramaturg beim Rundfunk. Militärdienst, Kriegsgefangenschaft, Journalist.

Anschließend kehrt er zum Rundfunk zurück. Seit 1951 ist er für die Hörspielsendungen des Norddeutschen Rundfunks in Hamburg verantwortlich. (Günter Eich, Friedrich Dürrenmatt, Wolfgang Hildesheimer sind unter den Autoren, die er vorgestellt hat.)

Veröffentlichungen:

Sprich, damit ich dich sehe (Sammlung von Hörspielen), 1960.
Vier Fernsehspiele (veröffentlicht in seiner Eigenschaft als Produzent), 1961.
Das Hörspiel, Geschichte und Dramaturgie, 1963.
Produzent von zahlreichen Hörspielen.

Alphons Silbermann

geboren 1909, Studium der Rechts- und Sozialwissenschaften in Köln, Freiburg und Grenoble. 1933 aus Deutschland ausgewiesen. Emigriert nach Sydney in Australien, über Holland und Frankreich. Wird australischer Staatsbürger; 1944 wird er Lehrer am N. S. W. State Conservatory of Music in Sydney. Seit 1945 gibt er Kurse in Paris, Wien, Freiburg, New York, Perusa und Köln. 1958 wird er Professor an der staatlichen Hochschule für Musik in Köln. Zur Zeit ist er Honorarprofessor an den Universitäten Köln und Lausanne.

Veröffentlichungen:

Of musical things, 1949.
La musique, la radio et l'auditeur, 1954.
Introduction à une sociologie de la musique, 1955.
Wovon lebt die Musik. Die Prinzipien der Musiksoziologie, 1957.
Musik, Rundfunk und Hörer, 1959.
Das imaginäre Tagebuch des Herrn Jacques Offenbach, 1960.
Vom Wohnen der Deutschen, 1963.

Eduard Trier

geboren 1920, studierte Kunstgeschichte, Archäologie und Philosophie in Bonn und Köln, Schnüttgen-Museum in Köln. Seit 1948 Kunstkritiker und Schriftsteller. Mitglied des Komitees der »Documenta II« (Kassel), Vorstandsmitglied bei der »Documenta III«, Bevollmächtigter für den deutschen Pavillon bei der Biennale in Venedig, Leiter der Abteilung Kunst beim »Kulturkreis im Bundesverband der deutschen Industrie«. Direktor der Düsseldorfer Kunstakademie. Lebt zur Zeit in Köln.

Veröffentlichungen:

Marino Marini, 1953.
Moderne Plastik, 1954.
Wilhelm Lehmbruck, Zeichnungen und Radierungen, 1955.
Zeichner des XX. Jahrhunderts, 1956.
Kunstreiseführer Belgien, 1957.
Wilhelm Lehmbruck: die Kniende, 1958.
Max Ernst, 1959.
Hans Mettel, 1960.
Figur und Raum, die Skulptur des XX. Jahrhunderts, 1960.
Emil Cimiotti, 1962.
Norbert Kricke, 1963.
Hans Asp, 1967.

Herausgeber der Monographienreihe »Junge Künstler«.
Mitarbeiter am »Jahresring«.

René Wintzen

Literaturkritiker. Geboren 1924. Lebte von 1946 bis 1957 in Deutschland. Mitglied des Redaktionskomitees von »Documents«. Mitarbeiter bei »Dokumente« (Köln), »Wort und Wahrheit« (Wien), bei den »Nouvelles Littéraires«, »Signes du Temps«, »Témoignage Chrétien«, »Les Beaux-Arts« (Brüssel), »Le Monde« (Paris), beim WDR Köln und beim Bayerischen Rundfunk München usw.

Veröffentlichung eines Essays über Bertold Brecht in den Editions Seghers sowie von zahlreichen Studien über die zeitgenössische deutsche Literatur. Lebt in Paris.

Karl Jaspers

Martin Heidegger

Karl Wittlinger:
Seelenwanderung

Bertolt Brecht:
Leben des Galilei

Bertolt Brecht: Aufstieg und Fall der Stadt Mahagonny

Gieselher Klebe: Figaro läßt sich scheiden

Liederhalle Stuttgart

◄ Hans Werner Henze: Der Prinz von Homburg

Ricardo Duse — Tilly Söffing; Kölner Ballett

◄ Monteverdi: L'Orfeo in der Inszenierung von Erich Walter und
Heinrich Wendel

Edwald Matarè: Pelikan an einer Bronzetür des Kölner Doms

Willi Baumeister: Safer 3, mit dem Keltenschwert I

Georg Meistermann: Schweben

Festhalle der Farbwerke Hoechst, Architekt: F. W. Kraemer

Museumsbau Berlin (Modell), Architekt: L. Mies van der Rohe

Wilhelm Loth: Figur 4 (Bronze)

◄ Sankt Christophorus in Köln-Niehl, Architekt: Rudolf Schwarz;
Wandgemälde und Fenster: Georg Meistermann

Erich Hauser: Stahlplastik

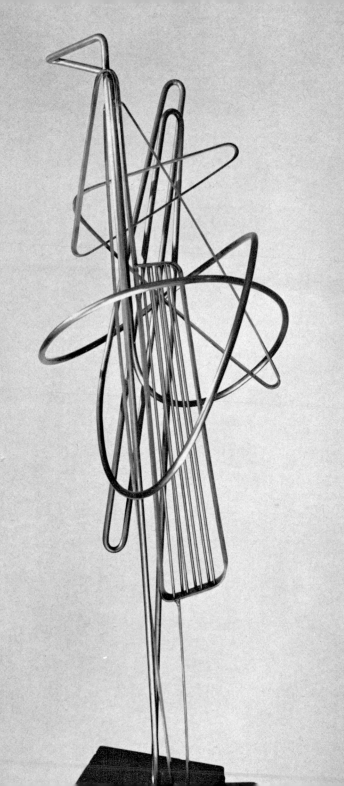